La Ménopause
et les médecines douces

Dr Georges Crabbé
Svetlana Crabbé

La Ménopause
et
les médecines
douces

Un traitement naturel
pour chaque femme

Albin Michel

Les auteurs tiennent à remercier Sia Axel, Paule Claeys, Véronique Fasy, Michel Legat, Françoise Parone, Cécile Sohet et Monique Stevens, qui ont participé à la lecture ou à la saisie de ce texte.

Sommaire

PRÉAMBULE

À la fin de 1980, après quatorze ans de pratique au cours desquels je croulais sous le travail, à consulter dix à douze heures par jour, à distribuer généreusement des pilules et des hormones, et jouer du bistouri, je fus contacté par l'École mosane d'homéopathie. J'y suivis des cours, et ce fut la révélation !

À cette époque, ma femme et fidèle collaboratrice avait reçu une formation d'acupuncture japonaise à Bruxelles et à Paris. Elle ne faisait que perpétuer une tradition car en Russie, son pays natal, les soins par les plantes et l'homéopathie sont librement et quotidiennement dispensés et l'acupuncture a sa place dans la panoplie médicale.

Parallèlement à l'homéopathie, je me suis intéressé à la phytothérapie et à l'aromathérapie, que des spécialistes réputés m'ont enseignées. Il devenait impossible pour moi de ne pas davantage intégrer les médecines alternatives à la pratique classique, de continuer à être schizophrène. La médecine, pour moi, n'avait plus le même visage. Ne m'occuper que d'ovaires et d'utérus et ignorer superbement tout le reste du corps me semblait une aberration. Dans toutes les médecines holistiques, que ce soient l'acupuncture, l'homéopathie ou d'autres, une interaction existe entre les organes. Par exemple, les problèmes d'ovaires sont liés au foie, et les problèmes osseux sont liés aux reins.

Dès lors je suis allé jusqu'au bout de mes idées. Je me suis mis à soigner mes patientes par ces méthodes, ce qui n'a pas été sans conséquence... La plupart n'étaient pas prêtes à accepter ce genre de médecine et m'ont quitté, tandis que d'autres sont venues vers moi. Certaines femmes venaient de loin pour chercher et trouver avec moi une solution et un traitement afin de ne pas se laisser opérer de manière inconsidérée et garder ainsi leurs ovaires et leur utérus. D'autres ne supportaient pas les traitements hormonaux qui soit les faisaient grossir, soit perturbaient leur digestion, les rendant nerveuses. Il fallait donc les aider. Heureusement, j'avais entre les mains une autre palette de traitements.

De nombreux gynécologues homéopathes en Europe occidentale pratiquent cette médecine holistique : en majorité des Français et des Allemands, mais aussi des Belges, des Hollandais, des Anglais, des Italiens, des Espagnols et des Autrichiens. Il est toujours réconfortant de savoir que l'on n'est pas seul à exercer ce genre de médecine, surtout lorsque vos collègues gynécologues allopathes manifestent une attitude méfiante à l'égard de cette manière de soigner. Mais c'est surtout le soutien de mes patientes qui m'a été précieux. Depuis de nombreuses années, je leur propose ces traitements pour la ménopause, en les laissant libres, bien sûr, si elles le désirent, de se faire aider par l'hormonothérapie, que je propose d'ailleurs moi-même dans certains cas. Mais après toutes ces années d'expérience, je considère que l'on peut offrir aux femmes une réelle alternative, une autre possibilité de se prendre en charge[1].

C'est cette ouverture sur les médecines complémentaires que nous offrons dans ce livre. Nous l'avons rédigé dans un esprit de clarté afin qu'il soit accessible à toutes et à tous. Mais, pour celles et ceux qui souhaiteraient en savoir plus, nous avons indiqué dans les nombreuses notes – figurant en fin de volume – les fondements scientifiques de ces propos.

INTRODUCTION

’espérance de vie des femmes, qui est aujourd’hui en moyenne de 81 ans en France et de 79,8 ans en Belgique, était de 50 ans au début du siècle. Il restait alors très peu d’années de vie après la ménopause, alors qu’aujourd’hui la femme a encore 30 ans devant elle. Les malaises liés à ce changement n’intéressaient alors personne. Dans les couches défavorisées, la femme restait valorisée au sein de son foyer par son travail, qui lui assurait une certaine autorité par rapport à son conjoint bien souvent plus âgé. Dans les milieux privilégiés, les femmes de 50 ans perdaient leur attrait aux yeux des hommes, elles pouvaient être remplacées au quotidien, à moins d’avoir une personnalité, un statut social ou un rayonnement personnel hors du commun.

Dans d’autres civilisations, comme en Afrique, la notion de ménopause semble être ignorée du fait de la plus courte durée de vie, mais aussi parce que le phénomène s’installe après la dernière naissance quasiment sans aucune transition. En Extrême-Orient, on en parle très peu. Les Asiatiques n’ont pas du tout la même conception que nous du vieillissement. Les anciens sont très écoutés et respectés, et on trouve de la beauté dans le vieillissement car on l’associe à la sagesse. Si les femmes asiatiques ressentent aussi les symptômes de la ménopause, leur culture leur confère une tout autre dimension.

Le phénomène nouveau n'est donc pas la ménopause, mais le fait que désormais les femmes vivent en état de ménopause le tiers de leur vie. Elles font beaucoup plus attention à leur santé et à leur corps. Elles ont appris à se soigner. La ménopause est beaucoup mieux supportée par les femmes qui ont un certain statut professionnel et de fortes motivations dans leur travail. À cette période de leur vie, elles connaissent une disponibilité sentimentale, physique, intellectuelle et souvent matérielle. Celles qui ont su s'impliquer dans la vie sociale ou créative passent au travers de ces symptômes de manière beaucoup plus aisée que les autres.

La ménopause n'est pas une maladie honteuse. Elle s'accompagne certes de quelques changements physiques et psychologiques, mais pas plus que d'autres grandes étapes de la vie génitale féminine. Cependant, les symptômes n'arrivent jamais sans signes précurseurs, dus à la baisse des sécrétions hormonales de l'organisme.

Faut-il pour autant traiter à tout prix les femmes par les hormones à la ménopause ? Y a-t-il exagération dans la campagne d'information actuelle ? Notre liberté de laisser agir la nature, comme faisaient nos grand-mères, est menacée par le besoin de sécurité, et la sécurité elle-même est menacée par le souci obsédant que l'on en a. Pour nous protéger, la médecine exploite notre peur de vieillir ou de mourir et nous fait mourir de peur. Liberté et sécurité ne sont pas contradictoires, mais complémentaires. À vouloir trop se protéger, on passe sa vie à avoir peur, car un trop grand souci de la santé est déjà une maladie. Notre société est une société sans risque, où l'on est assuré contre tout, où tout doit être programmé. Mais où chacun est rendu moralement, voire légalement, responsable de ce qui pourrait lui arriver. On n'apaise pas l'angoisse, on l'entretient. Il devient inacceptable pour certains que des patients, supposés ignorants, puissent contrevenir aux ordres d'une médecine reconnue seule, officiellement, capable de les aider. Quand la médecine se comporte comme une mère inquiète et étouffante, elle nous condamne à souhaiter une mère libérale et hypocrite, ou à être des enfants qui ne songent qu'à transgresser les interdits. Les croyances anciennes (les religions) s'effacent peu à peu et sont remplacées par des religions qui sont toutes fort limitées. Le pouvoir dominant sait, c'est-à-dire que notre société exclut l'imprévu, l'inexplicable, l'improvisé. Trop de médecins ne supportent pas que l'on conteste leur savoir, refusant d'admettre que, malgré toute leur science, il leur est parfois difficile de guérir ou de prévoir les maladies. Reconnaître leurs doutes, leurs incertitudes serait pour eux trahir le corps médical tout entier. Alors qu'il est appelé à côtoyer intimement ses semblables, confronté à l'angoisse, aux souffrances réelles ou imaginaires, le médecin, maintenu par sa formation de technicien dans un cadre très strict, n'a pas appris à aborder l'homme dans sa totalité physique et psychique.

« De toutes les illusions, la plus périlleuse consiste à penser qu'il n'existe qu'une seule réalité », a écrit Paul Watzlawick, spécialiste de la communication à l'école de Palo Alto, en Californie. Le conditionnement de l'individu selon les critères du beau, du bien, du juste et du vrai, lui donne pour objectif, dans notre société, la conformité à un idéal esthétique de jeunesse éternelle.

On peut se demander si, sous un apparent apaisement (ne pas se casser les os, avoir des artères de 20 ans), l'utilisation des hormones à la ménopause n'a pas pour effet de renforcer le contrôle social, cet « ensemble de ressources matérielles et symboliques dont dispose une société pour s'assurer de la conformité du comportement de ses membres à une suite de règles et de principes prescrits et sanctionnés ».

Un des arguments fréquemment évoqués par les médecins est qu'à défaut d'utiliser les hormones, la femme deviendra une petite vieille décrépite et rabougrie, et de comparer la belle femme jeune sous hormones à sa compagne flétrie. C'est un argument dont il faut évidemment tenir compte. Mais le poids des techniques de persuasion (publicité, sondage et études comparatives sur le bien-fondé des hormones, et marketing dans la présentation de plus en plus alléchante du produit sous forme de gel, de patch incolore, inodore, indélébile, invisible) permet si bien d'intégrer ces traitements à notre environnement (le propre de l'idéologie dominante est d'être littéralement invisible) que rares sont ceux qui s'en offusquent. Les patientes, simples cibles ainsi manipulées, et l'opinion médicale, reflet du progrès mais aussi de l'information de masse et de la publicité, se conforment à une norme sociale, tant et si bien que l'individu isolé de ce contexte en vient à douter de ses propres réflexes et doit faire preuve d'une belle ténacité pour résister. Soumises aux médias, les patientes subissent un conditionnement constant, invisible, à leur insu. Cet embrigadement suscite chez certaines une obéissance sans limite que certains appellent le consensus.

La ménopause peut marquer le début d'une vie nouvelle et plus épanouie, si ses effets négatifs savent être compris et corrigés en temps utile. La médecine propose de la traiter essentiellement par la thérapie hormonale de substitution qui est efficace, certes, mais qui présente des contre-indications, et non des moindres, à la mesure de son efficacité. C'est en rencontrant ces obstacles, et notamment les contre-indications, que nous avons été amenés à préconiser d'autres méthodes et notamment à rechercher si, *via* les méthodes naturelles, nous ne trouverions pas des réponses aux questions posées.

La médecine classique ou scientifique

« Il est arrivé que des hommes d'action, à tant s'agiter, perdaient équilibre et raison pour avoir affirmé que seul existe ce qui se voit, se pèse et se vend », a écrit le peintre Georges Rouault.

La science est faite de balbutiements, et ses progrès ne sont accrédités que lorsqu'elle « innove », qu'elle prend part à la réalité. À chaque époque, la science doit batailler pour imposer la justesse de son point de vue, qui doit toujours être conforme aux idées du moment. La science progresse par paliers successifs, chaque étape indispensable semblant être le fin du fin, la dernière des vérités. Les nouvelles acquisitions sont souvent déniées par le savoir en place qui les considère comme des hérésies.

La médecine, qui est souvent décrite comme un art, est également une science. Elle est à la fois savante et sociale, c'est-à-dire fondue dans le collectif commun. Elle doit retrouver dans le savoir ancien ce qui dépasse la simple nouveauté du moment, ce qui tend à l'universalité. C'est ce qui lui permet, en construisant sur des bases stables, d'aller de l'avant. La médecine, plongée dans le monde du XXᵉ siècle, a suivi l'évolution technique et industrielle, donc expérimentale, positiviste, matérialiste. Et le discours tenu par la médecine est devenu de plus en plus un langage codé, à la limite de l'ésotérisme.

Les médecines naturelles, traditionnelles, ou parallèles comme on les a appelées, sont des bouffées d'oxygène qui permettent au médecin qui le souhaite de sortir de ce carcan médico-scientifique pour entrer dans un domaine où l'esprit et le corps ne sont pas vécus comme dissociés, mais envisagés en interaction permanente. Où le mental agit sur les courants d'énergie présents dans le corps humain, dont les symptômes sont interprétés comme les manifestations symboliques d'énergies perturbées. Une partie du succès des médecines orientales est due à leur extrême raffinement, se basant sur une expérience millénaire de la résolution et de l'élimination des contradictions. L'homme est toujours à la recherche des médiateurs du sacré. Dans la médecine officielle, c'est le pouvoir institutionnel qui tient lieu de rapport au sacré par l'intermédiaire de rituels : rituel de la visite du professeur suivi de ses disciples. Le malade, lui, ne comprend pas. Face à une médecine incapable de donner sa place au sacré, que les malades exigent pour donner du sens au mal, les patientes des médecines alternatives ont choisi un système où on leur offre justement les deux.

Compte tenu des techniques de ces différentes médecines – technique d'interrogatoire, technique thérapeutique –, il s'agit d'un traitement sur mesure qui tient compte de la singularité de chaque patiente. En comprendre les principes permet à chacune de mieux s'écouter elle-même, de mieux décrire ses symptômes au thérapeute, de se prendre en charge afin de suivre les indications thérapeutiques.

Qu'entend-on par médecine douce ?

La médecine *populaire* est une médecine ancienne et véhiculée seulement par la tradition orale, souvent rurale, où le savoir est transmis par une collectivité et où existe une primauté du « faire » sur le savoir. Ce n'est pas du tout une médecine alternative. Par opposition, la médecine alternative présente de véritables systèmes allant jusqu'à la doctrine. Le système recouvre l'interprétation *globale* de la maladie. La théorie ou doctrine est enseignée dans des écoles qui trouvent leur légitimité en mimétisme avec la médecine officielle, avec souvent en figure de proue un fondateur.

Dans la médecine alternative, on trouve un mécanisme de réduction du savoir populaire, une mise en forme, une réévaluation du contenu, une évacuation de la charge symbolique. Ainsi, l'ancienne médecine des plantes, que l'on appelait encore les simples et où existait une alliance de l'homme et de la nature, est réactualisée dans l'aromathérapie moderne.

Dans la médecine dite naturelle ou alternative, une première idée est que les médecins qui la pratiquent envisagent les choses autrement et trouvent un appui auprès des malades qui recherchent le *dialogue*. On y trouve généralement un certain nombre de qualités – entre autres, son efficacité –, lesquelles sont rejetées en bloc par une certaine médecine allopathique sous prétexte qu'il n'y a pas de preuves scientifiques. L'empirisme demeure une nécessité de la pratique médicale parce que l'individualité des êtres vivants ne nous permet pas d'établir des lois générales mais des conditions d'adaptation particulières à chaque individu, à chaque terrain.

Deuxième point, *la globalité de la maladie* est prise en considération et, par la force des choses, l'écoute attentive du thérapeute s'oppose à une médecine réductrice où les patientes sont qualifiées dédaigneusement de « fonctionnelles » comme si, en médecine, on ne devait commencer à s'intéresser qu'à l'« organique ». Le symptôme n'est plus un élément isolé mais est repris dans l'ensemble que constitue le terrain, une notion longtemps négligée : l'ensemble des caractéristiques propres à un individu, qui fait qu'il va réagir plus ou moins à certaines agressions, virales ou microbiennes mais aussi les périodes de la vie, les conditions de vie... Chaque individu va avoir une résistance physique et psychique propre. Une épidémie ne touche pas tout le monde. La résistance de l'organisme aux toxines est conditionnée par l'état du tonus neurovégétatif. Or, qui dit état neurovégétatif dit aussi état fonctionnel. Ces médecines de terrain sont particulièrement indiquées à la ménopause, parce que les manifestations endocriniennes fonctionnelles sont beaucoup plus fréquentes que les franches manifestations « organiques ».

Une troisième qualité, c'est le *faible risque* et, pour certaines pratiques, le faible coût de cette médecine.

Qu'il s'agisse d'acupuncture, d'homéopathie, d'ostéopathie, de phytothérapie, d'auriculomédecine ou de médecine bio-énergétique, les médecines énergétiques anciennes ou modernes ont en commun une même conception des rapports harmoniques de l'homme et de l'univers ; c'est pourquoi elles sont aussi dénommées – souvent, même – médecines naturelles.

Les médecines énergétiques admettent comme dénominateur commun un concept très vaste englobant les formes connues de l'énergie, mais également des forces intimement liées aux processus cosmiques et au phénomène-vie. Certains thérapeutes s'appuient sur des traditions très anciennes comme la pensée taoïste de la Chine classique ou la médecine ayurvédique de l'Inde antique, d'autres sur des conceptions modernes tirées de la physiologie et de la cybernétique. Mais toutes considèrent l'organisme vivant comme un système ouvert et autorégulé. Ainsi, le remède (dose homéopathique, aiguille, manipulation vertébrale, stimulation réflexe) agit-il, comme en informatique, en « donneur d'ordre » : il introduit dans la cybernétique de l'organisme une information, un « programme de correction ».

Le médecin universitaire répliquera que tout ceci est foutaise, et illusion de donner comme « représentations objectives du monde réel ce que l'on pourrait tout juste accepter comme métaphores[2] ». Mais à tant vouloir être scientifique, on finit par être scientiste. Alors que justement, au lieu d'opposer matière et énergie, la recherche de pointe aujourd'hui démontre que tout l'univers connu n'est en fait que différentes étapes d'énergie, énergie plus ou moins liée, énergie plus ou moins structurée. Nombreuses sont les médecines naturelles qui font passer d'une mentalité « causaliste-linéaire » (la cause engendre l'effet qui engendre la conséquence) à une mentalité « systémique » qui rétablit l'homme dans toutes les dimensions de son environnement et de son vécu. Ainsi, à la consultation courte, expéditive, au médicament nouveau, cher, fortement dosé, « efficace envers et contre tout » pour donner un sens à l'action médicale curative, on oppose le remède alternatif.

Mais quels sont les écueils de ce type de pensée ? D'emblée, on peut songer que dans bien des cas, les diverses pratiques de thérapie différente ont pour objectif l'opposition au monopole médico-pharmaceutique. C'est un défaut, qu'il est bien entendu utile de combattre : on ne doit pas être contre quelque chose mais pour quelque chose. Il faut être pour une vision commune de la santé. La médecine alternative doit s'insérer dans la médecine générale de notre époque.

Il faut aussi se méfier des risques d'un trop grand succès. L'engouement pour les médecines alternatives en fait un simple créneau pour praticien désirant se différencier de ses collègues et s'attirer ainsi une clientèle plus large. Tel est le reproche souvent entendu ; en réalité, c'est un point de vue mercantile qui me semble étranger à la remise en question du système, c'est-à-dire la forme du pouvoir – celui du thérapeute sur le patient –, forme contestée au profit de la prise en charge de sa propre santé.

On pourrait s'interroger sur la motivation profonde du thérapeute de médecine alternative. Y a-t-il une composante psychologique dans sa démarche ?

Cette médecine nouvelle est synonyme de liberté retrouvée, de recherche d'autonomie, de maîtrise de soi, d'harmonie, à l'inverse de la médecine classique, plutôt morcelante en ses diverses spécialités, où le patient est soumis au savoir du médecin. La médecine holistique fait référence au passé tandis que la médecine allopathique ne parle que de progrès et de technique de pointe.

Pour la première, on parle de suggestion et d'effet placebo, pour la seconde seul l'aspect rationnel, cartésien doit demeurer.

On parle de médecine douce : un psychiatre parlerait d'attitude narcissique où le fils retrouve une mère aimante, où le thérapeute, mis à l'index par ses confrères allopathes, est fermement convaincu de l'efficacité de sa pratique qu'il améliore sans cesse au gré de ses lectures et formations extra-universitaires. Les médecines douces font une large place à l'aspect psychologique ; les symptômes les plus importants en homéopathie ne sont-ils pas bien souvent les symptômes psychiques du patient ?

Le symptôme n'est plus l'objectif à éliminer mais il s'incorpore dans un ensemble de signes où la part laissée à la mobilisation de l'énergie et à sa dérégulation est grande. Les divers symptômes sont la partie émergée de l'iceberg, et bien souvent, ce sont des indicateurs plus que des phénomènes dérangeants, participant à la défense de l'organisme. Ils ont un véritable sens pour la patiente et son thérapeute. On se rapproche, ou l'on croit se rapprocher, de la cause véritable du mal, de la maladie ; là où la médecine officielle bute sur telle inconnue, cette médecine trouve une signification à tout malaise.

Mais si l'on parle de médecine globale, elle n'est pas pour autant homogène puisque dans une discipline majeure comme l'homéopathie, on reconnaît la théorie uniciste – un seul remède à la fois – plutôt puriste aux yeux des pluralistes qui penchent pour plusieurs remèdes échelonnés dans la prescription, et à ceux des complexistes qui prescrivent un ensemble de remèdes homéopathiques, attitude fortement décriée par les premiers. Le purisme des unicistes vient de ce qu'ils se revendiquent comme les héritiers de l'enseignement du maître Samuel Hahnemann. Le purisme de l'unicisme vise à le préserver d'une dénaturation qui le maintiendrait éloigné d'une homéopathie biothérapique – pluraliste et complexiste – qui serait plus facilement « acceptée » par la médecine officielle.

Le même phénomène existe dans l'acupuncture où la branche traditionnelle chinoise taoïste se différencie d'une acupuncture moderne aux indications bien limitées, principalement en rhumatologie, ainsi qu'en ostéopathie, où la manipulation vertébrale des médecins s'oppose à l'ostéopathie crânienne, fonctionnelle, des non-médecins.

Quoi qu'il en soit, toutes ces pratiques tendent à concilier corps et esprit, rationnel et irrationnel dans une recherche – médicale ou non – de la santé avec une ferveur proche du sacré.

Notre expérience nous montre que l'on peut traiter la ménopause en utilisant toutes ces possibilités des médecines naturelles. Le traitement en est d'autant mieux adapté à chaque cas et les résultats d'autant plus bénéfiques pour l'ensemble de la personnalité.

LA MÉNOPAUSE : SES SYMPTÔMES, SES CONSÉQUENCES

QU'EST-CE QUE
LA MÉNOPAUSE ?

Bref rappel physiologique : en quoi consiste le cycle ?

L'ovaire est au centre du métabolisme de la femme. À la naissance, il recèle 200 000 à 300 000 ovules condamnés à s'atrophier et à disparaître, à l'exception de 390 qui engendreront autant de cycles menstruels et dont certains seront fécondés. L'ovaire émet également des hormones qui influencent le métabolisme. Avec la mort du dernier œuf et la fin des sécrétions hormonales survient la ménopause. La régularisation hormonale est commandée par le cerveau.

> Hormone vient du grec *ormao*, qui signifie : mettre en mouvement, diriger à distance, téléguider pourrait-on dire au XXᵉ siècle.

En début de chaîne, l'hypothalamus stimule l'hypophyse qui émet deux hormones, la FSH – *follicule stimulating hormon* – et la LH – *luteinizing hormon*. Celles-ci portent le nom d'hormones gonadotropes et sont destinées à interagir avec les ovaires.

La première, la FSH, oblige l'ovaire à sécréter la folliculine.

> Follicule vient du mot latin *folliculus*, c'est-à-dire petit sac. Le follicule primordial se compose de l'ovule et d'une couche unique de cellules folliculeuses qui l'entoure. Des

milliers de follicules dont la nature prodigue a pourvu la femme, la plupart ne dépasseront jamais ce développement : 390 ovules seulement en trente ans, au rythme de 13 par an, un par mois lunaire, sont destinés à atteindre le stade de la maturité complète.

Pour cette première partie du cycle, on parle de la *phase folliculaire*. Elle s'arrête à l'ovulation. Avant la ménopause, sa durée peut être abrégée, ce qui entraîne le raccourcissement des cycles. Les œstrogènes sont les hormones sécrétées par les follicules ovariens dans la première partie de cycle.

Œstrogènes vient de l'« œstrus », phénomène commun aux mammifères, qui est l'augmentation sanguine du taux d'hormones avec congestion et prolifération de la muqueuse de l'endomètre.

Au départ, le nom d'œstrogènes a été donné aux deux hormones ovariennes : la folliculine et la lutéine ou progestérone. Le 14e jour, sous l'influence de la folliculine en excès, la seconde hormone, la LH, est sécrétée en grande quantité par l'hypophyse et déclenche l'ovulation.

Lors de son expulsion, l'ovule laisse une cicatrice à la surface de l'ovaire qu'on appelle le corps jaune et qui va être à l'origine de la production de progestérone ; sans l'ovulation, il n'y a pas de sécrétion de progestérone.

On entre dans *la phase lutéale*, deuxième phase du cycle. Le couple œstrogène/progestérone se prolonge jusqu'aux règles. S'il y a fécondation, c'est la progestérone qui provoque l'épaississement de la muqueuse utérine et la prépare à une éventuelle nidation de l'ovule. Dans le cas contraire, les émissions de FSH et LH s'apaisent, de même que la folliculine et la progestérone, et le tout provoque les règles.

◾ Au moment de la périménopause

La préménopause se définit comme la période, variable, précédant la ménopause. Devant la difficulté de définir le moment exact de la ménopause, certains ont préféré recourir au terme de périménopause, désignant ainsi une période plus large, couvrant à la fois la préménopause et la ménopause proprement dite.

Pendant les années qui précèdent la ménopause, l'ovaire continue de sécréter les œstrogènes, mais l'ovulation se fait de manière irrégulière en provoquant la diminution de sécrétion de progestérone.

Le couple œstrogène/progestérone devient déséquilibré car la progestérone n'est plus capable de jouer son rôle de médiateur. Les pics œstrogéniques génèrent des états de nervosité, d'hyperactivité, ainsi que des bouffées de chaleur. À cette période, il n'est pas rare de voir des cycles ramenés à 25, 23 voire 21 jours. Les règles peuvent devenir longues, hémorragiques, avec des caillots, toujours pour la même raison car la progestérone n'a pas pu contrebalancer l'effet des œstrogènes[3].

Dans l'ovaire, à côté des cellules globulaires qui produisent les hormones citées, il y a un tissu plus indifférencié que l'on appelle le *stroma*. Celui-ci continue à produire une quantité réduite d'hormones masculinisantes, les androgènes, dont une partie, la testostérone transformée en œstradiol, est responsable de l'augmentation de la pilosité ; les autres sont transformées en une hormone féminine moins efficace, l'œstrone. Il est bien entendu que ces deux hormones mâles se trouvent au sein du stroma ovarien et font donc partie de l'ovaire de la femme. Ce ne sont donc pas des hormones ajoutées.

La ménopause ne tombe pas comme un couperet. La carence œstrogénique s'installe de façon très progressive plusieurs années avant le phénomène de ménopause, c'est-à-dire avant la cessation des règles. Cette période intermédiaire antérieure à la ménopause affirmée est appelée la **préménopause** ou climatère – qui provient du grec *klimakter*, échelon et, par extension, époque difficile à franchir.

> Pour la petite histoire, sachez que toute année de la vie multiple de 7 ou de 9 est dite climatérique et était considérée comme critique par les Anciens. Par exemple, la 63e année est le produit de 7 par 9.

On voit ainsi que la ménopause ne peut se définir qu'*a posteriori* après une période suffisamment longue d'absence de règles : généralement un an. En effet, l'arrêt des règles est rarement brutal. La ménopause survient après une période de durée variable, parfois 4 ou 5 ans, caractérisée par des cycles souvent de plus en plus longs.

LA MÉNOPAUSE
ET LE MAL DES GRANDS ENSEMBLES

60 ans étant l'âge de la retraite en général pour les femmes, un nombre important d'entre elles auront à vivre en moyenne 10 à 15 ans de leur ménopause dans des conditions de travail qui peuvent être défavorables. On attribue un certain nombre de leurs plaintes à cette ménopause, alors qu'elles sont directement liées à leur environnement : citadines, elles travaillent soit dans des bâtiments modernes à air conditionné, aux sols recouverts de moquette, ou dans des locaux humides où prolifèrent des moisissures de type aspergillus ; sédentaires, elles sont assises devant leur écran vidéo. Elles fument ou sont imprégnées du tabagisme ambiant… Sans parler du climat psychosocial stressant et de leur insatisfaction dans le travail. Et les femmes de se plaindre du *sick building syndrome*, ainsi que l'appellent les Suédois :
• de symptômes oculaires comme l'irritation des yeux ou le gonflement des paupières ;
• de symptômes respiratoires de nez bouché, gorge sèche, toux imitative ;
• de symptômes cutanés telle une éruption de boutons avec démangeaisons ;
• de symptômes généraux comme la fatigue générale et des maux de tête.
Ces troubles sont dus à l'environnement mais on a souvent tendance à attribuer exclusivement à la ménopause l'irritation oculaire, le gonflement des paupières, le syndrome du chat dans la gorge, les rougeurs du visage, les maux de tête et la fatigue.

■ L'âge de la ménopause

90 % des femmes ont leurs dernières règles entre 45 et 55 ans. Avant 40 ans, on parle de ménopause précoce, après 55 ans de ménopause tardive. Il est important de noter que l'âge de la ménopause n'est influencé ni par l'âge du début des règles, ni par le nombre de grossesses, ni par des facteurs raciaux ou socio-économiques, ni par la pilule, même prise de manière prolongée. Le tabagisme avance l'âge de la ménopause : plus on fume, plus tôt survient la ménopause. Enfin, contrairement à une idée reçue, il n'y a aucun caractère héréditaire. L'âge de la ménopause d'une femme n'a pas de rapport avec celui des femmes de sa famille maternelle ou paternelle.

■ Peut-on savoir si la ménopause approche ?

Les bilans hormonaux permettent de savoir si une femme est encore en pleine période d'activité génitale ou si la préménopause est entamée ou approche[4].

LES SIGNES PHYSIQUES

Des modifications...

■ ... *de la peau*

En préménopause, la peau est plus grasse au niveau du visage et du cuir chevelu, avec une poussée de duvet. En période de ménopause, au contraire, la peau se dessèche, devient rugueuse – cette modification est moindre chez les personnes souffrant de surcharge pondérale, l'œstrone étant l'œstrogène prédominant dans la graisse.

■ ... *des organes génitaux*

Les grandes et petites lèvres ont tendance à diminuer de volume, à être plus minces et donc plus fragiles. L'orifice vulvaire tend à rétrécir, surtout en l'absence de rapports sexuels. Le col de l'utérus a aussi tendance à diminuer de volume.

■ ... *de la région de la vessie*

Comme le vagin et le trigone vésical ont une origine embryologique commune, l'atrophie peut également se répercuter à ces deux organes. Il y a alors prolapsus, classiquement appelé

« descente d'organes ». Dans le même temps, le tonus du sphincter de la vessie diminue, en particulier chez les femmes qui n'ont pas fait de rééducation périnéale postnatale (car le périnée est très fortement sollicité à l'accouchement), *a fortiori* si elles ont musclé leurs abdominaux sans se préoccuper de l'état de leur périnée[5]. Des fuites urinaires peuvent alors surgir au cours d'un effort, quand elles éternuent ou éclatent de rire.

> 30 % des femmes sont incontinentes après l'accouchement et 10 % le restent. 48 % des femmes de plus de 55 ans ont une fuite par jour ; 25 % sont incontinentes en permanence, mais on en guérit 70 % par la rééducation, même chez les personnes âgées (la chirurgie n'est indiquée qu'en cas de descente d'organes).

■ ... *des seins*

Dans certains cas, la taille de la glande mammaire se réduit, ce qui fait diminuer les seins. Dans d'autres, la prédominance du tissu graisseux dans les seins – en partie héréditaire – les rend plus volumineux.

Des troubles physiologiques

■ *Les bouffées de chaleur*[6]

Chez 60 à 70 % des femmes, les bouffées apparaissent en cas de ménopause spontanée. Après castration chirurgicale ou radiothérapique, les bouffées sont plus fréquentes et plus sévères (entre 1 et 5 ans après). Mais 10 % des femmes en période de fécondité ont des bouffées de chaleur avant leurs règles. La bouffée de chaleur est une **sensation de chaleur partant de la face, du cou, du haut du thorax** et qui s'étend ensuite à la partie haute du corps, parfois au corps tout entier. Elle est précédée de signes souvent décrits comme une sensation de pression dans la tête. Elle peut s'accompagner de vertiges (souvent) et de nausées (rarement).

LES MODIFICATIONS PHYSIQUES ET LES COMPLICATIONS POTENTIELLES DE LA MÉNOPAUSE NON TRAITÉE	
Organe-cible	**Symptôme ou complication possible**
Vulve	Atrophie Dystrophie (modification) Prurit vulvaire (démangeaisons)
Vagin	Dyspareunie (douleur lors des rapports) Métrorragie (saignements) Vaginite
Vessie et urètre	Cystite et urétrite Ectropion (prolifération de muqueuse sur le col de la vessie) Pollakiurie (envie fréquente d'uriner) et/ou miction impérieuse Incontinence d'effort
Utérus et plancher pelvien	Prolapsus utéro-vaginal (descente d'organes)
Peau et muqueuses	Atrophie, sécheresse ou prurit Fragilité Perte de résistance et de souplesse Cheveux secs, chute de cheveux Hirsutisme mineur du visage (hyperpilosité) Bouche sèche
Cordes vocales	Modifications de la voix Perte des aigus
Système cardio-vasculaire	Athérosclérose, angine de poitrine Coronaropathies
Squelette	Ostéoporose et fractures associées Dorsalgies
Seins	Réduction de taille Consistance plus molle Affaissement
Glandes endocrines	Bouffées de chaleur Troubles psychologiques Troubles du sommeil

La fréquence des bouffées est de une par mois à plusieurs par heure. En moyenne, la durée est de 3 minutes, mais elle peut varier de 9 secondes à 1 heure. La bouffée s'accompagne de signes physiques : rougeur cutanée par vasodilatation et forte transpiration. La température périphérique s'élève. La température centrale du corps diminue par déperdition de chaleur. Une augmentation du flux sanguin périphérique précède la bouffée de chaleur d'au moins une minute et persiste après sa dissipation. Le rythme cardiaque s'accélère.

L'explication de ces modifications varie selon les époques. On a parlé de prédisposition, de terrain, puis de raison psychosociale : sentiment d'inutilité (départ des enfants, décès des parents). Aujourd'hui, c'est l'origine purement hormonale qui prend vraiment le pas sur toute autre considération[7].

■ *Les hémorragies et les troubles des règles*

Les hémorragies sont fréquentes en période de périménopause. Elles peuvent être provoquées par un **fibrome**. Cette tumeur bénigne, qui touche une femme sur quatre, ne cancérise jamais. Il s'agit d'une induration qui se développe entre les fibres musculaires de l'utérus. De forme plus ou moins régulière, de taille et de position variables, il est situé en dehors ou dans l'épaisseur même du muscle utérin. Suivant sa position, il est plus ou moins bien toléré. Bien souvent, le fibrome est asymptomatique, ne provoque aucun désagrément, et est généralement découvert lors d'un examen gynécologique. Néanmoins, il peut se manifester par des troubles urinaires (comme l'envie fréquente d'uriner) ou par une sensation de lourdeur, ou encore par des douleurs lombaires.

Sa présence dans la cavité utérine peut provoquer des règles plus abondantes, voire hémorragiques, avec de gros caillots foncés. Les hémorragies ou règles abondantes prolongées sont souvent générées par un fibrome. Quand il n'est pas trop gros, il occasionne très peu de troubles et aura tendance à diminuer de volume à la ménopause avec l'involution de l'utérus. Un fibrome plus gros, qui provoque des hémorragies, peut être traité médicalement ; cependant, s'il est réfractaire au traitement médical, il peut être opéré.

Mais il existe aussi **d'autres causes** telles que les *troubles de la coagulation sanguine* et le *dysfonctionnement hormonal* par hyperœstrogénie vraie ou par insuffisance du corps jaune (c'est-à-dire qu'en présence d'un excès d'œstrogènes ou d'une insuffisance de l'hormone lutéine, l'hormone du corps jaune ne contrebalance plus l'excès d'œstrogènes).

Les métrorragies

Ce sont des saignements qui surviennent en dehors des règles. Ils sont dus à des causes organiques ou fonctionnelles.

Les métrorragies organiques sont produites par des cancers du col ou de l'endomètre, des polypes, des kystes ovariens.

Les métrorragies fonctionnelles sont le propre des cycles sans ovulation avec développement anormal de l'endomètre, qui est la tunique intérieure de l'utérus et qui desquame lors des règles. Ces cycles anovulatoires sont très fréquents lors de la périménopause.

Les métrorragies peuvent provenir aussi d'une hormonothérapie mal conduite ou d'un trouble de la coagulation sanguine.

L'aménorrhée ou absence de règles

L'aménorrhée est soit fonctionnelle – quelque part, il y a un défaut de fonctionnement –, soit organique : due à une malformation congénitale ou à une tumeur, ce qui est relativement plus sérieux. La cause de l'aménorrhée peut se situer aux différents échelons de commande, que ce soit au niveau du cortex cérébral, de l'hypophyse, de l'hypothalamus, ou au niveau des organes effecteurs, l'utérus et les ovaires[8].

Les aménorrhées utérines fonctionnelles sont un trouble fonctionnel de réceptivité de l'endomètre au stimulus hormonal par suite d'un trouble circulatoire local.

Les aménorrhées fonctionnelles ovariennes : il en existe de primaires, c'est-à-dire celles des femmes qui n'ont jamais été réglées, et des secondaires comme, par exemple, dans la ménopause précoce. Il s'agit d'une insuffisance de sécrétion par l'ovaire des hormones féminines, œstradiol et progestérone, avec une sécrétion hypophysaire – c'est-à-dire le chef d'orchestre qui commande aux exécutants, donc l'ovaire – normale ou augmentée par compensation.

LES SIGNES PSYCHOLOGIQUES

Un ensemble

■ *Des troubles psychologiques*

Anxiété, instabilité émotionnelle, difficulté de concentration, de prise de décision, ou mélancolie apparaissent souvent en période de postménopause.

On rencontre à la ménopause des troubles du comportement, qui ont été interprétés comme l'effet d'une humiliation narcissique, expliquant une *hyperactivité* – qui se traduit par des manifestations psychomotrices comme l'agitation verbale, sociale, artistique, politique – ou son inverse, un *état dépressif* qui se manifeste par le repli sur soi avec une irritabilité qui peut être une tentative de se sortir du marasme.

La dépression, pourtant très fréquente, est facilement méconnue et masquée par d'autres maladies, à l'opposé de l'*anxiété* qu'il est plus facile de détecter. L'anxieuse est inquiète, se plaint de nervosité, de palpitations, de faiblesse et de sueurs abondantes. Elle souffre de tachycardie, sa respiration est oppressée et sa tension artérielle basse. Ce sont certes des signes de dépression, mais aussi de ménopause.

On estime que 3,4 % de la population souffre de dépression, dont 1 cas sur 5 est traité, 1 sur 50 hospitalisé... Toutefois 1 cas sur 200 ira jusqu'au suicide. La dépression est plus féminine que masculine.

Des *troubles instinctuels sur le plan alimentaire* témoignent d'une tendance dépressive. L'anorexie laisse souvent la place à une boulimie ou à l'alcoolisme.

Le *sentiment d'une diminution des capacités physiques* est accentué par l'idée de la ménopause.

Le *comportement social* peut se trouver modifié (fugues, kleptomanie).

■ *Des problèmes sexuels*

Kinsey observe *la diminution d'intérêt de la réponse et de l'activité sexuelles*. On assiste fréquemment à une diminution de la libido. Mais faut-il voir dans cette perte de libido une simple manifestation de la carence hormonale, à savoir la sécheresse vaginale, cette absence de lubrification entraînant des rapports douloureux ? Non, car la libido tient à de multiples facteurs : « La vie sexuelle après la ménopause sera à l'image de ce qu'elle a été auparavant : épanouie, elle restera épanouie. »

À l'inverse, on peut constater l'augmentation du désir qui peut se manifester de façon séductrice ou active, voire d'une manière pathologique dans la jalousie ou l'érotomanie.

■ *Des troubles du sommeil*

Sur le plan du sommeil, la femme ménopausée éprouve soit de l'hypersomnie, soit de l'insomnie.

Pourquoi de tels troubles ?

Pour tenter d'y voir plus clair, on a essayé de classer les divers troubles rencontrés dans les trois registres[9] suivants : anxiété, dépression et ménopause. Il apparaît que certaines femmes (pas toutes) connaissent à la ménopause une période de *passage à vide*. Leur énergie fait défaut.

Il y a plusieurs explications à cela.

■ *Une origine hormonale*

Les causes physiques ont été relevées plus haut : la *chute* du taux d'hormones, avant les règles ou à la ménopause, peut s'accompagner de variations de l'humeur, de ballonnement ou de tension mammaire. Mais n'est-ce pas parce que les hormones en excès en seconde moitié du cycle retrouvent un niveau d'équilibre quand les règles s'installent ? Les phénomènes vasomoteurs de la bouffée de chaleur peuvent expliquer les maux de tête, les fourmillements des doigts, les palpitations cardiaques. L'insomnie est due à une carence en œstrogènes. La diminution des capacités physiques, elle, n'a rien à voir avec la ménopause, mais résulte du vieillissement naturel.

■ *Les causes émotionnelles*

Certes, la tendance actuelle consiste à ramener tout le processus à un problème hormonal. Mais la ménopause est une période de transition, et tout changement peut être à l'origine d'un **stress**.

C'est l'âge où l'on fait le point. Tous les problèmes n'ont pas été résolus avec l'âge, et certains resurgissent. Une ménopause réussie est souvent la continuation d'une quarantaine heureuse.

Certaines femmes voient même arriver la ménopause d'un bon œil. Celles dont les règles étaient systématiquement douloureuses et abondantes, éventuellement à cause d'un fibrome, sont soulagées de la disparition de leurs règles. C'est la fin de bien des désagréments.

> Mme M. a 55 ans. À chaque consultation, je la félicite pour ses règles qui continuent de se présenter de manière très régulière. « Vous pensez, docteur, moi au contraire, je serai contente quand elles ne viendront plus et que j'en serai enfin débarrassée », me dit-elle.

Se retrouver seul(e) ou en couple, quand les enfants sont partis, peut favoriser lors de la ménopause la naissance d'un sentiment de vide, d'abandon, d'inutilité. Les enfants eux-mêmes ont grandi, or la sagesse populaire n'avance-t-elle pas : « petits enfants, petits ennuis ; grands enfants, grands ennuis » ? La conjoncture actuelle, plutôt morose, ne favorise pas leur entrée dans la vie active, et les soucis ne manquent pas. Mais on peut prendre les choses positivement, mettre à profit cette étape de la vie pour réaliser à son aise le petit voyage que l'on a toujours remis aux calendes grecques, s'initier à la peinture sur soie ou faire partie d'une chorale. Selon deux chercheurs de l'université d'Amsterdam, de nombreuses femmes au foyer se trouvent dans une situation d'isolement insatisfaisante, frustrante. Elles somatisent alors leurs conflits et leurs émotions, et leurs troubles sont plus d'ordre psychosomatique que dus à la ménopause elle-même.

Pour l'homme également, l'andropause est l'heure des bilans. Lui aussi traverse sa crise de l'âge mur. Comme sa compagne, il peut connaître des manques d'entrain ; l'hypertension ou l'insomnie ont tendance à le rendre irritable. Pour tous les deux, la mise à la retraite anticipée ne se vit pas forcément dans la joie. La tentation est grande de rejeter sur l'autre la responsabilité de ses échecs. C'est alors que certains tentent la nouvelle aventure avec un(e) partenaire plus jeune, loin des soucis du passé.

Les facteurs culturels

Le culte contemporain de l'éternelle jeunesse est redoutable (nous verrons plus loin comment maintenir la jeunesse, l'élasticité, la souplesse de la peau par des méthodes « naturelles »). Les Occidentales semblent être considérées comme diminuées quand survient la ménopause, contrairement à ce qui se passe dans d'autres sociétés. Ainsi, la femme indienne retrouve une liberté qu'elle n'avait pas quand elle était fertile, la Japonaise acquiert avec l'âge plus de sagesse et ses conseils sont appréciés. Si la femme comprend que la ménopause n'est pas un déclin physiologique, mais une étape nouvelle à franchir, elle aura gagné la partie.

Peut-être êtes-vous de celles qui se sont retrouvées incontestablement au mieux de leur forme, débarrassées de certaines contraintes et d'hésitations, et ont éprouvé un véritable bien-être, assumant enfin leur véritable identité.

Traiter la dépression par les hormones

Pour traiter cette dépression, les œstrogènes peuvent aider mais ils ne font pas l'unanimité. Un entretien avec un(e) psychothérapeute peut s'avérer tout aussi efficace, sinon plus.

Les études sur la dépression ont montré que d'une manière générale, celle-ci augmente avec l'âge et avec une situation socio-économique peu favorable. Cependant, la **dépression** est **plus élevée**[10] chez les femmes de 50 à 59 ans qui absorbent des œstrogènes, et ce de façon très significative. Dans cette tranche d'âge, en effet, les utilisatrices d'œstrogènes consomment **deux fois plus d'antidépresseurs** que les femmes qui n'en prennent pas. Toutefois, cette différence n'est pas en elle-même significative, car, si l'on compare les femmes traitées aux femmes non traitées par une thérapie hormonale de substitution ou ayant été traitées épisodiquement, on constate chez les premières une aggravation de la fatigabilité, une plus grande distorsion de l'image corporelle, une moindre perte de poids, une plus forte diminution de la libido. Mais est-ce une cause ou un effet ? Il semblerait que :
– les femmes dépressives absorbent plus d'œstrogènes que celles qui ne sont pas déprimées ;
– la prise à long terme des œstrogènes (entre 50 et 60 ans) améliorerait le résultat final (c'est-à-dire après 60 ans), après l'avoir aggravé de manière transitoire ;
– l'interruption plus ou moins occasionnelle de l'utilisation des œstrogènes par les femmes dépressives expliquerait les mauvais résultats de celles qui en prennent.
Plutôt que de vouloir relativiser à tout prix des résultats défavorables aux hormones, ne vaudrait-il pas mieux penser que

ÊTES-VOUS DÉPRIMÉE ?

Le terme « dépression » étant en général imprécis ou galvaudé, cela vaut la peine de réfléchir au problème. Le questionnaire suivant, qui a été longuement travaillé et mis au point par le Dr Beck*, et qui fait généralement référence en la matière, peut permettre de mieux vous situer.

A. Tristesse

3. Je suis si triste ou malheureuse que je ne peux plus le supporter
2. Je suis constamment triste et je ne peux m'en détacher.
1. Je me sens triste.
0. Je ne me sens pas triste.

B. Pessimisme

3. J'ai l'impression que l'avenir est sans espoir et qu'il n'y a pas d'amélioration en vue.
2. J'ai l'impression que rien ne peut progresser.
1. Je suis découragée à propos de l'avenir.
0. Je ne suis pas particulièrement pessimiste ou découragée par l'avenir.

C. Sentiments d'échec

3. J'ai l'impression que j'échoue en tout (parents, mari, enfants).
2. Quand je me retourne sur mon passé, je ne vois que des échecs.
1. J'ai l'impression d'avoir plus d'échecs que la moyenne.
0. Je n'éprouve pas de sentiment d'échec.

D. Insatisfaction

3. Je suis insatisfaite de tout.
2. Je n'ai plus de satisfaction pour rien.
1. Je ne me réjouis plus comme avant.
0. Je ne suis pas particulièrement insatisfaite.

E. Culpabilité

3. Je me sens comme si j'étais très mauvaise ou comme si je n'avais aucune valeur.
2. Je me sens passablement coupable.
1. Je me sens triste et indigne la plupart du temps.
0. Je ne me sens pas particulièrement coupable.

F. Dégoût de soi-même

3. Je me hais.
2. Je suis dégoûtée de moi-même.
1. Je suis déçue de ma propre personne, je ne m'approuve pas.
0. Je ne suis pas mécontente de moi-même.

G. Idée de suicide

3. Je me tuerais si j'en avais l'occasion.
2. Je suis déterminée à me suicider.

1. Je sens que je serais mieux morte.
0. Je n'ai aucune idée de suicide.
H. **Rupture sociale**
3. J'ai perdu tout intérêt pour les autres et je ne m'en préoccupe pas du tout.
2. J'ai perdu pratiquement tout intérêt pour les autres et j'ai peu de sentiments pour eux.
1. J'ai moins d'intérêt pour les autres que d'habitude.
0. Je n'ai pas perdu d'intérêt pour les autres.
I. **Indécision**
3. Je ne peux plus prendre aucune décision.
2. J'ai de grandes difficultés à me décider.
1. J'essaie de prendre des décisions.
0. Je prends mes décisions sans difficulté.
J. **Changement de l'image de soi-même**
3. Je me trouve laide et repoussante.
2. Je trouve qu'il y a un changement – permanent, durable – dans mon apparence et qu'il me rend déplaisante.
1. J'ai bien peur de sembler vieillie et non désirable.
0. Je n'ai pas l'impression d'avoir changé d'aspect.
K. **Travail difficile**
3. Je ne peux plus rien faire.
2. Je dois vraiment me pousser pour faire quoi que ce soit.
1. J'ai besoin d'un effort supplémentaire pour commencer quelque chose.
0. Je n'éprouve aucune difficulté à entreprendre, je peux travailler aussi bien qu'avant.
L. **Fatigabilité**
3. Je suis trop fatiguée pour faire quoi que ce soit.
2. Je suis fatiguée en faisant quoi que ce soit.
1. Je suis plus fatiguée que d'habitude.
0. Je ne me sens pas plus fatiguée que d'habitude.
M. **Anorexie**
3. Je n'ai plus d'appétit du tout.
2. Mon appétit est très fortement diminué.
1. Mon appétit n'est plus aussi bon qu'avant.
0. Mon appétit est normal.
Résultat :
0 à 4 = pas de dépression ou dépression minime
4 à 7 = légère dépression
8 à 15 = dépression modérée
plus de 16 = dépression sévère

* Son étude a montré que la dépression n'était pas améliorée par la thérapie hormonale de substitution.

de 50 à 60 ans, la THS (thérapie hormonale de substitution) n'est pas utile pour les femmes quant à la dépression, mais le devient après 60 ans ? Par ailleurs, la tranche d'âge la plus proche de la ménopause (de 50 à 60 ans) est la plus confrontée à des difficultés de tous ordres, sur le plan tant physique que psychologique. Du coup, les femmes prennent plus d'antidépresseurs et plus d'hormones – avec un résultat aléatoire – pour tenter de stabiliser leur situation. Par contre, les femmes plus équilibrées, ayant moins de problèmes, absorberont moins d'antidépresseurs et d'hormones.

■ Les effets de la dépression sur la sexualité

Les causes sont multiples...

La première est d'ordre psychologique. Cheveux gris, rides ou prise de poids, apparition de bourrelets de graisse qui se placent aux endroits non désirés : la femme ménopausée voit son corps jeune se transformer en un autre qui, à ses yeux, n'est ni attirant, ni désirable. Cette impression peut suffire à remettre en question toute sexualité. La personne déprimée a une vie fantasmatique appauvrie. Les rêves érotiques sont remplacés par des rêves anxieux. Elle a tendance à se « laisser aller » par disparition de narcissisme. La modification de l'image de son corps, les tensions avec le conjoint, sont autant de facteurs d'une dépression larvée.

La deuxième est liée au changement de comportement : les rapports sexuels s'espacent de plus en plus et sont vécus sans plaisir, par habitude et avec lassitude ; ou bien ils deviennent inattendus, témoignant ainsi d'une hypersexualité. Mais changer de partenaire ne résout pas le problème.

La troisième raison est physique : c'est *la diminution de la lubrification et de la tumescence du clitoris et des glandes mammaires.* Les rapports deviennent désagréables, voire douloureux. Il existe une sensibilité anormale, une sensation de présence de la vessie et des troubles lors de la miction qui peuvent être fort gênants[11]

Enfin, la sexualité est sous l'influence du système sympathique, et donc particulièrement sensible au stress et à l'anxiété, inhibiteurs de l'excitation sexuelle. Ainsi, les tentatives sexuelles tournant à l'échec peuvent entraîner de l'anxiété, elle-même génératrice de dépression du type : « je ne suis plus une femme comme avant ».

Ainsi, de même que la boulimique mange trop et trop souvent, par comportement compulsif, l'hyperactive sexuelle, qui a trouvé ce moyen pour combattre son angoisse, peut éprouver un sentiment de faute et se sentir dévalorisée à ses propres yeux. D'où une déception qui pousse à répéter le même scénario.

C'est un cercle vicieux : la dépression engendre des troubles sexuels qui entretiennent la dépression. Et le traitement par antidépresseur peut entraîner un trouble sexuel rejaillissant sur la vie du couple, ce qui aggrave la dépression.

Toutes les femmes ne souffrent pas de ce genre de problèmes, certaines même connaissent un accroissement de leurs pulsions sexuelles, et nombreuses sont celles qui connaissent des rapports plus satisfaisants que pendant leur jeunesse. Elles voient la sexualité sous un autre angle. Elles privilégient le tendre contact du corps, l'étreinte, les câlins.

Si la sexualité a été jusque-là bien vécue, il n'y a aucune raison pour que son épanouissement se bloque ou s'arrête, bien au contraire, surtout si la femme a un partenaire avec lequel l'harmonie, la complicité, la compréhension, en un mot l'amour, règnent. Les rapports deviennent les moments privilégiés pour se sentir vraiment ensemble. Tel un bon vin, la sexualité de la femme aurait tendance à se bonifier avec l'âge...

LE PROBLÈME OSSEUX
À LA MÉNOPAUSE

Le *premier* grand défi – que nous avons tendance à qualifier d'historique – du regain d'intérêt pour la ménopause a été la prise en considération du **problème osseux**.

Le premier facteur est constitué par le fait que la femme perd 30 % de sa *masse osseuse* entre 30 et 80 ans, mais quelque 45 % de sa masse osseuse lombaire et quelque 55 % de sa masse osseuse fémorale.

Un deuxième facteur important et qui a déjà été relevé, c'est que l'*espérance de la vie* qui est, en moyenne, de 81 ans pour la femme, était comme nous le savons, de 50 ans au début du siècle. Elle est plus longue chez la femme que chez l'homme et, au-delà de la barre des 65 ans, les femmes sont plus nombreuses que les hommes.

Mais l'homme et la femme ne sont pas logés à la même enseigne. Chez l'homme jeune, la charge en sels minéraux du squelette est plus importante que celle de la femme du même âge. De plus, chez l'homme, la perte de densité osseuse est lente et progressive jusqu'à un âge avancé, tandis que chez la femme, elle est rapide dans les années qui suivent la ménopause.

C'est ce qu'on appelle l'ostéoporose : une ostéopénie ou une perte de densité osseuse tellement avancée que des traumatismes minimes peuvent engendrer des fractures. Les manifestations d'ostéoporose après la ménopause ont été décrites pour la première fois en 1941 par Albright. Mais c'est en octobre 1980 qu'on a défini l'ostéoporose comme « une maladie caractérisée par une masse osseuse basse, une détérioration micro-architecturale du tissu osseux dont la conséquence est une augmentation du risque de fractures ».

On mesure la **densité minérale osseuse (DMO)** par le **T-score** qui permet une mesure *prospective* du risque *de fracture* relatif à l'espérance de vie. On fait donc la moyenne des valeurs de densité minérale osseuse d'un grand nombre de femmes de 30 ans. La différence individuelle par rapport à cette valeur moyenne constitue un écart type : le T-score.

Si la valeur retrouvée chez une patiente de 60 ans est inférieure à une valeur comprise entre 1 et 2,5 fois l'écart type (T-score), on parle seulement d'**ostéopénie.** Le résultat se situe en dessous de la moyenne du capital osseux, ce qui nécessite un effort de *prévention* au moment de la ménopause.

Le terme d'**ostéoporose** s'applique lorsque la densité minérale osseuse (la DMO) est de 2,5 T-score en dessous de la valeur moyenne. La majorité des sujets atteints d'ostéoporose développera ultérieurement une fracture. Il ne s'agira plus de prévention mais de traitement.

La structure de l'os

Le squelette n'est pas une charpente amorphe. Il constitue un tissu de soutien et un réservoir d'ions calcium dont la disponibilité est capitale pour l'homéostasie (c'est-à-dire le maintien de l'équilibre) de l'organisme.

■ *Les deux parties de l'os*

– Une *partie organique,* qui représente 30 % de l'ensemble et dont la majeure partie (98 %) est constituée par la matrice de l'os.

Cette matrice de l'os est constituée quant à elle pour 95 % de tissu collagène et pour 5 % de protéines non collagènes parmi lesquelles l'ostéocalcine. À côté de la matrice, du lit osseux en quelque sorte, qui représente 98 % de l'ensemble, les 2 % restants sont constitués par les cellules. Or, ces cellules sont très importantes parce que les médicaments généralement utilisés pour le maintien de l'os sont directement impliqués dans ce phénomène cellulaire. Ces cellules sont : les ostéoblastes, les ostéocytes et les ostéoclastes.

Il n'est pas inutile non plus de savoir qu'il existe une partie de l'os peu minéralisée, appelée substance ostéoïde, et une partie de plus en plus dure, de plus en plus minéralisée qui constitue l'os proprement dit. De plus, comme on le sait, l'os est intensément vascularisé par des veines, des artères et des artérioles. Ce n'est donc pas une substance amorphe.

– Une *partie minérale,* représentant la plus grande partie (70 %), est constituée de petites quantités de magnésium, sodium, potassium, fluor et chlore[12], et surtout de cristaux d'hydroxyapatite (un calcaire) et de silice[13].

> Le calcaire est un minéral particulièrement lié au règne animal. Il est lourd, mais soluble dans l'eau : il est donc pris dans le cycle constant de dissolution et de dissociation. Il est aussi présent dans le règne végétal ; ainsi l'écorce du chêne en est très riche.
> La silice est une roche plus dure que le calcaire. Elle a une affection particulière pour la peau et les organes des sens : on la trouve dans les poils, les ongles et, en général, dans le tissu conjonctif et de soutien (muscles et squelette). Son grand domaine est le monde végétal, elle est notamment présente dans les céréales. Cela explique que l'ostéoporose et les troubles de la ménopause soient notoirement moins importants dans les pays asiatiques, grands consommateurs de céréales. La prêle renferme une grande quantité de silice, de même que l'arnica.

■ *Les deux types d'os*

Il existe deux types d'os : l'os cortical et l'os spongieux ou trabéculaire.

– L'*os cortical* est très dense et très résistant. Il se situe dans la couche extérieure des os longs comme le fémur, et représente 4/5 de la masse osseuse totale de l'organisme.

– L'*os spongieux* est constitué quant à lui de travées osseuses formant un réseau beaucoup plus lâche, en nid d'abeilles. Il représente le 1/5 restant. Sa constitution peu dense et richement vascularisée favorise les échanges. L'os spongieux est le premier concerné lors de la résorption du tissu osseux.

Ces subtilités anatomiques n'auraient guère d'intérêt si l'on ne savait que chaque os contient les deux types, à des degrés différents : le col du fémur, par exemple, en contient 50 %-50 %. Par contre, les vertèbres comptent 10 % d'os dur cortical pour 90 % d'os trabéculaire ou spongieux. Cette distinction est importante, puisqu'il existe deux types d'ostéoporose.

■ Les deux types d'ostéoporose

L'ostéoporose de type 1 est propre à la ménopause : les ostéoclastes, c'est-à-dire les cellules destructrices gloutonnes, s'y trouvent en quantité exagérée. Elle apparaît en moyenne à partir de 50 ans.

L'ostéoporose de type 2, purement sénile, qui existe aussi bien chez la femme que chez l'homme, est, elle, caractérisée par une diminution des cellules formatrices de l'os, les ostéoblastes. Elle survient à un âge plus avancé, à partir de 75 ans.

> Pour situer le phénomène dans un contexte plus général, il faut savoir qu'à partir de 40 ans, une perte physiologique de tissu osseux s'observe au rythme de 0,3 à 0,4 % par an. Cette perte est linéaire chez l'homme ; par contre, chez la femme, après la ménopause, cette perte suit une accélération sous l'effet de la carence œstrogénique avec une perte de 2 à 3 % par an durant plusieurs années. Les femmes ont entre 10 et 25 % de moins de masse osseuse que les hommes.

Pourquoi les hommes sont-ils moins touchés par l'ostéoporose ? Parce que si l'homme voit lui aussi ses os se fragiliser avec l'âge, cette fragilité est contrecarrée par le fait que l'os masculin résiste mieux à la courbure[14].

Quoi qu'il en soit, la qualité de l'os est encore plus importante que sa quantité. Sa résistance aux forces de contrainte dépend, en effet, de facteurs comme la qualité de la matrice de l'os, l'intégrité de la structure, l'élasticité, etc.

La mesure de la densité osseuse

L'ostéoporose étant avant tout caractérisée par une réduction de la masse osseuse, il est important de connaître la mesure de sa densité ou de sa masse osseuse, puisque c'est elle qui va déterminer la résistance de l'os pour 75 à 85 %. Ces vingt dernières années, on a assisté à l'amélioration des mesures non invasives de la masse osseuse avec une grande précision (une mesure est non invasive quand elle permet d'obtenir le renseignement de l'extérieur sans devoir procéder à l'enlèvement biopsique d'un petit fragment d'os pour en déterminer la densité). La radiographie conventionnelle permettait de détecter une ostéoporose parce que des symptômes étaient apparus, par exemple des tassements vertébraux spontanés. Elle ne permettait de détecter qu'un appauvrissement en calcium supérieur à 30 %. Elle évaluait, en quelque sorte, un squelette peu dense, en d'autres termes un squelette transparent.

Actuellement, quatre techniques peuvent être utilisées qui diffèrent par leur précision, par le temps d'examen nécessaire pour obtenir une évaluation et, plus important, par l'irradiation que le corps reçoit pour procéder à l'examen[15].

◼ *Pourquoi déterminer la masse osseuse?*

Le seul but de la détermination de la masse osseuse est d'arriver à évaluer le risque de fracture, pouvoir prédire quand il y aura fracture et ce, quelques années avant son éventuelle survenue – la chute augmentant le risque de fracture quelles que soient la qualité et la quantité de l'os.

La difficulté réside dans le fait qu'il n'existe pas réellement de valeur seuil à même de séparer les patientes avec fractures de celles qui n'en ont pas – ce risque de fracture lui-même pouvant être défini de manière différente.

En comparant des jeunes femmes normales de 30 ans et des femmes du même âge que la patiente, sachant que les fractures ostéoporotiques sont liées à une masse osseuse faible, on peut en déduire qu'une diminution de densité minérale osseuse de 10 % à la postménopause multiplie par deux le risque de fracture du rachis et par trois le risque fémoral (fracture de la hanche).

On parle souvent aussi de la déviation standard qui est une mesure déterminée à partir d'une valeur moyenne, médiane. Dès lors, quand le résultat de la patiente considérée s'écarte de 1 déviation standard de la moyenne, le risque de fracture est multiplié par 2,1 au niveau de la colonne et par 1,7 pour la hanche.

Quand le capital osseux de départ est suffisant, le risque d'ostéoporose est exceptionnel. N'oublions pas que les valeurs de prédiction sont variables d'une femme à l'autre, compte tenu de leur inégalité devant la ménopause ou l'ostéoporose. Ainsi, la vitesse de perte osseuse est variable d'un individu à l'autre : de 2 à 8 %.

Enfin, lorsqu'une détermination, effectuée avant l'âge de la ménopause – environ cinq ans avant le début de celle-ci –, donne une densité minérale osseuse confortable de l'ordre de 1,3 g/cm^2, on peut dire que la situation est stable, que la perte est raisonnable si, à la ménopause, cette densité a baissé de 1 g/cm^2. Le risque de fracture du col du fémur est plus faible.

Importance épidémiologique de l'ostéoporose

En France, il y a entre 40 000 et 60 000 fractures non traumatiques du col du fémur chaque année. On estime que 15 % de la population âgée de plus de 60 ans souffre de tassements vertébraux qui ne seront décelés que plus tard, à l'occasion d'une fracture.

En Belgique, l'incidence de la fracture du col du fémur, dite aussi fracture de la hanche, dépasse 10 000 cas par an, et les études épidémiologiques montrent qu'il existe une corrélation entre l'âge et le risque d'avoir une fracture vertébrale ou du col du fémur : à partir de 65 ans, cela arrive à 1 femme sur 3, mais après 80 ans, à 1 sur 2.

Enfin, on a vu qu'il y avait une inégalité de sexe devant ce risque : le taux de fracture du col du fémur est trois fois plus élevé et celui des fractures vertébrales huit fois plus élevé chez la femme que chez l'homme.

■ *Les conséquences des fractures de la hanche*

5 à 20 % des victimes de fractures de la hanche décèdent dans l'année, et la moitié des survivants reste handicapée. 25 % des femmes ayant une fracture de la hanche ne récupèrent jamais leur validité.

Enfin, les risques d'ostéoporose vont doubler d'ici l'an 2020.

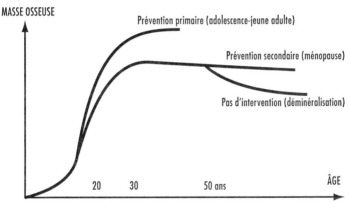

Variation de la masse osseuse en fonction de l'âge

Les facteurs de risque

Les femmes les plus exposées à l'ostéoporose postménopausique sont :
- les femmes d'origine caucasienne (blanches) ou asiatique ;
- les femmes dont la mère a souffert d'ostéoporose ;
- les femmes trop maigres (faiblesse du tissu adipeux sous-cutané) ou à ossature faible ;

– celles qui ont une ménopause précoce spontanée ou chirurgicale, les nullipares et celles dont le début des règles a été tardif ;

– celles dont le mode de vie peut être caractérisé par :

• l'abus d'alcool ;

• le tabagisme[16] ;

• une activité physique trop réduite ;

– celles dont la consommation alimentaire a été déficitaire en calcium ou en vitamine D dans les années antérieures, qui se sont peu exposées au soleil pendant leur jeunesse, ou qui ont une intolérance au lactose ;

– les femmes souffrant d'arthrite rhumatoïde ont un risque plus grand de développer l'ostéoporose, tant fémorale que de la colonne vertébrale ;

– les femmes soumises à certains traitements comme les corticoïdes ;

– les hypothyroïdiennes et les diabétiques.

LES PRINCIPAUX FACTEURS D'OSTÉOPOROSE

Facteurs endogènes				
Sexe	Statut hormonal	Âge	Race	Corpulence
féminin	carence œstrogénique	vieillissement	• blanche • asiatique	• minceur • petite ossature

Facteurs exogènes		
Mode de vie	Affections	Médicaments
• déséquilibre alimentaire • excès d'alcool et de caféine • tabagisme • inactivité physique	• endocriniennes • gastro-intestinales • rénales • néoplasiques	• corticostéroïdes • anticonvulsants • doses excessives d'hormones thyroïdiennes • traitement de longue durée à l'héparine • antiacides contenant de l'aluminium

LES RISQUES CARDIO-VASCULAIRES

Jusqu'à la ménopause, protégées par l'imprégnation hormonale, les femmes présentent un risque cardio-vasculaire bien moindre que les hommes. Ensuite, elles sont à égalité avec eux. C'est pour prolonger cette protection que l'on prône souvent la thérapie hormonale de substitution. Car en effet, les maladies cardio-vasculaires sont la principale cause de mortalité des femmes de plus de cinquante ans.

Parmi les causes de mortalité des femmes de plus de 50 ans, on retrouve :
– les maladies cardio-vasculaires .... 53 %
– le cancer du sein .... 4 %
– autres cancers .... 18 %
– accidents et suicides .... 2 %
On note qu'un des principaux risques cardio-vasculaires est l'appartenance à une catégorie socioprofessionnelle peu élevée. Le niveau d'instruction a aussi son rôle à jouer, puisque ce sont les femmes qui n'ont pas fait d'études qui ont la plus mauvaise santé par rapport à celles qui sont diplômées. Les femmes qui sont les plus instruites ont un taux de bon cholestérol – le HDL – élevé.
Le stress couplé au manque d'intégration sociale et de contact avec l'entourage dans les classes sociales inférieures est un facteur important de la maladie coronaire.

Mais actuellement, dans les pays industrialisés, le nombre de décès dus à ces accidents vasculaires a diminué de manière significative : de 19 % chez l'homme et de 15 % chez la femme. On note même une diminution de 30 % des accidents vasculaires cérébraux pour les deux sexes.

Ces progrès sont essentiellement dus à l'alimentation et à l'hygiène de vie. Selon une étude effectuée entre 1970 et 1988 sur les causes de décès, il apparaît que la diminution de la mortalité par maladies cardio-vasculaires s'obtient pour plus de la moitié (54 %) par une modification du mode de vie, pour environ un cinquième par les médicaments (18,5 %) et la chirurgie-réanimation (21 %), et quelques autres facteurs (6,5 %). Cette évolution est propre aux pays occidentaux. Il n'en est pas de même, par exemple, en Pologne et dans les autres pays de l'Est.

Si les risques cardio-vasculaires ont diminué, c'est qu'ils peuvent être prévenus. Pour la prévention, on cherche à agir sur deux facteurs : le cholestérol, responsable de l'athérosclérose, et les troubles de la coagulation.

LES FACTEURS DE RISQUE DE LA MALADIE CORONARIENNE	
Évitables	Inévitables
– hypertension – tabagisme – obésité – manque d'activité physique – diabète – contraception orale	– vieillissement – sexe masculin (*) – antécédents familiaux de maladie coronaire prématurée – antécédents d'infarctus du myocarde
* L'appartenance au sexe masculin n'est cependant pas une notion absolue. À l'heure actuelle, il existe de profondes différences dans le rapport au risque cardio-vasculaire, de 6 à 10 fois plus élevé dans certains pays que dans d'autres. Ainsi, un homme français court beaucoup moins de risques de mourir d'un infarctus du myocarde qu'une femme de l'Irlande du Nord.	

Le cholestérol

Nous utilisons intentionnellement le terme « cholestérol » parce que c'est le plus connu. Il faudrait, en réalité, parler des constituants sanguins à partir de lipides et de protéines : les lipoprotéines sériques. Le cholestérol en excès – supérieur à 240 mg/ml – est actuellement encore le facteur de risque le plus important au niveau cardio-vasculaire. Il intervient pour quelque 45 % chez les hommes mais pour 75 % chez les femmes de la tranche d'âge 65-75 ans.

Deux sortes de cholestérol sont à distinguer :

– les lipoprotéines de *basse densité* (LDL) qui transportent le maximum de cholestérol et qui sont en étroite relation avec les accidents vasculaires ; elles sont communément appelées « mauvais cholestérol » ;

– et les lipoprotéines de *haute densité* (HDL) qui sont en corrélation inverse, de telle sorte qu'il est utile d'en avoir beaucoup ; elles constituent le « bon » cholestérol.

Le rapport entre les quantités de cholestérol LDL et HDL est donc très important. Un taux de cholestérol HDL élevé peut corriger les effets d'un mauvais taux de LDL, et inversement.

Quant aux *triglycérides*, qui sont toujours demandés dans les bilans sanguins, ils sont en relation avec des anomalies associées à la tolérance du glucose, du poids corporel et du HDL cholestérol.

À la ménopause, la femme n'est pas totalement carencée en œstrogènes. Ceux-ci continuent d'agir en diminuant le taux de cholestérol par une sorte de protection naturelle. La présence d'hormones féminines permet de ne commencer à traiter un cholestérol qu'à un niveau plus élevé, tandis que l'homme, dépourvu d'hormones féminines, est moins armé contre le cholestérol en excès[17]. Ainsi, la thérapie hormonale de substitution est-elle supposée faire baisser le taux de cholestérol.

Mais le cholestérol n'est pas le seul à être incriminé dans les maladies cardio-vasculaires.

Les facteurs de coagulation

À la ménopause, un certain nombre de facteurs de coagulation augmentent[18], renforçant le risque coronarien et la tendance thrombo-embolique et, dès lors, la maladie coronarienne et cardio-vasculaire.

Le risque veineux, la thrombose veineuse, est déterminé par trois facteurs : l'antithrombine III et les protéines C et S s'ils diminuent, ainsi que la lipoprotéine A, découverte en 1963, dont le taux déterminé génétiquement est indépendant de l'environnement ou du mode de vie.

Cependant, la prise d'hormones de substitution a une influence très favorable sur les facteurs de coagulation du sang. On observe effectivement une diminution du risque cardio-vasculaire chez les femmes traitées.

L'insuffisance veineuse

La maladie veineuse est à l'origine de 15 % de la mortalité cardio-vasculaire. À la ménopause, l'insuffisance veineuse ne cesse de s'aggraver si les facteurs qui l'ont causée demeurent ou s'amplifient (persistance de la position debout constante, excès de sédentarité, aggravation de la surcharge pondérale). Les hormones, particulièrement les œstrogènes, n'ont jamais eu une influence favorable sur la maladie veineuse. Néanmoins, quand disparaissent avec la ménopause les facteurs de congestion du petit bassin, une certaine amélioration peut survenir.

Ce sont essentiellement les *femmes âgées de 50 ans ou plus*, d'un niveau d'éducation modeste, qui *travaillent plus souvent en position debout* (64,5 %) qu'assises (travail sédentaire 30 %), présentant une *surcharge pondérale* (33 % des femmes obèses), qui auront le plus de problèmes veineux.

Comment savoir si vous souffrez d'insuffisance veineuse?

Vous êtes facilement irritable? Vous n'avez pas envie de sortir? Le matin, vous éprouvez des difficultés à vous mettre en train? Vous vous sentez nerveuse? Vous avez l'impression d'être handicapée, d'avoir comme un boulet aux pieds? Vous êtes vite fatiguée et vous êtes gênée de montrer vos jambes? Vous souffrez d'une insuffisance veineuse... Si je n'avais pas ajouté les six derniers mots, vous auriez cru que je décrivais les répercussions psychologiques de la ménopause. Il n'en est rien. Ces troubles sont décrits dans les réponses à un questionnaire sur l'insuffisance veineuse (varices) qui touche 35 % de la population active en Europe, 50 % des retraitées et une femme sur deux.

Gardons-nous d'incriminer toujours la ménopause quand les troubles peuvent n'être que le résultat d'une insuffisance veineuse due à bien d'autres facteurs.

L'EXCÈS DE POIDS

La prise de poids à la ménopause

Le médecin qui s'occupe des femmes à la ménopause est frappé par cette remarque constante : « Docteur, je ne mange pas plus qu'avant, mais je n'arrête pas de grossir », ou « Je ballonne de partout, à tel point que je ne rentre plus dans mes robes. Il faut faire quelque chose. J'étais peut-être trop mince jusqu'à présent mais maintenant, je ne parviens plus à arrêter cette prise de poids. » La femme à la ménopause se plaint en effet régulièrement d'une prise de poids subite, comme incontrôlable, se manifestant par un ballonnement ou une rétention cellulitique.

Une prise de poids est observée à la ménopause, de façon incontestable. Les explications les plus largement admises sont les modifications hormonales et les problèmes psychologiques.

▧ Qu'est-ce que l'excès de poids ?

L'excès de poids est calculé par une mesure simple basée sur la taille et le poids : c'est le BMI – *bodymass index* –, indice de masse corporelle ou index de Quételet. On le calcule en divisant le poids corporel (en kg) par la taille (en m) au carré. Il y a risque d'obésité chez la femme quand il est supérieur de 20 % au BMI idéal qui est de 27 kg/m². Par exemple, une femme de 1,65 m et 70 kilos n'est pas obèse puisque son BMI est de 70 kg/(1,65 m × 1,65) soit près de

26 kg/m², mais n'en est pas loin. L'homme est beaucoup plus mal loti car chez l'homme jeune, 10 % de BMI en plus augmente de 40 % le risque de maladie coronarienne, tandis que l'excès de poids commence à 20 % et l'obésité à 30 %.

Enfin, selon la **localisation** de l'excès de poids, les risques ne sont pas les mêmes. Il existe deux types d'obésité : celle de l'homme, dite androïde, où l'embonpoint se concentre sur l'abdomen et le haut du corps, et celle de la femme, dite gynoïde, où l'embonpoint se concentre dans la région de la taille et le bas du corps.

Dès que le tour de taille dépasse 80 % du tour de hanches chez la femme (et 100 % chez l'homme), il y a tendance à l'obésité androïde.

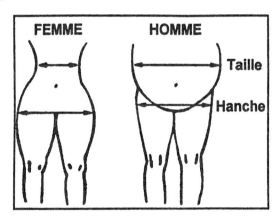

Des études statistiques ont montré une association claire entre l'obésité *abdominale* et les complications cardio-vasculaires. Cette obésité, qui est le propre de l'homme et de la femme après la ménopause, est associée à la résistance à l'insuline, à l'augmentation de celle-ci, à l'intolérance au glucose qui prélude à l'augmentation des bétalipoprotéines et du diabète.

INCIDENCE DU POIDS SUR LA MORTALITÉ		
Poids	Nombre de décès par 100 000	% de décès par rapport à ceux qui pèsent le poids idéal
15 à 30 % en dessous du poids normal	911	108
5 à 14 % en dessous du poids normal	813	99
Poids normal	844	100
5 à 14 % d'excès	1 027	122
14 à 25 % d'excès	1 214	144
Plus de 25 % d'excès	1 472	174

■ *Pourquoi l'excès de poids est-il dangereux ?*

D'abord, il existe un lien entre *surcharge pondérale* et hypertension. 1 homme sur 4 et 1 femme sur 3 présentent une tension élevée à partir de 55 ans. Framingham a calculé qu'une augmentation de 10 % de la masse graisseuse est associée à une augmentation de 6 mm Hg (mercure) de pression systolique et à une augmentation de 1 mm Hg de la pression diastolique.

À l'inverse, il est intéressant de noter qu'un poids trop faible, au-delà de 60 ans, augmente lui aussi la mortalité mais de manière moindre que le surpoids.

L'excès de poids augmente de 3,2 le risque de diabète, mais de 10,3 si ce diabète se présente chez un homme ou si l'excès de poids est de type androïde, c'est-à-dire abdominal et thoracique.

Les causes de l'excès de poids

■ *Les modifications hormonales*

La progestérone stimule l'accumulation des graisses par le biais des triglycérides ; la testostérone a un effet inverse. Un excès d'hormones ajoutées contribue très certainement à une prise de poids. Ainsi, le traitement par progestatifs peut être à l'origine de rétention d'eau, prélude à une prise de poids parfois redoutable. Mais le déséquilibre vient-il du traitement ou de l'évolution hormonale qui a justifié le traitement ? Quand le médecin constate un déséquilibre hormonal qui a pour effet une prise de poids, il a tendance à le rectifier, mais cela n'entraîne pas nécessairement un retour au poids antérieur.

▓ *Les problèmes psychologiques*

Ils se manifestent par des tendances à la boulimie, traduisant ainsi une difficulté d'adaptation face aux divers problèmes qui peuvent surgir à la ménopause : départ des enfants, difficultés au sein du couple ou problèmes professionnels. La femme ne parvient plus à se nourrir normalement et compense en mangeant des sucreries ou en buvant de l'alcool. Les calories s'accumulent, et avec elles les dépôts graisseux.

L'augmentation de poids due au stress est la forme d'obésité la plus répandue. Le stress provoque l'élévation de l'adrénaline, laquelle augmente l'insuline qui consume les sucres en provoquant leur déficit dans le sang. Autrement dit, l'insuline chasse les sucres dans l'organisme en provoquant un état de manque tel que la personne est poussée de manière irrésistible à en avaler à nouveau ; sinon, elle se sent défaillir.

Du trouble psychologique à l'excès de poids

Notre cortex cérébral détient la clé de notre état nerveux ; la stimulation, lors du stress, agira sur d'autres facteurs hormonaux à l'œuvre dans la formation graisseuse. L'organisme n'a pas besoin d'apport extérieur en sucre, car il est capable d'en fabriquer lui-même, sous forme de glucose, quand il en a besoin à partir des graisses en réserve.

C'est non seulement l'hypothalamus (partie du cerveau) mais aussi l'ensemble du système nerveux central qui déterminent la régulation du poids.

Les neurotransmetteurs ou neuropeptides stimulent ou freinent l'envie de sucré ou de matières grasses.

Les cellules graisseuses du ventre et des fesses ont des *récepteurs* différents aux transmetteurs du système nerveux. L'abdomen contient des récepteurs (b) aux catécholamines produits par la noradrénaline[19], qui est responsable de la fonte graisseuse de cette région par l'exercice physique. Mais les fesses n'en comportent pas, ou ont des récepteurs d'un autre type (a), et vont de ce fait plus difficilement mincir.

Les patientes boulimiques présentent un taux de sérotonine[20] plus faible que les autres patientes. La sérotonine est dérivée du tryptophane, un acide aminé qui agit au niveau du système nerveux et du système digestif. La sensation de satiété est atteinte quand la sérotonine est élevée, indiquant là que le taux de sucre est suffisant. Par contre, la dopamine inhibe les envies de graisse et de protéines. La corticostimuline réduit de même l'appétit.

L'appétit est stimulé par la *galanine* durant la soirée, puis, au cours de la nuit, par le *neuropeptide Y*, formé comme le premier, au niveau du cerveau et du tube digestif, qui fournit l'énergie nécessaire au réveil. La *noradrénaline* stimule aussi l'appétit. Voilà pourquoi la prise de nourriture est une conséquence du stress et pourquoi l'exercice physique, s'il fait disparaître le ventre, peut, néanmoins, exciter l'appétit.

Les concentrations de ces neurotransmetteurs dépendent de facteurs héréditaires.

■ *D'autres causes*

Certaines ne sont pas propres à la ménopause, telle l'**insuffisance de la fonction pancréatique** : le pancréas qui sécrète de manière excessive l'insuline en provoquant un besoin en sucre accru, des fringales, etc.

Une cause, qui est parfois combinée à la première, est un **trouble de la fonction de la glande surrénale**. Celle-ci joue un rôle essentiel dans les problèmes relationnels (dépression, émotion.

peur, colère, sécrétion d'adrénaline), et tient une place importante dans la prise de poids.

Naturellement, il faut citer ici la glande thyroïde qui régularise les dépenses énergétiques. Bien des femmes souffrent d'un **dérèglement fonctionnel de la thyroïde**. On va même jusqu'à dire que la moitié de la population féminine en souffre. Souvent les symptômes s'aggravent à la ménopause.

Enfin, la **suralimentation** : la prise d'une trop grande quantité de nourriture par rapport à l'effort fourni entraîne inévitablement une augmentation de poids. Pour les femmes en périménopause, la consommation de 1 700 à 1 900 calories est amplement suffisante.

En médecine chinoise, l'obésité est liée à l'énergie de la rate et de l'estomac, autrement dit un trouble de l'élément Terre. L'élément « terre » (rate) reste au centre du problème poids et la prédisposition personnelle joue un rôle important. Les personnes qui prennent du poids à la ménopause sont décrites par Ling Tchrou comme « des personnes à grosse tête, petites mains et petits pieds, calmes et généreuses, qui ne sont pas très ambitieuses ».

Ces caractéristiques, reprises par les Chinois, correspondent aux statistiques effectuées actuellement sur les personnes à tendance obèse. Ce sont elles qui voient le plus facilement leur poids augmenter à l'âge critique. Dans la pratique quotidienne, les femmes qui prennent du poids ont un comportement « terre » en médecine chinoise. Elles sont optimistes, imprévoyantes, plus superficielles, souffrant de phases d'anxiété passant par la boulimie.

Ce sont les **désadaptations cortico-hypothalamiques** qui sont liées à l'élément « terre ».

L'élément « terre » est le réservoir d'énergie pour les autres éléments ; il tient un rôle prépondérant, puisqu'il intervient quatre fois par an, alors que les autres éléments ne jouent leur rôle qu'une fois par an, chacun à leur tour.

Les *fringales, les boulimies* sont les symptômes **du vide de la rate** qu'il faut rééquilibrer en premier lieu. Dans le *Sou Wen*, le livre le plus ancien en acupuncture, les Chinois affirment que « l'excès de soucis nuit à la rate », et qu'une rate malade provoque une tendance aux fringales.

Les femmes sujettes aux fringales se tournent vers le sucré

(glucides). Le *Sou Wen* disait d'ailleurs déjà que « l'excès de nourriture sucrée nuit à la chair ».

Nous, Occidentaux, aurions tendance à penser que la chair représente les muscles par opposition à la graisse. Mais il faut comprendre cet aphorisme ainsi : « L'excès de nourriture nuit au tissu adipeux et à la rate qui, déséquilibrée, a un besoin important de sucre, et le cercle vicieux s'installe ».

UNE HYGIÈNE
DE VIE ADAPTÉE

BIEN SE NOURRIR

Ne pas manger n'importe quoi

Les peuplades primitives se nourrissaient des produits de la chasse et de la pêche, consommaient des racines, des baies et les fruits qu'elles trouvaient dans la forêt. Plus tard, la cuisson des aliments est apparue en provoquant une grande modification dans la manière de se nourrir. On mourait alors de maladies infectieuses, contagieuses et d'épidémies, et il est vrai que les changements survenus dans l'hygiène de vie et la manière de se soigner ont totalement modifié cette situation peu réjouissante.

Mais jusqu'au siècle dernier, certaines maladies étaient l'apanage des riches... des « bien nourris » qui péchaient par suralimentation. Ce phénomène a aujourd'hui gagné toutes les couches sociales et mine la santé de l'individu dès son plus jeune âge. L'homme a perdu son instinct et se nourrit n'importe comment : les fast-foods, les plats tout préparés, etc. Son organisme est donc devenu plus fragile, plus prédisposé à la fatigue ; son système immunitaire étant insuffisant, l'homme est la proie de multiples maladies dégénératives : problèmes dentaires (caries ou déchaussement), troubles digestifs chroniques, ballonnements, constipation, insuffisance fonctionnelle du foie et de la vésicule biliaire. On connaît l'importance de ces deux derniers organes dans la synthèse du cholestérol, ainsi que dans l'intoxication de l'organisme. Or, la grande majorité de la population souffre d'insuffisance fonctionnelle hépatique. Les allergies et les hypersensibilités multiples sont en nette progression. Ensuite, viennent les troubles vasculaires : thromboses ou infarctus du myocarde, artériosclérose ou artérite. Par ailleurs, une maladie comme le cancer, rare au siècle dernier, est devenue fréquente.

Or, des parents à la santé fragile n'engendrent pas des enfants en pleine forme, d'autant plus que ces derniers perpétuent leurs erreurs alimentaires. Les femmes qui approchent de la cinquantaine, des mères et des futures grand-mères, ont acquis une certaine expérience de vie : elles doivent s'attacher à retrouver leur quintessence profonde et devenir comme un guide pour leur entourage. Celles qui ne veulent pas être qu'un simple numéro, mais au contraire, prendre leur destinée en main, doivent veiller à tout prix à leur alimentation. C'est l'un des points les plus importants dans la prévention de la maladie et le garant de la qualité de la vie.

Si l'on possède un tempérament suffisamment indépendant dans une société qui tolère encore la singularité, la manière de se nourrir doit faire partie d'une démarche personnelle, consciemment choisie et volontairement appliquée. Cela va, d'ailleurs, bien au-delà de l'alimentation. Celle qui a une vue différente par rapport à son *corps* et à la manière de le traiter va essayer d'affiner son approche, notamment dans la manière de le nourrir. Celle qui adopte *un autre mode de vie,* d'une façon visible et concrète, se positionne à l'encontre d'un conformisme – alimentaire ou médical ici – et risque fort de croiser l'intolérance sur son chemin.

Mais ce conformisme est en grande partie à l'origine des maux de nos sociétés. Les maladies cardio-vasculaires, qui ont pris une ampleur catastrophique dans les pays industrialisés et qui menacent les femmes à la ménopause, sont dues avant tout à la consommation excessive de viandes grasses et de sucre et à des régimes hypercaloriques. Il en va de même pour les calculs biliaires et l'hypercholestérolémie.

> Les Japonais, grands consommateurs de poisson, sont moins sujets aux maladies cardio-vasculaires mais les données statistiques changent pour les Japonais résidant aux États-Unis : ils consomment environ trois fois plus de

graisses que ceux qui vivent au Japon, et présentent dix fois plus de maladies coronariennes.

Les Grecs et les Crétois sont aussi très peu sujets aux maladies cardio-vasculaires, car ils affectionnent le fromage maigre et accommodent la plupart de leurs plats à l'huile d'olive.

Le cancer n'est pas l'apanage de la ménopause : il peut se manifester à d'autres moments de la vie d'une femme. Des améliorations spectaculaires ont été obtenues par l'allégement de l'alimentation et la suppression des graisses insaturées (animales), l'augmentation de la ration de céréales et de légumes et la consommation modérée de protéines animales. Les causes du développement du cancer ne sont bien sûr pas purement alimentaires, pas plus que ne le sont le traitement et la guérison, mais on sait aujourd'hui que l'alimentation est capitale.

Bénéficier de toute la technique médicale moderne est certes précieux, mais plus la médecine progresse en moyens techniques, plus elle coûte cher à la collectivité. Éviter les maux par l'éducation et la prévention nous paraît un objectif beaucoup plus raisonnable que l'augmentation constante des dépenses de santé. Une attitude active et responsable de chacun face à sa santé stimulerait des énergies vitales et donnerait un regain de tonus. L'alimentation en fait partie.

■ *Nous mangeons trop*

Dans la gestion quotidienne de notre nourriture, il est important de surveiller la quantité d'aliments ingérés. La suralimentation mène à tous les désordres au niveau fonctionnel digestif en provoquant un déséquilibre en chaîne, allant de la fatigue générale jusqu'aux maladies multiples se manifestant sous différentes formes.

La suralimentation est d'autant plus facile que la société actuelle incite à une augmentation de la consommation alimentaire, en offrant toutes sortes de gourmandises riches en graisses et/ou en sucres et donc facteurs d'embonpoint. De nouveaux produits sont apparus, tout aussi artificiels les uns que les autres : sodas, sirops, bonbons. La surconsommation de café et de thé, et les excès de toutes sortes – pains, céréales, tous les oléagineux, etc. – ont favorisé l'indigestion chronique.

Le grignotage perpétuel

C'est aussi un des aspects de la suralimentation ; il est souvent lié à des problèmes psychologiques et/ou à un manque d'équilibre dans les repas qui n'apportent pas les éléments nécessaires au bon fonctionnement de l'organisme.

L'aliment allégé accompagné d'une tranche de pain blanc pris rapidement au petit déjeuner provoque inévitablement une sensation de faim vers 10 heures. En prenant un biscuit ou un fruit à ce moment-là, on déprogramme la digestion, on change la nature du bol alimentaire, et on crée une fatigue considérable pour l'organisme. Si le déjeuner est pris vers 13 heures, le tube digestif n'aura pas eu le temps de faire son travail, et le foie n'aura pas rempli son rôle de détoxication.

Une indigestion permanente s'ensuit, avec tous ses corollaires : ballonnements, flatulence, mauvaise haleine, aigreurs, fermentation intestinale. Le foie, submergé par les toxines qu'il ne contrôle plus, ne joue plus son rôle dans le métabolisme des graisses et dans la transformation du cholestérol... Les maladies cardio-vasculaires ont la voie libre pour s'épanouir...

Une alimentation continue, avec des repas trop rapprochés, entraîne d'abord une profusion de germes microbiens au niveau de l'intestin grêle, puis une diminution des sécrétions hormonales au niveau du foie, de la vésicule biliaire, du pancréas.

Il y a une double action néfaste : d'un côté, une augmentation des toxines due à la formation anormale de germes, et de l'autre, une insuffisance du foie et du pancréas. De plus, le cæcum reçoit des aliments non digérés qui ne lui sont normalement pas destinés, ce qui provoque une fermento-putrescence et une production anormale de toxines.

La qualité des tissus de l'intestin et des cellules du foie a une action prépondérante dans le phénomène de détoxication de l'organisme. Si leur fonctionnement est suffisant, les poisons sont neutralisés et l'intoxication ne se produit pas. Les muqueuses du côlon et de l'intestin grêle se renouvellent tous les 3 à 5 jours, de manière permanente par la desquamation cellulaire. Or, si l'individu se **suralimente** et grignote sans arrêt, il fatigue le tube digestif et accélère le phénomène de renouvellement des cellules de façon anormale. Le stress, conjugué au manque d'exercice et à la perte de vitalité, provoque l'incapacité de l'organisme à gérer les cellules en division très accélérée.

L'intoxication

Même avec une alimentation variée, l'organisme se trouve dans l'incapacité d'assimiler les aliments vitaux nécessaires à son bon fonctionnement. Le **foie**, filtre de l'organisme, joue aussi un rôle essentiel dans l'immunité. Si on lui inflige de manière permanente un **flot de toxines** qui dépasse sa capacité d'élimination, celles-ci reviennent vers l'intestin. Le débordement toxique dans le côlon et l'intestin grêle génère une fermentation et une putréfaction. Il en résulte une masse de substances toxiques qui est absorbée en même temps que les substances nutritives. Or, les muqueuses intestinales sont très fines et fragiles : 25 millièmes de millimètre séparent la nourriture du sang. L'intestin est un foyer permanent d'infection, car il y pullule au moins 100 000 milliards de bactéries, dont une grande partie est pathogène. Les muqueuses intestinales agressées par ces substances deviennent poreuses. C'est une porte ouverte à l'intoxication générale de l'organisme. Toutes sortes de maladies sont alors favorisées : eczéma et dermatoses, catarrhes et bronchites, infections uro-génitales, maladies cardio-vasculaires, articulaires, etc. Il est normal qu'il y ait un *faible* passage d'agents infectieux depuis l'intestin dans le sang et la lymphe, qui seront éliminés par les soupapes naturelles que sont la peau (par transpiration), le poumon (par respiration), le système uro-génital (par les urines et les règles), les intestins (par les matières fécales). Mais, lorsque leur quantité devient anormalement élevée, le bât blesse...

Ainsi, les maladies telles que les problèmes cardio-vasculaires, articulaires, allergiques et immunitaires, sont la conséquence d'une toxicité métabolique, elle-même générée par l'exposition aux substances toxiques de provenance interne ou externe. Les substances toxiques *exogènes* peuvent provenir de l'environnement. On les trouve dans l'eau et dans l'air si souvent pollués par les parasites, les allergènes, les champignons, les aliments dénaturés par leur mode de préparation ou irradiés.

Les toxines *endogènes* peuvent provenir du métabolisme cellulaire et d'une altération de la flore intestinale. Certains médicaments, entre autres les contraceptifs, ont une action de destruction sur les *Lactobacilles acidophilus*, micro-organismes résidant dans l'intestin grêle, qui aident à la digestion des nutriments. Les *L. acidophilus* occupent les sites tout au long de la paroi de l'intestin, du vagin, de l'utérus et de l'urètre. Ils ont une action *antimicrobienne naturelle*, peuvent aider à diminuer le taux de cholestérol et réduire l'intolérance au lactose chez les personnes qui en souffrent. On peut vérifier s'il y a carence par un test spécifique, et en administrer alors sous forme de poudre réfrigérée contenant 1 milliard de *L. acidophilus* par gramme.

On comprend dès lors leur importance et celle du *fonctionnement optimal de l'intestin à la ménopause*, car on peut par ce biais lutter contre les maladies articulaires, l'excès de cholestérol et faciliter la production endogène de vitamine B par une meilleure assimilation et une diminution d'intoxication endogène due à la perturbation de la flore intestinale.

Quelle que soit la provenance des toxines, elles sont catabolisées grâce au foie par un système d'enzymes, qui sont codés par au moins 71 gènes différents sur le chromosome. Ce capital n'étant pas identique chez tout le monde, il y a des réactions différentes après exposition aux toxines. Le bon état de fonctionnement du foie est donc essentiel.

Le but de ces activités enzymatiques est de convertir les

toxines *liposolubles* en composés *hydrosolubles* qui peuvent être excrétés dans la bile et les urines, avec comme conséquence une production importante de radicaux libres et des réactions intermédiaires qui engendrent les *lésions tissulaires*.

Comme les hommes ne sont pas égaux et ne possèdent pas les mêmes capacités physiques et psychiques, il faut tenir compte des paramètres personnels et s'alimenter en fonction de ses propres possibilités digestives, en ménageant le foie en tant qu'organe dépurateur, en consommant suffisamment d'huiles protectrices des parois intestinales.

Les huiles protectrices de l'intestin

Les huiles de première pression à froid (tournesol et carthame), mais aussi la bourrache et l'onagre également commercialisées sous forme de capsules riches en vitamine F, ont une action bénéfique.

En surveillant son alimentation, on peut déjà éviter bon nombre de problèmes liés, notamment, à l'âge. N'oublions pas que le surpoids est un facteur de vieillissement et qu'une prise de poids est fréquente à la ménopause (voir p. 63). Mais il est possible de remédier à cette « fatalité », ainsi qu'aux diverses maladies spécifiques de cette tranche d'âge. Ce n'est pas le médicament qui va tout résoudre. Il faut se prendre en charge et avoir une certaine discipline. Les résultats obtenus valent bien quelques sacrifices !

Que manger à la ménopause ?

Les femmes ressentent plus ou moins les troubles de la ménopause. Certaines la vivent facilement. Quel que soit votre lot, il faut essayer d'équilibrer la nourriture. On n'est que ce que l'on mange ! L'équilibre nutritionnel reste la base de la santé, et il convient d'être très vigilant !

Notre alimentation est composée essentiellement de protéines (protides), de graisses (lipides), de sucre (glucides) et de fibres.

Les protéines fournissent à l'organisme l'énergie d'entretien nécessaire aux muscles, au maintien de la température corporelle, au fonctionnement des organes tels que le foie, le cœur, les reins, etc. Lorsque notre corps a besoin de plus d'énergie, il va la puiser dans les hydrates de carbone, et si ces derniers manquent, il va les chercher dans la réserve graisseuse. Les protéines sont présentes dans les viandes, les poissons, les œufs, le lait et les produits laitiers, les céréales complètes et légumineuses.

Les graisses de notre corps proviennent de la graisse végétale ou animale, ou du sucre. Elles jouent leur rôle dans la production de cholestérol nécessaire aux hormones sexuelles et à la cortisone endogène sécrétée par les glandes surrénales. Lorsqu'on consomme du sucre en excès, l'organisme le stocke sous forme de graisse. Ce qui donne du mauvais cholestérol, de l'artériosclérose, des thromboses, etc. Les graisses végétales se trouvent dans les huiles et les oléagineux : avocats, amandes, noix, noisettes, etc.

Les sucres constituent le carburant de l'organisme. C'est l'énergie immédiate sans laquelle le véhicule ne peut ni rouler ni même démarrer. On ne peut en aucun cas supprimer *tout* le sucre. Le cerveau en a un besoin essentiel. La quasi-totalité des aliments en contient (même les légumes, comme les asperges ou les artichauts), mais à des degrés différents.

Les sucres sont divisés en deux catégories selon leur mode de combustion : les *sucres* dits *rapides*, parce que vite assimilés (comme ceux des boissons sucrées, des bonbons, le miel, les fruits, ou ceux du vin), et *les sucres lents* que l'on trouve essentiellement dans le pain, les pâtes, certains biscuits secs, le riz, les céréales, les fruits secs (abricots, amandes, dattes, figues, etc.).

C'est dans ces trois composants alimentaires, protéines, lipides (graisses), glucides (sucres), que le corps puise ses sources d'énergie. Cependant, leur répartition doit être équilibrée. Les sucres consommés en trop grande quantité se transforment en graisse que l'organisme stocke. Plus on mange de sucre, plus on a d'insuline dans le sang, et plus les cellules graisseuses accumulent de graisse. En outre, les sucres superflus se combinent aux acides gras libres pour former des *triglycérides*, qui ensuite sont emmagasinés dans les cellules adipeuses. Enfin, il faut savoir que le sucre provoque un déficit en vitamines du groupe B qui agissent presque toutes comme des enzymes dans le métabolisme des glucides, aliments clés de la cellule nerveuse. Or, les sucres, comme tous les amidons raffinés (farine blanche, riz décortiqué, etc.) en sont eux-mêmes complètement dépourvus. Cela va donc obliger l'organisme à aller puiser cette vitamine dans ses réserves, créant ainsi un déficit dont les conséquences sont généralement : neurasthénie, fatigue, dépression, difficulté de concentration, de mémoire et de perception.

Les aliments à surveiller

Indépendamment des problèmes de poids, pour être en bonne santé, il faut veiller à l'équilibre de l'alimentation et limiter la consommation de certains aliments.

■ *Le sucre*

Les glucides doivent faire partie de notre alimentation. L'absorption de sucre rapide donne de l'énergie, certes, mais entraîne rapidement une sécrétion d'insuline avec hypoglycémie, d'où une fringale... Et c'est un cercle vicieux qui commence... C'est pourquoi il faut, en règle générale, préférer les sucres lents qui permettent de « tenir », de ne pas grignoter entre les repas. Le sucre, lui-même, blanc ou brun, ne doit être consommé que très modérément, car notre organisme est capable de trouver le glucose dont il a besoin dans d'autres éléments tels que le pain, les céréales et les fruits. Les glucides présents dans les féculents se transforment en glucose, carburant indispensable de l'organisme. C'est l'excédent de glucose qui se transforme en graisse.

Attention : les boissons industrielles comme les jus de fruits, les sodas, regorgent de sucre blanc et en contiennent au moins 100 g par litre.

Les sucres favorisent la prolifération des germes pathogènes au niveau de l'intestin et la production d'acides oxaliques générateurs de rhumatismes. Une fois dans notre tube digestif, le sucre accapare les sels minéraux des autres aliments.

SUCRE BLANC OU SUCRE BRUN ?

Autrefois, on ne trouvait que du sucre de canne sur le marché ; il venait des Tropiques et coûtait fort cher. Mais il y a un peu plus de 150 ans, des procédés ont été mis au point pour fabriquer, à partir de betteraves raffinées plusieurs fois, du sucre blanc. Très vite, il a conquis le marché par son prix, très modique. Malheureusement, ces méthodes purifient tellement le produit qu'il ne reste plus ni minéraux ni vitamines. Les vitamines et les ferments d'oxydation, nécessaires à sa digestion et présents dans la canne à sucre, sont éliminés par le raf finage, ce qui rend la digestion du sucre difficile, surcharge différents organes tels que le foie, les reins, la rate, et provoque l'inflammation de l'estomac et de l'intestin. Ainsi, on a obtenu une substance morte, chimiquement pure et agréable au goût, et peu onéreuse, contrairement à la canne à sucre laissée en macération dans son propre jus qui s'évapore, laissant place à des cristaux de couleur brune qui gardent tout leur potentiel de minéraux et de vitamines.

Le changement du métabolisme glucidique

Cette préférence pour les sucres lents est encore plus importante avec l'âge. À la ménopause, les femmes constatent qu'elles éliminent moins bien et brûlent les calories plus lentement. Après 65 ans, la tolérance au glucose diminue, tandis qu'augmente l'insuline chronique, facteur qui double le risque cardio-vasculaire. Or, ces deux facteurs – mauvaise tolérance au glucose et augmentation de l'insuline – interviennent lors de la prise de poids. 2 % de la population est touché par un diabète non traité à l'insuline. Les femmes qui en souffrent présentent un risque cardio-vasculaire très élevé et doivent se soumettre à *une étude de tolérance du glucose* avant toute thérapie hormonale de substitution.

COMPARAISON DE LA COMPOSITION DES SUCRES RAFFINÉS ET NON RAFFINÉS (POUR 100 G)

	Sucre complet	Sucre blanc
Saccharose	74 à 92 g	99, 6 g
Glucose	2 à 11 g	
Fructose	3 à 12 g	
Potassium		3 à 5 mg
Calcium	50 à 170 mg	10 à 15 mg
Phosphore	14 à 80 mg	± 0
Provitamine A	3, 9 mg	
Vitamine C	38 mg	

POURQUOI LES FEMMES DOIVENT-ELLES CONTRÔLER LEUR ENVIE DE SUCRE ?

- Les sucres sont peu nutritifs.
- Ils abaissent le taux de vitamines (surtout B et C) et de minéraux (surtout magnésium et chrome).
- Ils déséquilibrent la balance hormonale.
- Ils augmentent le taux de sucre sanguin.
- Ils provoquent le stress des glandes endocrines : surrénales, pancréas.
- Ils déclenchent les bouffées de chaleur.
- Ils inhibent l'absorption de calcium et contribuent donc à l'ostéoporose.
- Ils sont facteurs d'obésité, de troubles digestifs, provoquent des caries dentaires, augmentent le cholestérol, les triglycérides et les infections urinaires.

■ Le pain

Au début du siècle, consommer du pain blanc était synonyme de bonheur et d'aisance, alors que l'enveloppe des céréales, riche en vitamines A, E et B, ainsi qu'en oligo-éléments (manganèse, cobalt, chrome, zinc), servait de nourriture au bétail. C'est pourquoi aujourd'hui, c'est avec le cœur du grain, riche en amidon et pauvre en substances précieuses, que l'homme fabrique son pain.

Il vaut mieux donner la préférence au pain complet, à condition qu'il soit à base de farine biologique. Les pesticides, en effet, se concentrent dans l'enveloppe du grain, ce qui rend impérieux un mode de culture naturelle et un stockage réalisé sans produits toxiques. L'utilisation de *levain* est également indispensable, si l'on veut éviter que le pain soit acide et déminéralisant. Le pain contient des glucides à combustion lente. *Pour celles qui craignent la prise de poids*, il ne doit être consommé que le matin.

Les biscuits et pâtisseries confectionnés à partir de farine blanche ne contiennent ni vitamines ni oligo-éléments.

> *Les personnes qui veulent surveiller leur poids* n'en consommeront bien sûr que très rarement. Biscuits et pâtisseries stimulent la sécrétion d'insuline et augmentent les besoins de l'organisme en aiguisant l'appétit et provoquant des fringales. Plus on consomme de farines blanches et de sucres, plus on augmente le besoin de les consommer... éternel cercle vicieux !

■ *Le sel*

De nombreux aliments en contiennent naturellement : le poisson (50 mg/100 g), le beefsteack (60 mg/100 g), le lait de vache (50 mg/100 g). La ration quotidienne nécessaire à l'organisme est de 100 mg. Une alimentation équilibrée apporte la quantité nécessaire... Ce n'est donc pas la peine d'en rajouter. Et ce d'autant moins qu'il y a une corrélation entre consommation élevée de sel et hypertension.

> Si toutefois, il y a lieu de saler un peu plus les aliments, le sel non raffiné, gris, riche en oligo-éléments, est à préférer.

▓ *Le vin*

Le vin et tous les alcools doivent être absorbés avec modération, notamment parce qu'ils constituent un apport en sucre. Mais boire un peu de vin peut être bénéfique. Selon les très sérieux *New England Journal of medecine* et *British Medical Journal*, la consommation moyenne de deux verres de vin par jour peut avoir un rôle préventif de la morbidité cardio-vasculaire.

▓ *Les graisses, les lipides*

Le beurre, les margarines, les huiles sont les graisses « visibles » par opposition aux graisses cachées.

– La pression des huiles a subi des changements notables depuis les années 1940. L'utilisation de graines améliorées a permis de doubler la production, de réduire les prix. Les huiles appauvries de leurs substances nutritives essentielles ont envahi nos épiceries et supermarchés.

Les huiles distillées et chauffées ne contiennent plus de vitamine F, pourtant si nécessaire à la protection des muqueuses intestinales et du système cardio-vasculaire. L'huile doit donc provenir de graines biologiques extraites par le procédé *de première pression à froid*. La température lors de la pression ne doit pas dépasser 30 °C.

– Le beurre était jadis un produit de luxe qui n'apparaissait que sporadiquement sur les tables. L'industrie laitière a fait fortement baisser les prix, ce qui a entraîné une surconsommation. Le beurre reste un aliment indispensable, car il contient du calcium et de la vitamine D. Cependant, il doit être consommé avec modération : de **10 à 30 g par jour**.

– La margarine, fabriquée à partir de matières végétales (la noix de palme, par exemple) est une graisse solide dont la consommation est difficile. En la traitant à haute température et en présence d'hydrogène, on la dénature en la rendant plus malléable et agréable au goût, mais au final les propriétés bénéfiques du végétal qui la constitue ont disparu.

LES ACIDES GRAS INSATURÉS[21]

Les radicaux libres s'attaquent aux acides gras polyinsaturés et fragilisent la cellule. Or, chez l'adulte, ces acides jouent un rôle de premier plan dans la prévention des maladies cardio-vasculaires au stade inflammatoire et des thromboses.

Ils sont dits essentiels, parce qu'ils sont indispensables à la vie et ne peuvent être synthétisés à partir d'autres substances. Ils sont capitaux pour notre santé, car ils assurent *l'étanchéité de la membrane cellulaire.* L'absence d'acides gras polyinsaturés favorise une pénétration des agents agresseurs, surtout au niveau de l'intestin.

Leur deuxième rôle est la formation *de la lécithine, de la myéline,* qui forment la gaine isolante des fibres nerveuses. Grâce à l'apport en huile de première pression à froid, le foie est capable de synthétiser cette substance émulsifiante qui prévient les précipitations du cholestérol et des graisses neutres. La lécithine et la myéline exercent une *action anti-artériosclérosante.*

La troisième fonction des acides gras polyinsaturés est la *synthèse des prostaglandines,* qui interviennent dans les règles douloureuses, et dans de nombreux troubles dermatologiques : inflammation, allergie, dermites : elles se dégradent très rapidement par oxydation, puis par réduction. Le rôle des prostaglandines a ouvert une nouvelle voie dans la prévention des maladies cardio-vasculaires[22]. Les prostaglandines *protègent les muqueuses* digestives et gynécologiques contre l'inflammation, et régularisent la fonction rénale en auto-organisant l'hormone antidiurétique. Elles stimulent la sécrétion *d'hormones surrénaliennes* (aldostérone et cortisone) en agissant sur l'hypophyse, et interviennent aussi dans la régularisation du métabolisme de l'eau et des sels minéraux. Un déficit en prostaglandines serait un des facteurs responsables de l'hypertension artérielle. Les prostaglandines jouent un rôle de premier plan dans les diverses régularisations biologiques et dans la multiplicité des mécanismes d'autodéfense cellulaire[23]. Une insuffisance de production de prostaglandines, par manque d'apport de matière première pour leur synthèse, ne peut qu'entraîner une baisse de vitalité et des troubles de santé divers. À côté des prostaglandines, on a découvert les prostacyclines[24] qui abaissent la tension sanguine, dilatent les coronaires et préviennent l'agrégation plaquettaire (rôle antithrombose).

Ces acides gras essentiels :
– permettent une diminution des triglycérides et du LDL cholestérol (le mauvais !) ;
– permettent une diminution de l'hypertension (on parle de 6 g par jour pour avoir une efficacité thérapeutique) ;
– empêchent la formation du caillot sanguin ;
– provoquent une dilatation favorable des artères coronaires.

En effet, les populations qui consomment beaucoup d'huile riche en acides gras polyinsaturés, de première pression ou de poisson, voient les cas d'artériosclérose et de maladies cardiaques très fortement diminués[25]. Ainsi les Esquimaux du Groenland ont 3 à 10 fois moins de maladies de cœur que les Esquimaux d'autres régions qui n'en consomment pas ; de même chez les Japonais et les Hollandais, grands mangeurs de poisson, ou chez les Crétois, grands consommateurs d'huile d'olive.

La transformation des acides gras essentiels nécessite des *enzymes, des vitamines du groupe* B_6, des sels minéraux (magnésium, zinc, biotine). Une carence de l'une de ces substances empêche la synthèse de se faire, ce qui peut entraîner divers troubles dans l'organisme. La prise de corticoïdes, l'augmentation du taux d'adrénaline, l'hypoglycémie, l'alcool, l'âge et le vieillissement peuvent provoquer l'insuffisance de la synthèse.

Il faut donc absorber une quantité suffisante d'huile – 2 cuillerées à soupe par jour – même lors d'un régime amaigrissant.

De quoi sont composés les acides gras insaturés ?

Les acides gras insaturés sont composés de l'acide linoléique, l'acide linolénique, l'acide arachidonique, l'acide dihomo-gamma-linolénique.

Ce sont eux qui fournissent la vitamine F à l'organisme ; mais pour que leur absorption se passe bien, ils doivent être en présence de la vitamine E. C'est pour cette raison qu'il faut veiller à en avoir un apport suffisant. Certaines huiles sont d'ailleurs enrichies en vitamine E.

Où les trouve-t-on ?

Les acides gras essentiels sont fournis par les huiles alimentaires de première pression. L'huile de tournesol contient 65 % d'acide linoléique et 1 % d'acide linolénique. L'huile de carthame contient 76 % d'acide linoléique[26] et 13 % d'acide linolénique[27]. L'huile de lin est plus équilibrée, car elle contient 15 % d'acide linoléique et 49 % d'acide linolénique. On peut ainsi se procurer des capsules d'huile de poisson, malheureusement souvent indigestes.

Les acides gras polyinsaturés ne sont cependant pas miraculeux. En effet, la prévention ne joue que sur une trentaine d'années. Il faudrait donc les intégrer le plus tôt possible dans nos habitudes alimentaires.

Les graisses cachées

La consommation de viande et de ses dérivés a triplé en un siècle. Dans l'esprit de nos contemporains, la viande est devenue un signe de prospérité. En outre, la préparation des repas à base de viande facilite la vie, lorsqu'on dispose de peu de temps.

Or, les graisses animales sont riches en acides gras saturés et sont facteur d'hypercholestérolémie et de maladies cardio-vasculaires.

La **graisse animale** est donc à consommer avec prudence : pas plus de **50 g par jour**, beurre compris. Il faut donc être vigilant vis-à-vis des graisses cachées. Et si la consommation de lait est intéressante pour son apport en calcium, mieux vaut privilégier le lait écrémé.

LES ALIMENTS RICHES EN GRAISSES CACHÉES : CONCENTRATION POUR 100 G

lait... 40 g
crème fraîche... 35 g
fromage.. 28 g
bœuf... 20 g

CONTENU MOYEN DES HUILES EN ACIDES GRAS (EN %)

			Acides gras essentiels	
	saturés	mono-insaturés	linoléique	alpha-linolénique
			di-insaturé (oméga 6)	tri-insaturé (oméga 3)
Lin	11	25	15	49
Tournesol	12	22	65	1
Germes de blé	15	15	62	8
Noix	9	17	60	14
Soja	16	24	53	7
Carthame	10	13	76	1
Colza	8	62	20	10
Olive	16	74	10	0
Arachide	20	50	30	0
Amande	9	70	21	0
Coprah (noix de coco)	95	5	0	0
Courge	18,9	35	46	0,1
Maïs	13	30	57	0
Noisette	8	86	6	0
Pavot	12	14,5	72	1,5
Palme	47	43	8	2
Palmiste	83	14	0,5	2,5
Sésame	16,5	42	41	0,5

Ce tableau met en évidence que les huiles contiennent des quantités différentes d'acide linoléique et d'acide linolénique. Idéalement, on a donc intérêt à varier la consommation des huiles pour donner un apport suffisant à l'organisme de ces deux types d'acides. Avant de se précipiter sur les hormones pour prévenir les maladies cardio-vasculaires, il faudrait d'abord apprendre à gérer son capital santé en équilibrant sa nourriture et en consommant des huiles vierges de première pression à froid.

Les aliments à privilégier

■ Les légumes

L'action néfaste des toxines dans le tube digestif est liée à leur concentration et à la durée de contact avec les muqueuses intestinales. Les fibres contenues dans les légumes augmentent le volume des matières fécales, provoquent la dilution de la concentration toxique et diminuent le temps de contact avec les muqueuses. Les légumes, crus et cuits, doivent donc faire partie de notre alimentation de manière abondante.

Ils sont riches en vitamines et en oligo-éléments. Les plantes fabriquent du glucose à partir de la photosynthèse et emmagasinent de l'énergie. Elles puisent les minéraux de l'eau dans le sol. Les surplus des éléments nutritifs sont mis en réserve dans les diverses parties de la plante, comme les feuilles, les graines, les racines.

Cuits à l'eau (le bouillon de cuisson est très riche) ou à la vapeur, juste assez pour être encore légèrement croquants, les légumes conservent une plus grande quantité de vitamines. Les salades doivent faire partie de nos repas de midi et du soir. Les personnes dont les muqueuses intestinales sont sensibles peuvent les consommer après le plat de résistance, ou préférer les légumes cuits.

Mieux vaut consommer les légumes rapidement car une fois cueillis, ils perdent chaque jour un peu de leurs vitamines. Par ailleurs, il est bon de s'inquiéter de la provenance des légumes. De multiples études ont démontré que les **légumes biologiques** contiennent en moyenne 25 % d'oligo-éléments en plus.

	Laitue biologique	Laitue ordinaire
Calcium	71 mg	16 mg
Potassium	176 mg	53 mg
Magnésium	49 mg	13 mg

L'ail et les oignons

Ces deux aliments de grande valeur sont connus, depuis l'antiquité, pour leurs vertus curatives.

Ils doivent à un composé sulfuré leur qualité d'hypotenseur. Ils protègent contre l'artériosclérose, l'élévation du taux de cholestérol et freinent la coagulation sanguine en ralentissant l'agglutination des plaquettes.

L'application d'un concentré de jus à 0,02 % ou même de purée d'ail inhibe la croissance du bacille de Koch, du staphylocoque doré et de la brucellose. Cette propriété de bactéricide est due à l'allicine qui, prise sous forme de gélules concentrées, agit aussi dans les cas de diarrhée, de flatulence, de ballonnement. Les magasins de diététique proposent des concentrés d'ail non seulement pour leur action bénéfique sur la tension artérielle, mais aussi en tant qu'anti-infectieux.

▪ *Les fruits*

Ils sont riches en *anti-oxydants*, en *vitamine C*, en *sélénium*, en *bêta-carotène*, en *vitamine E*, et certains en *potassium*. Ils doivent être ingérés suffisamment longtemps après les repas. Les personnes souffrant d'acidité urinaire privilégieront leur consommation vers 17 heures, car leur combustion s'effectuera de manière plus totale sans encombrer l'organisme par les déchets acides. Il ne faut pas exagérer la consommation de fruits, surtout si l'on surveille sa ligne, car ils contiennent des sucres rapides.

Le potassium

L'équilibre sodium/potassium a une influence spécifique sur la tension artérielle (voir p. 132). Il a été prouvé que le régime riche en potassium diminue le nombre des accidents vasculaires. Il est important d'en tenir compte dans notre alimentation pour le plus grand bien de nos vaisseaux. Le potassium se trouve dans les fruits, en particulier les **bananes**, et dans les légumes.

ALIMENTS RÉPUTÉS POUR LEUR TENEUR EN POTASSIUM	
Bananes	420 mg/100 g
Tomates	230 mg/100 g
Pommes de terre	410 mg/g
Pois frais	370 mg/g
Haricots verts	300 mg/100 g

◼ Les produits laitiers

Le lait et ses dérivés sont très intéressants par leur apport en protéines, en vitamines et en minéraux, notamment le calcium (voir p. 133). Le lait écrémé possède une moins grande quantité de graisses animales que le lait entier (il est donc plus digeste), mais tout autant de nutriments : calcium, vitamines B_2 et B_{12}, phosphore et protéines. Il contient des acides aminés essentiels et des peptides qui favorisent la motilité de l'intestin en stimulant le système immunitaire. Riches en lactose et en caséine, le lait et ses dérivés permettent une bonne assimilation du calcium et ne favorisent pas du tout les fermentations intestinales. Toutefois, en cas d'intolérance au lactose (qui se caractérise par une mauvaise digestion et un ballonnement intestinal), il convient de préférer les yaourts et les fromages à pâte dure, dans lesquels, précisément, le lactose a été transformé en acide lactique.

OÙ TROUVER 300 MG DE CALCIUM ?

Dans les laitages :
- 25 à 30 g de fromage à pâte pressée cuite (emmental, gruyère, beaufort, comté, parmesan) ;
- 50 g de fromage à pâte pressée non cuite (Bonbel, saint-paulin, édam) ou de fromage à pâte persillée (bleu, roquefort) ;
- 80 à 150 g de fromage à pâte molle (camembert, brie, pont-l'évêque, munster, crottin…) ;
- 200 g de yaourt (1 pot et demi) ;
- 250 ml de lait écrémé, demi-écrémé ou entier ;
- 300 g de fromage blanc ou de fromage de chèvre frais.

Dans le poisson et les fruits de mer :
- 1 000 g de poisson (sans arêtes) ;
- 300 à 500 g de coquillages et crustacés.

Dans la viande :
- 3 000 g de viande.

Dans les légumes :
- 150 à 200 g de cresson, d'épinards ou de pissenlits ;
- 100 à 1 000 g de légumes verts ;
- 2 000 à 3 000 g de pommes de terre.

Dans le pain :
- 600 g de pain complet ;
- 1 500 g de pain blanc.

Dans les fruits frais :
- 1 000 g d'agrumes (orange, mandarine, citron) ;
- 1 000 g de fruits rouges (cassis, framboises, groseilles, fraises, mûres).

Dans les fruits secs :
- 100 g d'amandes douces ;
- 150 g de noix du Brésil.

Dans l'eau et les boissons :
- 1 l d'eau minérale très dure ;
- 2 à 3 l d'eau minérale dure, d'eau du robinet ou de jus de fruits ;
- 4 à 5 l d'eau de source, de bière ou de vin.

Les produits laitiers fermentés sont intéressants à plus d'un point de vue :

– Ils protègent contre l'ostéoporose.

– Ils protègent contre l'hypertension (on l'a vu pp. 58, 131 et 132).

– Ils jouent un rôle dans la diminution des risques du cancer du sein. La consommation de 225 g de yaourt, de lait battu ou de fromage blanc diminue le risque de 37 %. En effet, il y a une augmentation des « gamma interferon » qui interviennent dans l'activation des cellules *natural killer cells* qui, elles, sont capitales dans l'élimination des cellules cancéreuses. Les produits laitiers doivent être consommés maigres pour éviter le cholestérol.

– Ils protègent contre le cancer du côlon, par liaison des acides gras libres et des acides biliaires secondaires, formant des savons insolubles. L'épidémiologie du cancer du côlon suit le même modèle que celui du sein.

▓ *La viande*

La viande pourvoit à nos besoins en protéines. Les protéines permettent l'édification des cellules et des tissus, apportent des acides aminés essentiels (AAE) comme l'histidine, la lysine et la méthionine qui ont une fonction de renouvellement des cellules. Elles sont les éléments de base de la synthèse des enzymes, des hormones et des anticorps. La lysine, par exemple, qui se trouve de manière abondante dans le lait, joue un rôle de pivot dans l'assimilation de toutes les autres protéines. Toutefois, la chaleur dégrade la lysine, la cystine, la méthionine, le tryptophane et d'autres acides aminés essentiels. L'idéal serait donc de consommer la viande à peine cuite, voire crue, sous forme de steak haché.

Il faut privilégier la qualité sur la quantité. La viande devrait provenir, si possible, d'élevage biologique. Blanche ou rouge, sa qualité dépend de la nourriture du bétail. On retrouve dans la viande les hormones qui ont accéléré la croissance et les calmants administrés à l'animal avant d'être abattu.

> 35 % de la production agricole mondiale sert de nourriture pour le bétail : il faut 15 grammes de protéines végétales pour produire 1 gramme de protéines de bœuf : quel gaspillage !

La viande rouge contient certes une grande quantité de vitamine du groupe B_{12}, des acides aminés et du fer. Mais elle contient aussi de la graisse animale, donc des acides gras saturés. Consommée en grande quantité, elle augmente le taux d'acide urique dangereux pour les articulations et génère de l'hypertension. Elle est dépourvue de fibres cellulosiques et, si elle est mal mastiquée, donc mal digérée, elle devient la principale responsable des fermentations intestinales, qui peuvent être la cause de fatigue et de dépression chronique.

Pour maintenir notre équilibre nutritionnel, nous avons besoin de viande 1 à 2 fois par semaine.

TENEUR EN PROTÉINES DES PRINCIPAUX ALIMENTS	
Viande	20 %
Poisson	20 %
Fromage	20 à 35 %
Œufs	13 %
Céréales	8 à 13 %
Laitages	3 à 8 %
Légumineuses	20 à 25 %
Fruits secs	13 à 25 %

■ *Les céréales*

Sources de glucides, de protéines végétales, de fibres, de vitamines du groupe B et de minéraux, elles doivent être consommées complètes et provenir de cultures agro-biologiques afin d'éviter les pesticides.

Les personnes allergiques au gluten doivent privilégier le riz et le millet. Le blé, le seigle, l'avoine et l'orge qui contiennent du gluten, peuvent occasionner chez ces dernières des inflammations intestinales de même que les produits laitiers, la caféine, les agrumes et les levures.

Les céréales exigent un mode de préparation adéquat : pour être digestes, elles doivent être bien cuites. Le blé, l'épeautre et l'orge sont longs à cuire. Il faut parfois les laisser tremper toute une nuit avant de procéder à la cuisson. Le riz, le millet et le sarrasin sont beaucoup plus faciles à préparer.

> – Le **blé**, à partir duquel sont faits le pain et les pâtes, apporte du calcium, du magnésium et du phosphore, à condition, bien sûr, de le consommer complet.
>
> – Le **riz**, bien mâché, est *la plus assimilable* des céréales, donc l'une des plus nutritives.
>
> – Le **sarrasin**, appelé aussi kasha, est caractérisé par son extraordinaire richesse en calcium, en acides aminés essentiels, tels que histidine, arginine, méthionine et lysine, ainsi qu'en phosphore et en magnésium. C'est un aliment à la fois constructeur et énergétique.
>
> – Le **millet**, très digeste, cuit rapidement et a une haute teneur en phosphore et en magnésium. Sa teneur en fer est aussi élevée que celle des lentilles ou du persil : il en contient 6,8 mg/100 g – les épinards n'en contiennent que 3,1 mg/100 g. C'est un aliment de choix pour le système nerveux.

LES GERMES DE BLÉ

Le blé est surtout intéressant en tant que *blé germé*. On l'obtient en trempant le grain dans de l'eau et en le laissant germer dans l'obscurité. Les jeunes pousses apparaissent au bout de 2 jours. On trouve des germes de blé en magasin diététique sous forme de flocons à saupoudrer sur les salades, à ajouter aux yaourts ou au potage. Il faudrait en consommer une cuillerée à soupe par jour.

Il apporte du calcium (il passe de 40 mg dans le blé à 90 mg dans le blé germé !), du magnésium (qui passe de 130 à 400 mg) et du phosphore (de 390 à 1 100 mg). L'augmentation de la teneur en vitamines dans le blé germé par rapport au blé est tout aussi extraordinaire, en particulier pour les vitamines B.

LA LEVURE DE BIÈRE

La levure qui entraîne la fermentation du houblon (une céréale) pour produire de la bière est un supplément alimentaire fortement conseillé. Elle contient un complexe de vitamines B indispensables au système nerveux : la vitamine B1 qui joue un rôle essentiel dans la combustion des sucres et dont dépend la qualité de la mémoire ; la vitamine B$_2$ qui agit sur la sécheresse vaginale dont de nombreuses femmes de cette tranche d'âge souffrent ; la vitamine B$_3$ ou PP dont la carence entraîne des troubles émotionnels et de l'hypoglycémie.

Il vaut mieux la consommer sous forme de paillettes ou de flocons, éventuellement maltée (meilleure au goût, selon ceux qui la préfèrent), car elle est plus digeste que les comprimés qui provoquent des ballonnements. La ration quotidienne est d'une cuillerée à dessert à saupoudrer sur les salades ou à diluer dans les jus de fruits ou les potages.

■ Les légumineuses

Lentilles, haricots rouges, blancs, pois chiches, pois cassés, azuki, doliques (du grec *dolikos* : haricot)… sont très riches en protéines et en acides aminés. Ils apportent aussi des glucides lents, des fibres et des minéraux (fer et magnésium).

Les légumineuses sont parfois difficiles à digérer. Les faire tremper plusieurs heures avant de les cuire permet la sécrétion d'enzymes les rendant plus digestes.

La proportion idéale pour un repas est de 1/3 de légumineuses pour 2/3 de céréales.

■ Les fruits oléagineux

Ils conviennent parfaitement aux besoins de l'organisme et peuvent être utilisés sous forme de purée. Nombreuses sont les huiles extraites d'oléagineux, car leur teneur en graisse végétale est très importante.

Les amandes sont très intéressantes pour la femme lors de la ménopause, car elles sont riches en *magnésium* et en *calcium*. Elles sont précieuses pour celles qui souffrent de déminéralisation, car elles entretiennent l'équilibre acido-basique. **Les oléagineux contiennent davantage de calcium que les produits laitiers,** pourtant généralement privilégiés à la ménopause.

CALCIUM CONTENU DANS LES OLÉAGINEUX (POUR 100 G)	
Amandes douces	282 mg
Graines de tournesol	140 mg
Graines de sésame	1 160 mg
Noisettes	20 mg
Noix du Brésil	186 mg
Par comparaison : lait	**118 mg**

◼ Les poissons

Avec l'âge, si nous souhaitons maintenir notre capital santé, nous devons privilégier une alimentation à base de poissons. Ils sont exempts d'acides gras saturés, riches en acides gras insaturés (AGI) à longue chaîne[28] et pauvres en cholestérol, particulièrement les poissons gras comme le saumon ou le maquereau. C'est pourquoi, d'ailleurs, l'huile de poisson est prescrite en capsules. Faciles à consommer, elles peuvent être salvatrices pour celles qui souffrent de cholestérol, d'hypertension et qui ont un terrain prédisposant aux troubles cardiaques. Mais en cas d'insuffisance hépatique, elles s'avèrent parfois indigestes.

Les Japonais sont très friands de poisson et d'algues, ce qui explique qu'il y ait tant d'octogénaires fort alertes au Japon.

La chair du poisson est saine. Certes, nos rivières et nos mers sont polluées, mais les poissons ne sont pas engraissés aux hormones, ni piqués avant l'abattage comme la viande. Par ailleurs, la chair du poisson produit *moins d'endotoxines* lors du métabolisme que la viande.

▓ *Les algues*

Elles ne font pas partie des traditions culinaires occidentales. Pourtant, depuis toujours, les peuplades vivant près du littoral et des lacs ont inclus les algues dans leur alimentation. Chinois, Japonais, Irlandais en faisaient grand usage. La femme soucieuse de conserver son capital santé devrait oser y goûter.

Ces plantes aquatiques et nutritives ont des formes courtes ou allongées, sont de texture tendre et croquante, de couleur verte, brune, parfois bleue et même rouge – variable selon la profondeur à laquelle elles vivent –, et de goût plus ou moins prononcé. Véritables légumes de la mer, elles devraient être à l'honneur dans nos assiettes, car elles sont riches en nutriments utiles. La teneur en calcium de certaines algues est spécialement intéressante, car les produits laitiers ne conviennent pas à tout le monde.

> On distingue :
> • les algues marines :
> – vertes : Nori ;
> – rouges : Agar et Caragheen ;
> – brunes : Aramé, Hifiki, Kombu, Wakamé ;
> • les algues d'eau douce :
> – Chlorella ;
> – Spiruline.

Elles sont toutes intéressantes à consommer. Par exemple, la Wakamé contient 1 300 mg/100 g de calcium et l'Hifiki 1 400 mg, alors que 100 g de lait n'en contient que 118 mg. Les algues sont très riches en fer : l'Aramé en contient 12 mg/100 g, la Nori 23 mg, la Wakamé 13 mg, tandis que les épinards n'en contiennent que 3,1 mg/100 g. Elles regorgent de vitamines A, B, C et d'un peu de provitamine D, de minéraux (magnésium, fer, phosphore, sodium, potassium), et sont une source importante de protéines et d'oligo-éléments.

Lors de la digestion, elles ont une action antiacide : libérant des résidus alcalins, elles favorisent l'équilibre acido-basique. Les algues ont aussi une action sur la thyroïde grâce à leur teneur en iode. Et en cas d'intoxication intestinale, leurs propriétés muci-lagineuses empêchent les toxines d'être absorbées au niveau de l'intestin. L'acide alginique contenu dans les algues brunes a la pro-priété de se lier à certains ions métalliques dans l'intestin (stornium, baryum, cadmium, zinc) et de les rendre insolubles. Enfin, capables de photosynthèse, les algues produisent l'oxygène nécessaire aux bactéries pour décomposer les substances polluantes.

Elles sont vendues déshydratées pour une meilleure conserva-tion. Toutes les algues doivent être trempées dans l'eau afin d'ôter l'excès de sel et les corps étrangers.

COMPOSITION DES ALGUES (PAR 100 G)

Algues marines (100 g)	Agar	Aramé	Dulsé	Hifiki	Kombu	Nori	Wakamé
Glucides (g)	74,6	60,6	44,6	16,8	54,9	44	16
Protéines (g)	2,3	7,5	20	5,6		36	12,7
Lipides (g)	0,1	0,1	3,2	0,8	1,1	0,7	1,5
Vitamine A (U.I.)*		50			430	11 000	140
Vitamine B$_1$ (mg)		0,02	0	0,01	0,08	0,25	
Vitamine B$_6$ (mg)							
Vitamine B$_2$ (mg)		0,2	0,5			1,24	0,14
Vitamine C (mg)			24		11	20	15
Phosphore (mg)	8	150	67	56	150	510	260
Fer (mg)	5	12	150	29	29	12	13
Iode (mg)	0,2		8	40	76	0,5	7,9
Potassium (mg)		3 900	8 060	14,7	14,7		6 800
Sodium (mg)			2,12		2 500	600	2,5
Magnésium (mg)			220				
Calcium (mg)	400	1 170	296	1 400	1 400	260	1 300
*U.I. = unités internationales.							

Comment consommer des algues plus souvent

À chaque repas, prenez-en 3 cuillerées à soupe, lavez-les, trempez-les pour les réhydrater et consommez-les telles quelles, en les ajoutant à la salade, aux légumes cuits, aux céréales, etc.

Une fois réhydratées, elles peuvent aussi être cuites et ajoutées au potage, aux céréales ou être étuvées avec des légumes. Vous pouvez aussi assaisonner vos plats avec de la poudre d'algues.

Puis un jour, lorsque la couleur, la texture et le goût des algues vous seront devenus familiers, d'autres recettes pourront vous inspirer.

> **Aramé :** après la récolte, elle est d'abord cuite, puis coupée en fines lanières qui sont ensuite séchées. Elle se consomme crue après avoir été trempée pendant 5 minutes dans de l'eau. Elle peut être alors ajoutée à la salade, au potage, ou préparée comme un légume.
>
> **Hifiki :** très populaire au Japon où on lui attribue des vertus de rajeunissement, elle contient 1 400 mg de calcium par 100 g (poids sec). Une fois récoltée, elle est d'abord séchée, puis cuite à la vapeur, séchée à nouveau, puis trempée dans le jus d'Aramé, enfin séchée une troisième fois au soleil.
> Lavez-la et laissez-la tremper 20 minutes, avant de la consommer crue ou cuite à la vapeur.
>
> **Wakamé :** elle ressemble à une immense feuille souple et dentelée, très riche en protéine et en calcium. Sa saveur est très délicate et agréable au goût.
> Lavez-la, laissez-la tremper pendant 5 minutes et consommez-la telle quelle.

Veiller à l'équilibre acido-basique

L'organisme baigne dans le liquide organique qui représente 70 % de son poids corporel. Ce liquide est à nos cellules ce que la terre est aux plantes. Une terre fertile et riche en nutriments est indispensable pour faire pousser la végétation. Le liquide organique est composé du sang qui circule dans les vaisseaux sanguins, de la lymphe qui circule dans les vaisseaux lymphatiques, et des urines qui évacuent les déchets. Or, notre alimentation est primordiale pour maintenir l'homéostasie, ce processus qui permet de maintenir l'équilibre acido-basique du sang.

Un excès d'aliments acidifiants, de même que le surmenage, le stress et le manque de sommeil, augmentent le taux d'acidité du corps, et donc la déminéralisation qui mène à l'arthrose et à l'ostéoporose. On tient rarement compte, hélas, de cette notion d'acidité du pH dans leur traitement.

L'équilibre acido-basique constitue un problème majeur à la ménopause, car il joue un rôle essentiel dans la déminéralisation, générant des problèmes en cascade aux niveaux articulaire, ligamentaire, osseux, occasionnant des tassements vertébraux, une sécheresse de la peau, une fatigabilité chronique, une diminution de la capacité sexuelle, sans compter les douleurs, nombreuses et diverses.

■ *Qu'est-ce que le pH ?*

Rappelons quelques notions élémentaires concernant l'acidité et la basicité. Un acide est un donneur de protons (H+). Une base est un accepteur de protons ou un donneur d'une paire d'électrons (oxydant). Le pH est l'unité de mesure du degré d'acidité ou d'alcalinité des liquides. L'échelle de mesure varie de 0 à 14. Le chiffre 7 indique un rapport d'équilibre entre les acides et les bases ou alcalins. Plus l'acidité est grande, plus le pH est faible. À l'inverse, plus l'alcalinité est importante, plus le pH est élevé[29].

> Le sang a un pH neutre situé aux environs de 7,32-7,42, mais tous les liquides de l'organisme n'ont pas le même pH.
> Ainsi, la salive a un pH 7,1. Le pancréas, par contre, sécrète un suc alcalin dont le pH varie de 7,5 à 8,8. Les sucs intestinaux ont un pH 8. Les couches externes de la peau ont un pH 5,2, ce qui signifie qu'elles sont acides : dès lors : il n'est pas utile d'utiliser des savons alcalins qui ne respectent pas son acidité naturelle. Le suc gastrique est très acide, et son pH varie de 1,6 à 3,2.

La transformation que subissent les substances chimiques dans l'organisme s'opère par paliers et par les chaînes successives auxquelles correspond chaque fois un enzyme ou catalyseur particulier. Les corps intermédiaires fournis sont souvent des acides organiques. On voit donc que l'organisme lui-même est générateur d'acide dont la quantité augmente si le corps commence à fonctionner de manière anormale.

Lorsque la présence d'acide devient pathologique, un ou plusieurs éléments sont en déséquilibre, soit parce que la nourriture est trop acide, soit parce que la carence d'enzymes ou de vitamines provoque un excès d'acidité et une augmentation de l'acidité urinaire. **Ceci va se traduire par une grande pâleur, des douleurs rhumatismales, des névralgies qui disparaissent en peu de temps et sans aucun calmant par un apport d'alcalins.**

> On peut détecter l'excès d'acidité par la mesure du pH urinaire à l'aide d'une bandelette de papier réactif (en vente en pharmacie) que l'on humecte d'une goutte d'urine. La couleur du papier indique immédiatement le pH.

Il existe deux mécanismes physiologiques de protection contre l'acidité : les tampons plasmatiques et les tampons globulaires.

– Le *tampon plasmatique* se fait avant tout au niveau de l'os. C'est le phosphate de calcium qui est normalement insoluble dans le corps mais dont la solubilité augmente au fur et à mesure que l'acidité croît. On assiste alors à la déminéralisation de l'organisme qui est la mise en solution et l'augmentation de la solubilité du calcium préalablement insoluble en une forme soluble pouvant donc être éliminée. *Mais ce n'est pas le calcium seul, pris à titre d'aliment ou de médicament, qui est capable de modifier cette situation.*

– Les *tampons globulaires* sont des tampons dans les globules rouges. L'hémoglobine en tant que protéine qui véhicule le CO_2 joue un rôle de tampon contre l'acide. Elle s'oxygène au niveau du poumon en libérant des acides volatiles[30] éliminés lors de l'expiration. Inversement, au niveau des tissus, elle libère les bases qui tamponnent les acides en excès.

▓ *Les facteurs de la transformation des acides*

La quantité d'aliments acides consommés et le stress

Plus la consommation d'aliments producteurs d'acide est importante, plus l'acidité de l'organisme est élevée, plus les risques de déminéralisation, de problèmes osseux et d'ostéoporose, sont présents.

La fréquence de consommation d'aliments acides

Consommer fréquemment des aliments acides, même en petite quantité, peut aussi entraîner une augmentation de l'acidité de l'organisme.

L'heure de la consommation

Chez nombre de personnes, l'organisme ne fonctionne pas à son niveau optimum aux heures matinales, il faut souvent attendre l'après-midi pour qu'il devienne capable de brûler les acides. Ainsi, les jus d'orange ou de citron pris au petit déjeuner ne sont pas conseillés à tout le monde. Ils peuvent être franchement déminéralisants pour certains sujets.

Pour ces mêmes raisons, les acides sont beaucoup mieux éliminés en été et au soleil, que pendant le froid de l'hiver, car tout le mécanisme corporel est stimulé par l'apport d'énergie solaire. C'est ainsi également que la mesure du pH urinaire doit être faite à différents moments de la journée. Il faut tenir compte du fait que les urines du matin sont toujours acides, mais qu'au cours de la journée, leur pH devrait correspondre au pH sanguin.

Par la suite, la connaissance affinée de son corps permet de déterminer d'avance l'influence d'événements néfastes – situation de stress ou repas trop acidifiant – et d'apporter les aliments correcteurs de façon préventive. Après de grands moments de stress, il sera préférable de consommer des boissons et des aliments alcalins, tels que des bananes, de l'eau de Vichy, du fromage blanc égoutté, du lait écrémé.

Le surmenage, le stress et le manque de sommeil augmentent le taux d'acidité du corps, si néfaste en cas d'ostéoporose.

■ Les facteurs d'équilibre

L'alimentation

Indépendamment de tout traitement, il faut commencer par équilibrer son alimentation suivant les règles précises de la diététique individualisée.

Il existe des aliments acides repérables au goût de manière nette, comme le citron ou le vinaigre. Par contre, le sucre ou le

Aliments acidifiants	Aliments acides	Aliments basiques
• Viande	• Yaourt	• Pommes de terre
• Poisson	• Lait caillé	• *Légumes crus ou cuits* :
• Œufs	• Fromage blanc peu	salade, laitue, haricots
• Fromages (les forts	égoutté	verts, choux, carottes,
sont plus acides que	• Kéfir	poireaux, courgettes,
les doux)	• *Fruits acides* :	fenouil, aubergines,
• Céréales	cassis, groseilles,	navets, betteraves,
• Pain	cerises du Nord	maïs, etc.
• Pâtes	• *Agrumes* :	• Lait
• Café, thé	citrons, oranges,	• Lait en poudre
• Cacao, vin	pamplemousses	• Crème
• Sucre raffiné	• *Légumes acides* :	• Fromage blanc bien
• Chocolat	tomates, rhubarbe,	égoutté
• Confiture	oseille, cresson	• Bananes
• *Fruits oléagineux* :	• Jus de fruits	• Amandes
noix, noisettes…	• Boissons industrielles	• Châtaignes
	sucrées	• *Eau minérale alcaline* :
	• Miel	Vichy
	• Vinaigre	• Poires
		• Huile végétale

fromage blanc ont un goût parfaitement alcalin tout en produisant des acides lors de leur transformation.

Les aliments acidifiants sont producteurs d'acide chez tout le monde, aussi bien chez les personnes sujettes à l'acidification que chez celles qui ne le sont pas. Ils constituent d'ailleurs une partie importante de notre alimentation et, de ce fait, ne peuvent pas être supprimés (voir tableau ci-contre).

L'équilibre demeure avant tout personnel. Il faut veiller à la quantité des aliments acidifiants, à la fréquence à laquelle ils sont consommés, les équilibrer en consommant des aliments alcalins – base – en quantité suffisante. On ne répétera pas assez que les légumes cuits ou crus sous toutes leurs formes neutralisent l'acidité.

L'action des aliments acides varie suivant le terrain de la personne qui les consomme. Ce qui veut dire qu'un sujet à haut risque, c'est-à-dire un sujet qui métabolise difficilement les acides et dont *les urines sont facilement acidifiées*, doit faire particulièrement attention en consommant les aliments acides. Il n'en est pas de même pour les aliments alcalins qui sont alcalins pour tout le monde, quelle que soit la sensibilité de terrain du sujet. Il faut aussi veiller à éviter les **carences en vitamines et oligo-éléments** : on a vu qu'ils jouaient un rôle prépondérant dans les réactions en chaîne déclenchées par les enzymes lors de la combustion des acides.

L'oxygénation

L'exercice physique augmente la capacité thoracique en fournissant un apport accru en oxygène, nécessaire aux échanges cellulaires. On constate qu'une **promenade d'une heure** après le travail diminue nettement l'acidité urinaire. On peut conclure qu'en fournissant à l'organisme une grande quantité d'oxygène, on lui donne une possibilité de brûler son excédent d'acide. L'oxygénation est aussi un bon moyen de lutter contre le stress et le surmenage qui provoquent l'acidification du terrain, et empêchent la combustion des déchets.

L'élimination

Le rein et la peau jouent un rôle essentiel dans la détoxication de l'organisme. Le rein élimine 1,5 l d'urine par 24 heures, et ce en 6 mictions. La peau élimine au moins 700 g de sueur. S'ils fonctionnent de manière insuffisante, ils peuvent être stimulés par les drainages.

Le rein surtout est un organe clé d'élimination des acides.

> Dans le cas où l'on constate une trop grande acidité urinaire, on peut aider le rein par différentes plantes telles que le cassis, le bouleau, l'aubier de tilleul, etc.
> La peau, aidée dans l'élimination par les bains thermiques et le sauna, a son rôle à jouer.
> Il est conseillé de prendre des tisanes sudoripares, telles que le sureau, le tilleul ou la pensée sauvage, une demi-heure avant de prendre un bain.

La digestion

Nous avons vu que des différences de pH existaient aux divers niveaux du tube digestif. La bile et le suc pancréatique sont franchement alcalins. Le pH s'élève jusqu'à 8,8 en cas de fonctionnement normal.

C'est dire qu'en cas d'insuffisance, leurs sécrétions deviennent acides, et le bol alimentaire arrive dans le tube digestif anormalement acide, perturbant ainsi la flore intestinale et provoquant une *putréfaction* et une *fermentation* particulièrement importantes en ce qui concerne les ballonnements dont se plaint la femme durant la ménopause. Le foie déjà faible n'est pas en mesure de résorber les surplus de toxines.

Rétablir l'équilibre

Il existe un traitement classique à court terme si l'on constate un déséquilibre persistant du pH urinaire : il consiste à administrer du bicarbonate de soude, ou mieux encore, un produit spécifique composé de minéraux basiques et draineurs du rein[31].

De manière plus simple, l'eau de Vichy est une eau alcaline qui peut être conseillée dans ce cas-là. Par contre, à long terme, c'est avant tout par une équilibration nutritionnelle, par l'oxygénation, l'exercice physique, l'élimination rénale que l'on se défendra contre l'excès d'acide.

Les fameux citrates alcalins, préconisés dans les différentes préparations alcalinisantes, sont d'ailleurs présents de manière abondante dans les fruits et les légumes.

Une fois le pH rééquilibré, les règles d'hygiène alimentaire et la lutte contre la sédentarité par l'exercice physique et l'oxygénation quotidienne, demeurent des armes efficaces et indispensables, si l'on veut garder les bons résultats obtenus.

POUR ÉVITER L'OSTÉOPOROSE :

- Réduire la consommation de viande rouge qui concentre les dioxines.
- Consommer plus de légumes.
- Éviter les graisses cuites.
- Réduire l'apport de sucre.
- Réduire les aliments riches en phosphate (aliments raffinés et traités), parce qu'ils font baisser le calcium.
- Arrêter de fumer.
- Limiter le café, le thé et l'alcool.
- Prendre des suppléments calciques, phosphore, magnésium, silicium, vitamines A, D, B_9 (acide folique), PABA (vitamine B_{10}), E, et du zinc.

Et puis :
- Faire de l'exercice, de l'exercice, de l'exercice…

En cas d'hypertension et de cholestérol :

- Réduire la consommation de sel.
- Réduire la consommation de sucre, de café, de thé.
- Utiliser les huiles vierges de première pression à froid et supprimer les graisses saturées.
- Veiller à ne pas être carencé en calcium, magnésium, zinc, vitamines C, B complexe, vitamine E.

Et puis :
- Perdre du poids s'il y a lieu.
- Cesser de fumer.
- Faire de l'exercice.
- Gérer le stress.

Comment lutter contre l'excès de poids

Certes, les femmes ont tendance à grossir, mais les hommes aussi. Et la surcharge pondérale entraîne un accroissement de la mortalité. Mais il y a un lien plus direct entre surcharge pondérale et moindre espérance de vie chez l'homme que chez la femme. À poids égal entre l'homme et la femme, en effet, la différence tient aux œstrogènes. En fait, il faudrait comparer les effets de la carence œstrogénique avec ceux, tout aussi importants, de l'excès de poids, sur la mortalité cardio-vasculaire. Un début de réponse est apporté par une étude finlandaise montrant que **le quart (24 %) de l'incapacité due aux troubles cardio-vasculaires ou ostéoporotiques est attribué à l'excès de poids**.

▪ *Faut-il avoir recours à l'hormonothérapie ?*

L'indication d'une thérapie hormonale de substitution de la ménopause, ou THS, doit être soigneusement pesée en cas de surcharge pondérale. Une femme enrobée est moins gênée par la privation d'œstrogènes car la transformation des androgènes produits par les glandes surrénales, qui se trouvent dans les cellules graisseuses, pallie cette carence. Une femme dont la graisse est répartie de manière gynoïde risque moins d'avoir des problèmes d'ostéoporose et cardio-vasculaires que sa compagne de type masculin androïde. C'est pourquoi la thérapie hormonale de substitution est plus indiquée lorsque l'embonpoint est androïde. Mais elle peut favoriser la rétention d'eau, le gonflement douloureux des seins, faire augmenter les triglycérides – et l'absorption percutanée tant prônée est souvent irrégulière chez la femme trop enrobée.

▪ *Le cercle vicieux du sucre*

Les symptômes de l'hypoglycémie sont avant tout la fatigue, qui se manifeste par « le coup de pompe », mais aussi l'irritabilité, la nervosité. Elle n'est pas toujours provoquée par une carence de sucre alimentaire, mais par une sécrétion trop importante d'insuline. Absorber des sucres rapides entraîne alors une hausse du taux de glucose dans le sang, d'où un bien-être passager. Mais le pancréas va immédiatement sécréter de l'insuline qui fera disparaître le glucose du sang, ce qui provoquera à nouveau l'hypoglycémie avec un taux de sucre encore plus bas qu'au départ... ainsi qu'une nouvelle fringale avec un besoin immédiat de sucre. C'est alors qu'un cercle vicieux s'installe.

Les troubles de la rate peuvent, lors de la ménopause, être d'origine psychologique ou alimentaire (nourriture trop abondante). La charge pondérale augmente, et il devient très difficile de se débarrasser de ces kilos, du fait des changements hormonaux et de la difficulté d'éliminer, puisque cet organe joue un rôle essentiel dans la *rétention d'eau*.

À l'inverse, dans l'hyperglycémie, la sécrétion trop importante d'insuline peut être provoquée par *un manque de chrome, de nickel, de zinc ou de manganèse*.

> **Comment briser le cercle vicieux du sucre ?**
>
> Les aliments à éviter sont ceux qui stimulent le besoin en sucre et qui déséquilibrent la rate. Il faut de toute manière préférer les sucres lents et, parmi les oléagineux, les amandes qui contrarient aussi les pics d'hypoglycémie. Veiller à consommer des céréales complètes, des légumineuses, des fruits, des légumes et des crudités, qui précisément comportent des sucres lents. Il est parfois nécessaire de prendre des minéraux sous forme d'oligo-éléments ou de compléments alimentaires.

■ *Que manger si l'on veut maigrir ?*

L'objectif ne doit pas être une perte de poids substantielle et rapide, mais bien une modification progressive et méthodique du *comportement alimentaire* qui a déterminé cette surcharge pondérale. La plupart des régimes modifient et affectent la qualité de vie, s'ils ne tiennent pas compte des besoins fondamentaux, des *pulsions* alimentaires. Mais la plupart des femmes qui souffrent d'un excès de poids fondent souvent leurs espoirs sur des régimes très stricts qu'elles ont pratiqués à répétition avec pour conséquence un funeste effet d'accordéon : chaque perte de poids temporaire étant suivie d'un regain de poids ultérieur. Le soutien thérapeutique doit donc viser la correction des troubles, des erreurs de comportement alimentaire, surtout chez celles qui ont adapté le contrôle de leur appétit à un *niveau de poids élevé*. Et les cures d'amaigrissement doivent tenir compte des nutriments indispensables, sinon elles se soldent par des carences.

Il importe surtout de **veiller aux « bonnes » associations d'aliments**. L'amincissement mis à part, elles permettent une désintoxication de l'organisme, parce qu'elles fortifient les défenses immunitaires, améliorent la digestion et soulagent divers symptômes : allergies diverses, rhumatismes, déficiences cardio-vasculaires.

Plusieurs régimes aux dénominations diverses se basent sur ce même principe : **ne pas mélanger les catégories d'aliments, glucides, protides et lipides au cours du même repas**.

Les repas doivent donc être composés avec des associations : **glucides et légumes**, ou bien **protides** (qui contiennent des lipides) **et légumes.** Les lipides, s'il s'agit d'une huile végétale, peuvent être

L'ALIMENTATION DISSOCIÉE		
Glucides ———▶	**Légumes** ◀———	**Protides**
• Farineux : – pâtes – pains • Céréales : – millet • Légumineuses : – lentilles	• Tous légumes (accompagnés d'huile de première pression à froid*) • Algues**	• Viande • Œufs • Poisson • Fromage • Yaourt
* Accompagner les légumes ou les crudités d'huile de première pression à froid et de jus de citron afin d'améliorer la digestion est une excellente habitude. ** Les algues peuvent être prises avec les légumes, les céréales ou les légumineuses. Ce serait dommage de les consommer avec de la viande, car elles sont suffisamment riches en fer et en protéines.		

mélangés dans les salades ou les légumes, et alors consommés avec les autres aliments.

Associations végétariennes

Dans le cas d'un régime végétarien, des associations parfaitement équilibrées sont possibles :
- Couscous : semoule de blé + pois chiche + légumes.
- Cuisine indienne : riz + lentilles + légumes au curry.
- Tartes (farine + œufs) aux légumes.
- Crêpes (lait + farine + œufs) fourrées aux légumes.
- Cuisine italienne : pizza (pâte à pain) + légumes (+ fromage) ; pâtes + légumes (brocoli) + fromage (gorgonzola).

Les grands principes à retenir

1. *L'alimentation ne doit pas être équilibrée sur un seul repas mais sur plusieurs.*

Trois vrais repas par jour sont indispensables. 2 000 calories absorbées en une fois risquent de faire grossir. Si elles sont réparties en trois repas, elles n'ont aucune incidence sur le poids, car la digestion consomme de l'énergie et brûle des calories. Il est important de rééduquer son estomac en lui offrant de petits repas consistants. Mâcher patiemment, déguster lentement, autant d'habitudes qui viendront à bout de la dilatation de cet estomac qui crie famine en réclamant sans cesse des vivres. C'est juste une question de temps.

2. *Éviter de mélanger certains aliments entre eux.*

Les lipides, les protides et les glucides sont incompatibles. Il faut les consommer séparément en les mélangeant avec les légumes crus ou cuits, accompagnés d'huile.

Pour les **assaisonnements, servez-vous, à tour de rôle, de toutes les huiles végétales** (une fois tournesol, une fois carthame...), car chacune possède sa richesse (une fois la bouteille d'huile entamée, conservez-la au réfrigérateur). Deux cuillerées à soupe d'huile végétale protègent le cœur et les artères, fortifient les muqueuses de l'intestin qui fonctionne mieux. C'est un moyen simple pour prévenir l'arthrose et l'ostéoporose, car l'assimilation étant meilleure, le calcium se fixe mieux et le cholestérol diminue. Le **jus de citron** est très acide lorsqu'il n'est pas métabolisé, il bloque l'activité enzymatique de nos aliments, troublant ainsi leur digestion et leur assimilation. En revanche, mélangé à l'huile qu'il a la faculté d'émulsifier, il rétablit la digestion. L'association de l'huile et du jus de citron donne une sauce excellente pour les salades et les légumes.

3. Augmenter la consommation de fibres.

Les céréales complètes, les légumineuses et les légumes cuits ou crus, sont riches en fibres insolubles qui favorisent les mouvements péristaltiques de l'intestin, évitant ainsi une accumulation prolongée de déchets qui a pour corollaire : constipation, intoxication, surcharge pondérale et cancer colorectal. Les céréales, les légumineuses – qui sont riches en calories – et les légumes – qui ne le sont pas – se marient très bien entre eux, et doivent faire partie de l'alimentation, mais en quantité modérée.

4. Préférer toujours les aliments complets.

En effet, une moindre quantité de ces aliments suffit à rassasier. D'excellents pains aux céréales complètes sont proposés chez les bons boulangers et dans les magasins diététiques. Une tranche au petit déjeuner contente votre estomac, alors qu'il lui en faut plusieurs de pain blanc pour être rassasié.

5. Éviter les aliments riches en glucides.

Les aliments issus de farines blanches et de céréales décortiquées ne sont pas conseillés. Les fruits mûrs, gorgés de soleil, pleins de vitamines, contiennent des sucres rapides et doivent donc être consommés avec modération, si l'on veut maigrir. Il faut dans ce cas préférer les sucres lents. Le vin, riche en tanin, protège les coronaires, mais contient beaucoup de sucres rapides. Mieux vaut le déguster avec les dernières bouchées du plat de résistance. Sa consommation doit rester modérée et ponctuelle.

Attention : n'oubliez pas que l'on trouve des glucides dans les jus de fruits industriels, mais aussi dans les pâtes, les farines blanches, le riz où ils sont à assimilation lente. Quant aux produits « light », aux sucres théoriquement de substitution, ils produisent les mêmes effets, car le cerveau réagit à leur égard comme à un leurre, et, en outre, ils entretiennent le goût du sucré. Parmi les glucides lents, privilégiez les pâtes et les céréales complètes, *car elles sont riches en minéraux, en vitamines, en fibres.* Elles apportent plus d'éléments nécessaires à l'organisme et sont donc consommées en quantité moindre.

6. *Manger lentement.*

Le travail de la digestion commence dans la bouche avec l'action de la salive. Mastiquer insuffisamment aggrave la dilatation de l'estomac : quand on mange vite, on mange davantage et la digestion est plus difficile.

7. *Attention aux boissons gazeuses !*

Bière, eau minérale, sodas, etc., aggravent la dilatation de l'estomac dont est affectée la majorité des personnes qui souffrent de surcharge pondérale.

8. *Boire de l'eau.*

C'est la seule boisson physiologiquement indispensable. Elle joue un rôle complètement différent de tous les autres liquides. Elle réveille, active, sollicite toutes nos cellules, chasse les toxines et permet d'être en forme. Il est nécessaire de boire 1,5 l d'eau par jour par petites quantités (un verre), afin de ne pas dilater l'estomac : ne jamais dépasser 0,5 l à la fois. Boire un grand verre d'eau avant de se lever aide à purifier nos cellules, car le rein fonctionne mieux en position couchée. Il vaut mieux ne pas boire pendant les repas – car cela augmente le volume des aliments absorbés et dilue les sucs digestifs –, mais au plus tard dix minutes avant un repas et au moins une heure après la fin du repas. Néanmoins, il ne faut pas pour autant se forcer à boire, car trop d'eau élimine les minéraux. Quant aux tisanes, elles sont acceptables, d'autant qu'elles ont des vertus médicinales. Elles peuvent être calmantes, digestives ou toniques, mais l'eau pure reste irremplaçable.

UNE JOURNÉE TYPE

L'excès de poids ne peut trouver de solution qu'entre les mains de celle qui en souffre. C'est à elle de gérer son alimentation. Un exemple de menu quotidien peut vous donner des idées pour constituer votre régime.
- Petit déjeuner : 1 tranche de pain complet + marmelade allégée ou fromage blanc à 0 % de matière grasse. Thé léger au lait écrémé.
- Déjeuner : saumon grillé + salade + légumes.
- Collation éventuelle : yaourt, fruit…
- Dîner : soupe de légumes + salade + 1 tranche de jambon.

Un truc : paradoxalement, plus on a de kilos en trop, plus l'appétit est grand ! On peut s'aider de produits comme le glucamane – qui a la propriété de gonfler dans l'estomac – et le fucus – qui agit sur la thyroïde. Pris avant le repas, ils permettent de diminuer la sensation de faim. C'est un moyen sûr, efficace et inoffensif de régulariser l'appétit.

■ *Recourir aux médecines naturelles pour perdre du poids*

Autant il est nocif d'ingérer des médicaments pour maigrir, autant les médecines naturelles peuvent être d'un secours certain, si le praticien qui vous conseille est compétent.

– L'*acupuncture* permet de diminuer les besoins en sucre en rééquilibrant le tandem rate/pancréas, et de stopper la sensation de faim.

– L'*homéopathie* peut aider à freiner l'appétit grâce aux produits tels que Anacardium, Ignatia et Gelsemium qui sont très utiles dans les problèmes de boulimie, car ils ont une action calmante et désangoissante sur le système nerveux.

– La *phytothérapie* peut jouer un grand rôle dans l'amaigrissement. Lorsqu'on souffre de rétention d'eau et d'une légère insuffisance thyroïdienne à la ménopause, la phytothérapie peut compléter la diététique appropriée.

Les plantes qui pourront aider à démarrer la cure d'amaigrissement sont :

• *tous les diurétiques végétaux*, entre autres la reine des prés ou la piloselle. Leur action n'est pas toujours immédiate, mais durable, puisqu'on ne regrossit pas, une fois le traitement arrêté. L'absence de toxicité de ces diurétiques végétaux permet de les prescrire en cure de longue haleine. On les donne généralement sous forme de teinture mère (voir p. 173).

• les *laxatifs et cholagogues* (draineurs du foie) : il y en a beaucoup sur le marché, mais préférez la bourdaine, efficace pour libérer l'intestin, qui peut être associée au pissenlit. Tous deux doivent être prescrits sous forme de teinture mère.

• les *stimulants thyroïdiens* : le fucus vésiculeux, prescrit en doses suffisantes, est très actif sur le métabolisme. Son apport en iode organique en fait un régulateur des fonctions thyroïdiennes.

ATTENTION
AUX CARENCES

Les vitamines sont indispensables aux fonctions cellulaires. À la différence des protéines alimentaires, les vitamines ne participent pas directement à l'édification des tissus. Leur action n'est pas tant énergétique, comme celle de la graisse et des sucres, que régulatrice du métabolisme, en permettant la libération d'énergie à partir des lipides et des hydrates de carbone. Elles sont indispensables dans le métabolisme des acides aminés, et leur présence est nécessaire dans la formation de l'os, des tissus et du sang. Par ailleurs, les vitamines, de même que les oligo-éléments, font partie des ferments, catalyseurs de réactions vitales. La carence d'une vitamine donnée rend le ferment inopérant, ralentissant les réactions en chaîne. Comme chaque ferment remplit une fonction bien déterminée, le manque d'une vitamine se traduit par un trouble dans le fonctionnement de ce ferment.

Les vitamines

Contrairement aux organismes inférieurs – comme ceux du chien ou tout au bas de l'échelle, de la bactérie – qui ont la capacité de les fabriquer eux-mêmes, nous avons perdu l'habitude de synthétiser les vitamines. Il nous faut donc les trouver dans nos aliments. Mais tout excès en vitamines est inutile, parce qu'elles sont alors évacuées, et peut même pour certaines s'avérer nocif.

■ *Deux catégories de vitamines*

Les vitamines sont divisées *en deux catégories suivant leur solubilité.*

Le groupe des vitamines solubles dans l'huile porte le nom de **liposolubles**. Ce sont les vitamines A, D, E, F et K. Elles peuvent être stockées par l'organisme, mais prises en excès, elles deviennent toxiques.

Les **hydrosolubles**, c'est-à-dire solubles dans l'eau telles que la vitamine C et le groupe des vitamines B, sont facilement éliminées et ne sont donc pas stockées. Il est important que leur apport soit régulier.

Avec le sélénium et le magnésium, les vitamines antioxydantes, telles que les vitamines A, C, E, jouent un rôle de premier ordre dans la ménopause.

■ *La vitamine A*

Elle est anti-infectieuse, **anti-oxydante** et, à ce titre, elle protège contre le vieillissement. À la ménopause, elle prévient le dessèchement de la peau et les troubles de la vision. En préménopause, elle exerce une action régulatrice vis-à-vis des œstrogènes et atténue les malaises prémenstruels dus à leur production excessive.

Le carotène, qui peut se transformer en vitamine A, se trouve dans le monde végétal. Quant à la vitamine A proprement dite, ou rétinol, elle est aussi présente dans les végétaux, mais surtout dans les produits d'origine animale.

Le besoin journalier en vitamine A est de 0,75 à 0,9 mg, soit 3,75 à 4,5 mg de carotène.
On trouve du carotène dans le persil, les épinards, les choux, le maïs, mais surtout dans les tomates, les carottes et les fruits tels que les oranges et les abricots.
On trouve de la vitamine A dans les légumes verts et les fruits citriques, mais surtout dans le foie de poisson, de bœuf et de veau, dans les produits laitiers et les œufs.
Un jaune d'œuf contient 0,9 mg de vitamine A, et 100 g de carottes équivalent à 8 mg de carotène.

■ *La vitamine C*

C'est un **anti-oxydant** puissant. En ingérer 1 g par jour abaisse le cholestérol et protège le cœur. Antianémique, elle contribue à une meilleure absorption du fer. La vitamine C est importante pour le bon état des os, des cartilages et du tissu conjonctif. L'association vitamine C et calcium facilite l'assimilation de ce dernier. La combinaison de sels de calcium avec la vitamine C peut être à l'origine de la formation de calculs rénaux, ce qui pourrait être évité par un apport suffisant de magnésium et de vitamine B_6 (voir ci-dessous).

La vitamine C est un anxiolytique potentiel parce qu'elle stimule et défatigue l'organisme. Une supplémentation est particulièrement nécessaire chez les fumeuses. Son action contre le déchaussement dentaire et le scorbut est connue depuis des siècles.

Le besoin journalier varie de 30 à 100 mg.
On la trouve dans divers légumes (100 g de persil contiennent 150 mg de vitamine C), dans les baies et les fruits (100 g de baies d'églantier en contiennent 500 mg).

■ *La vitamine E*

C'est la plus importante vitamine **anti-oxydante**. Elle abaisse le taux de radicaux libres à l'intérieur des cellules et retarde ainsi le vieillissement et l'apparition de certains cancers. Son effet est renforcé par un autre anti-oxydant, le sélénium (voir plus bas). Elle est efficace dans la prévention des affections cardio-vasculaires. Mais, attention : une trop forte dose – de l'ordre de 400 mg/jour – est hypertensive.

Le besoin quotidien est estimé à 10-15 mg en période de fécondité et à 40 mg à la ménopause.
On la trouve dans les plantes vertes, les noix, les céréales, les germes de blé (une cuillerée à café en contient 30 mg). Les huiles végétales en constituent la meilleure source.

■ *Les vitamines B*

Les vitamines B jouent aussi un rôle de premier ordre, voire essentiel pour certaines. Elles agissent comme les enzymes dans le métabolisme des glucides, aliments clés de la cellule nerveuse. La déficience, même légère, en vitamines de ce groupe peut entraver sérieusement le fonctionnement psychique ; ainsi de nombreuses plaintes de l'âge mûr sont-elles imputées à des carences en vitamines B.

La vitamine B_1 ou thiamine

La thiamine est nécessaire pour le rôle essentiel qu'elle joue dans le métabolisme des sucres (glucides), seule source d'énergie pour les cellules nerveuses. Elle favorise la digestion et l'évacuation en maintenant le tonus musculaire dans le tube digestif.

> Le besoin journalier est de 1 à 2 mg.
> On la trouve essentiellement dans les céréales, le riz complet, la levure de bière et les œufs.

La carence en vitamine B_1 occasionne une asthénie musculaire, des polynévrites et des états inflammatoires, ainsi que des troubles de l'humeur, de l'attention et de la mémoire.

L'action de la thiamine est inhibée par le métabolisme de l'alcool, du tabac et des produits raffinés : l'organisme a donc deux fois besoin de cette vitamine. Lorsque la *mémoire* et l'*attention* baissent, lorsque les symptômes de *dépression* apparaissent, il est vital d'absorber suffisamment de vitamine B_1.

La vitamine B_2 ou riboflavine

Son rôle, au cours de la ménopause, se limite au *maintien des tissus muqueux.* Ce qui est fort important, lorsqu'on sait que beaucoup de femmes, à cette période de leur vie, souffrent de *sécheresse vaginale.* Par ailleurs, certaines manifestations de sécheresse nasale et oculaire peuvent être dues au manque de vitamine B_2. Chez beaucoup de femmes, ces troubles sont jugulés par l'apport suffisant en vitamine B_2, puisqu'elle a une action importante sur le mécanisme biochimique.

> Le besoin est de 1 à 2 mg par jour.
> On la trouve avant tout dans le lait, le foie, la levure de bière et les germes de blé.

La conjonctivite, la photophobie, les dermatoses séborrhéiques autour du nez et sur le visage, sont les premiers signes de carence en vitamine B_2.

La vitamine B_3 ou PP ou acide nicotinique ou niacine

Elle est appelée vitamine « psy » tant son rôle est important. Dans le psychisme des personnes carencées en vitamine B_3, des troubles émotionnels, pouvant aller jusqu'à la démence, sont observés. Par ailleurs, une déficience en cette vitamine provoque la pellagre, une maladie qui conjugue dermatose, diarrhée et démence. L'alcoolisme chronique, la cirrhose du foie, le diabète peuvent être à l'origine d'une mauvaise assimilation de la vitamine B_3, puis de la pellagre.

Cette vitamine joue également un rôle essentiel dans le métabolisme cérébral et a un effet régulateur de l'hypoglycémie. Les *insuffisances glycémiques* peuvent apparaître ou s'aggraver à la ménopause, et la vitamine B_3 s'avère vraiment utile.

Cholestérol et triglycérides : certains diabétiques ont parfois des besoins en vitamine B_3 allant jusqu'à 500 mg par jour. Elle se révèle très efficace pour combattre les excès de triglycérides et de mauvais cholestérol (LDL).

Circulation et problèmes articulaires : par ses propriétés vasodilatatrices, la vitamine B_3 améliore l'irrigation sanguine cérébrale et périphérique.

Sa carence peut générer les problèmes articulaires ; une

supplémentation est, en effet, capable de diminuer les douleurs, aussi bien dans l'artérite que dans l'arthrose.

> Le besoin quotidien est de 13 mg. On trouve la vitamine B3 dans les œufs, la viande maigre, le foie, le poisson, les germes de blé et la levure de bière.
> Certaines précautions sont nécessaires lors de son utilisation, car prescrite à forte dose, elle peut provoquer de l'acidité gastrique. Il vaut donc mieux l'absorber au cours des repas.

La vitamine B6 ou pyridoxine

La vitamine B6 joue un rôle clé dans le *métabolisme des acides aminés*. Elle intervient en tant que coferment dans plus de *quarante systèmes enzymatiques*[32]. Les pilules et les hormones augmentent le besoin en vitamine B6 et en zinc (voir p. 130). C'est pourquoi une supplémentation est nécessaire lors de l'hormonothérapie.

La carence en vitamine B6 peut être la cause d'une forte irritabilité et d'insomnies, d'affections de la peau, de spasmophilie et de tétanie, de calculs rénaux, de dépression, de dermatite séborrhéique de la face (autour de la bouche et des yeux), de vertiges et de diminution de l'immunité.

Le *stress* augmente aussi le besoin en vitamine B6. À la ménopause, elle a une action rééquilibrante par rapport au système nerveux. Les *retards des règles* et autres troubles menstruels justifient aussi une plus grande consommation de vitamine B6, car elle a un impact sur la synthèse des hormones[33].

Son rôle est important dans les maladies cardiaques, le diabète, dans l'artériosclérose et dans le syndrome du canal carpien, si fréquent à la ménopause.

> Le besoin journalier est de 2 mg. On la trouve dans le lait, la levure de bière, les graines de tournesol et de carthame, les germes de blé, les céréales complètes, la gelée royale, les légumineuses, les fruits : citrons, oranges, bananes, la viande blanche de poulet, le foie et le saumon.

Rappelons que les œstrogènes de synthèse et la pilule contraceptive augmentent le besoin en vitamine B_6, d'où la nécessité d'en maintenir le taux optimum dans l'organisme. À la ménopause, les vitamines B_3 et B_6 sont capitales, car toutes deux couvrent un grand champ d'action. 50 % des femmes souffrent d'une carence de vitamine B_6 qui se manifeste par de la dépression matinale, des difficultés à se rappeler les rêves, des frissons et des poussées de fièvre inexpliquées, des crampes, des spasmes.

La vitamine B_{15} ou acide pangamique

La vitamine B_{15} ou acide pangamique (du grec *pan* : universel ; *gamè*: semence) joue un rôle essentiel dans la respiration cellulaire, dans les fonctions hépatiques et dans la transméthylation. La *respiration cellulaire* est régie entre autres par la vitamine B_{15} qui améliore l'utilisation de l'oxygène dans les cellules et dans les tissus, car elle active les enzymes oxydants. Très importante dans les cas d'arythmie cardiaque, d'infarctus, et pour toutes sortes d'oxygénations aussi bien cutanées que cérébrales ou cardiaques, elle s'avère très intéressante pour prévenir le vieillissement de la peau, l'artériosclérose, et combattre le stress. La vitamine B_{15} joue aussi un rôle *protecteur de la cellule hépatique,* dans les cas de fatigabilité hépatique due à la consommation excessive de graisse ou par manque de protéine. Enfin, la vitamine B_{15} protège le foie et régularise le taux de cholestérol.

Troubles cardio-vasculaires et glycémie : les divers troubles cardio-vasculaires nécessitent un apport journalier de vitamine B_{15}: de 50 à 300 mg. Son ingestion augmente la résistance physique chez la femme souffrant d'insuffisance cardiaque ou de troubles de la circulation périphérique. Elle est aussi une grande stabilisatrice de la *glycémie* et doit être prescrite à toute personne souffrant d'hypoglycémie et de diabète. La fatigue, les diverses intoxications ou la sénescence précoce justifient aussi la prescription de cette vitamine. Elle est très utile en cas de problèmes articulaires, aussi bien inflammatoires que de dégénérescence[34].

La vitamine B₁₅ et la ménopause : la vitamine B_{15}, qui stimule et régularise différents processus de biosynthèse, couvre un très large éventail de pathologies et est très utile à la ménopause, au moment où des troubles cardio-vasculaires peuvent surgir, où le métabolisme des graisses peut être insuffisant. Son rôle est important également dans la prévention du cancer. C'est donc une vitamine à privilégier à la ménopause.

> Le besoin journalier est de 50 mg, mais certains préconisent des supplémentations plus importantes.
> On la trouve dans la levure de bière, le foie, dans le maïs et le riz complet.

La vitamine B₁₂ et la vitamine B₉ ou acide folique

Ces deux vitamines sont inséparables, car elles agissent en synergie, mais c'est surtout l'acide folique qui est intéressant à la ménopause. Elles ont un rôle dans différents systèmes, notamment la moelle des os – leur carence peut ainsi être à l'origine d'une anémie des nerfs périphériques qui se traduit par de la névrite – et le système nerveux central – leur carence peut provoquer des dépressions plus ou moins graves. On n'insiste jamais assez sur le fait que l'*acide folique* forme un tandem indissoluble avec la vitamine B_{12}. Tous deux jouent un rôle primordial dans la synthèse de l'ADN et de l'ARN, ainsi que de la méthionine, un acide aminé indispensable au bon fonctionnement des organes vitaux tels que le foie, les reins, et essentiel pour les systèmes circulatoire et nerveux[35].

> Le besoin journalier est de 0,002 mg, soit 2 gammas ou microgrammes (minimum conseillé).
> On trouve la *vitamine B₁₂* dans le foie, la levure de bière, le lait, les abats, le jaune d'œufs et les huîtres.
> Elle provient presque exclusivement de produits animaux.
> Son déficit se rencontre surtout chez les végétariens occidentaux stricts, alors que les végétariens des Indes consomment parfois à leur insu des fragments d'insectes desséchés qui les protègent contre la carence en cette vitamine.

Un taux sanguin de vitamine B_{12}[36] suffisant ne garantit aucunement sa concentration adéquate dans les nerfs et le cerveau. Les individus n'étant pas identiques, certains ont des besoins beaucoup plus importants. Par ailleurs, l'abus d'alcool et l'hormonothérapie font baisser considérablement l'acide folique dans l'organisme. D'où la nécessité de pallier ce manque par la consommation de complexes vitaminiques.

> Deux plantes dont l'action est proche, le fucus et les laminaires, contiennent de la vitamine B_{12}.
> L'*acide folique* est contenu dans les légumes : épinards, salades, brocolis, asperges et céréales complètes, mais aussi dans les aliments riches en autres vitamines du groupes B, tels le foie, la levure de bière, le riz complet, les germes de blé, les légumineuses et dans les feuilles d'orties. Le besoin journalier minimum est de 0,2 mg pour un sujet âgé de cinquante ans.
> La supplémentation en acide folique sans association avec de la vitamine B_{12} peut être nocive. Par ailleurs, comme il y a généralement carence des deux, mieux vaut les prescrire ensemble.
> Attention : chez les femmes de tempérament allergique, très irritables, le dépassement de la dose citée plus haut peut être préjudiciable.

La vitamine B_{10}, acide para-amino-benzoïque ou PABA

C'est une partie de la molécule de l'acide folique. Cette remarquable vitamine, trop peu connue à la ménopause, **concourt à la disparition des « vapeurs »**. Elle suscite la formation d'œstrogènes[37]. Pour certains, elle préserverait du grisonnement des cheveux avec la biotine (vitamine H), l'acide folique (vitamine B_9) et l'acide pantothénique.

La choline ou déanol

La choline est très présente dans la bile et augmente le *péristaltisme intestinal*. De plus, elle exerce une action *hypotensive*. La choline et la vitamine B_{15} combattent les troubles hépatiques, ainsi que l'excès de cholestérol dans l'organisme en l'empêchant de se fixer sur les parois des vaisseaux. C'est donc un *protecteur cardiaque* par l'action qu'il exerce sur la tension artérielle et sur les vaisseaux sanguins. D'où son action prépondérante à la ménopause lorsque les problèmes cardio-vasculaires sont au-devant de la scène.

L'*acétylcholine,* un dérivé de la choline[38], est indispensable pour freiner l'excitation des terminaisons nerveuses, par exemple parasympathiques. Le *déanol,* précurseur de la choline[39], agit au niveau du cerveau en tant qu'*anxiolytique.* Il a une action sur la *mémoire souvent défaillante* à la ménopause, ainsi que sur la vivacité et le flux d'idées.

La choline est transformée par l'organisme à partir de la lécithine que l'on trouve dans le soja, les jaunes d'œufs et dans le foie[40].

La vitamine B7 ou inositol

Découverte il y a peu de temps, la vitamine B_7 a un rôle *calmant sur le système nerveux.* On peut obtenir, avec une dose de 500 mg, un effet sédatif très important et la *diminution de la tension.* La vitamine B_7 peut aider une femme *stressée, insomniaque, hypertendue* à retrouver une certaine harmonie. Elle contribue aussi à l'équilibre des graisses[41]. À la ménopause, cette vitamine est fort précieuse par son action régulatrice du système nerveux et de la tension artérielle, ainsi que du cholestérol.

Il est probable que la nervosité causée par les régimes amaigrissants stricts résulte d'un déficit en inositol. Le régime à 2 500 calories contient 1 g d'inositol, tandis que le régime à 1 000 calories en contient beaucoup moins.

On trouve la vitamine B_7[42], sous forme de phytine, dans les légumineuses et les végétaux tels que le soja, le seigle, l'orge, l'avoine, le riz, le maïs et les petits pois. Mais la phytine a pour inconvénient de former avec certains métaux des sels insolubles néfastes à l'assimilation du zinc, du calcium et du fer. Il est donc recommandé de ne pas manger trop de céréales du type seigle ou orge.

La vitamine D

C'est la vitamine qui préside à l'assimilation du calcium alimentaire. Sa carence provoque le rachitisme chez l'enfant, c'est pourquoi aujourd'hui on supplémente systématiquement les femmes enceintes et les tout-petits.

Il existe différentes formes de vitamine D, dont la **D$_2$**, d'origine végétale, et la **D$_3$**, d'origine animale. La première nécessite le rayonnement solaire pour atteindre son efficacité et absorber le calcium. La seconde agit par elle-même.

Sous l'influence des rayons du soleil sur la peau, les humains et les animaux forment la provitamine D, qui subit une transformation au niveau du foie et des reins pour être efficace dans l'assimilation du calcium. Elle devient alors D$_3$ ou calciférol. C'est pourquoi il faut veiller à ne pas utiliser de savon avant et après les bains de soleil. Une partie de cette vitamine D$_3$ est immédiatement disponible. L'autre est mise en réserve dans la graisse et les muscles qui, par leur masse, peuvent en stocker de grandes quantités utilisables pour les mois d'hiver.

Les cibles de la vitamine D$_3$ sont la muqueuse de l'intestin (elle permet l'absorption intestinale du calcium et du phosphore), et le bénéficiaire final est l'os : la vitamine D participe à la formation de la matrice organique osseuse, et à la fixation du calcium dans cette matrice.

> On trouve la forme naturelle de la vitamine D dans l'huile de foie de poisson (thon, flétan, morue, saumon), dans les cosses de cacao et en petite quantité dans le jaune d'œuf, le beurre, les sardines.
> Les besoins minimum quotidiens sont de 0,01 mg environ. Ils sont difficiles à fixer avec précision, parce qu'ils dépendent des quantités directement synthétisées sous le derme d'une part, et stockées dans les réserves corporelles, notamment celles du foie, d'autre part.
> La supplémentation en vitamine D est très délicate à manier, car il peut y avoir surdose qui se traduit par inappétence, vomissements, diarrhée, amaigrissement. C'est pourquoi elle est du ressort exclusif de la prescription médicale.

Les minéraux

■ *Le sélénium*

C'est l'un des plus puissants anti-oxydants. Il ralentit le vieillissement et l'apparition du cancer. Ainsi, les études ont montré que la fréquence du cancer du sein et du côlon était plus élevée dans les régions pauvres en sélénium. Par ailleurs, un manque de sélénium favorise l'hypertension : les habitants des régions carencées ont trois à quatre fois plus d'infarctus du myocarde.

Le besoin journalier de la femme à la ménopause est estimé à 75 microgrammes. Attention au surdosage, car il peut y avoir intoxication.

On trouve du sélénium dans les œufs, le foie, l'ail, la levure de bière. Le riz entier en contient quinze fois plus que le riz blanc.

■ *L'iode*

L'iode stimule l'organisme et augmente la vitalité. Présent dans toutes les cellules de notre corps qui en contient jusqu'à 50 mg, il se trouve essentiellement dans la thyroïde. Il possède une action tout à fait spécifique sur la formation des hormones thyroïdiennes.

Les besoins quotidiens d'iode sont de 0,1 à 0,2 mg.

L'iode est présent dans tous les végétaux (les plantes terrestres en contiennent 0,04 mg pour 100 g de plante fraîche), mais surtout dans les algues (100 g d'algues séchées fournissent 1 g d'iode). Les poissons et les crustacés sont également riches en iode.

■ *Le fer*

Il est indispensable pour la formation des globules rouges, dont l'insuffisance affecte le transport d'oxygène dans le sang. Il joue un rôle central dans le métabolisme de toutes les cellules. Un supplément de fer est avant tout utile durant les périodes de croissance, la grossesse, ou lors de pertes de sang.

Chez l'homme, le taux de fer est plus stable et beaucoup plus important que chez la femme. Jusqu'à la ménopause, les femmes sont généralement carencées, mais leur taux de fer se stabilise ensuite, du fait de l'arrêt des pertes de sang. Le fer est utile pour lutter contre les infections et la vitamine C en facilite l'absorption. Toutefois, il ne faut pas en exagérer la consommation, car il peut être toxique et provoquer des lésions. La supplémentation ne doit pas se faire au hasard.

> Le besoin journalier en fer est de 10 à 15 mg, que l'on trouve dans les céréales, surtout complètes, les épinards, les poireaux, le persil, les carottes, les asperges, les pommes de terre, la viande rouge, le foie et le jaune d'œuf.

■ Le zinc

Le zinc est un oligo-élément très important qui joue un rôle dans quatre-vingts enzymes.

Une des causes de déficience de la *libido* peut être le manque de zinc dans l'organisme. Le zinc est en effet *indispensable à la sexualité*. Dans toutes les espèces animales, il stimule celle-ci, lutte contre l'impuissance et agit sur la reproduction. Le stress physique et psychique, les problèmes sentimentaux provoquent la perte importante de zinc dans les urines et dans le sérum sanguin.

Zinc et vitamine B$_6$

Le zinc est très lié à l'action de la vitamine B$_6$; ils sont généralement prescrits ensemble. L'association zinc/B$_6$ est primordiale dans le métabolisme des acides aminés, des acides nucléiques, unités fondamentales des protéines et des cellules. En cas de déficience en zinc, la vitamine B$_6$ ne peut pas jouer son rôle, par exemple dans la combustion des sucres. Si c'est la vitamine B$_6$ qui fait défaut, le zinc se manifeste de manière exagérée dans certains tissus. La détection d'une carence en zinc est très difficile, car les analyses sanguines peuvent être satisfaisantes, alors que par un manque en vitamine B_6, le patient va mal assimiler le zinc.

Les aménorrhées à la ménopause et la diminution de la vivacité intellectuelle nécessitent toutes les deux une zincothérapie + vitamine B_6.

De même que les pilules contraceptives, le traitement par les œstrogènes provoque une augmentation du taux de cuivre et une diminution du taux de zinc.

Avec les changements hormonaux, le taux de zinc chute dans l'organisme. Il faut donc veiller à ce que son apport soit suffisant dans l'alimentation ou par le biais de la vitaminothérapie. La carence en vitamine B_6 et en zinc prédispose aux maladies cancéreuses. La sénilité de l'âge avancé, les cheveux gris sont dus entre autres à la diminution excessive du zinc dans l'organisme[43].

> Le besoin journalier en zinc est de 15 mg. Cependant, le corps est incapable de le stocker. De plus, la consommation de calories vides et l'épuisement des sols contribuent à des taux extrêmement bas de zinc dans l'alimentation.
> Le zinc abonde dans le monde végétal, surtout dans les feuilles vertes et les graines. Dans les céréales, ce sont le germe et le son qui en contiennent le plus. On le trouve donc dans les céréales complètes, les pois chiches, les haricots, mais aussi dans le jaune d'œuf et la viande. Mais la plus riche concentration en zinc est fournie par les huîtres et le hareng (jusqu'à 145 mg/100 g). Ensuite, viennent les champignons et la levure avec une concentration de 50 à 60 mg/100 g. L'avoine entière et le germe de blé en contiennent jusqu'à 13 à 14 mg/100 g. Le lait en contient de 3 à 4 mg/l, le jus de raisin 48 mg/l et le vin 61 mg/l.

Le zinc et la vitamine B_6 sont donc deux micronutriments à ne pas négliger à la ménopause. Leur champ d'action très vaste concerne les systèmes nerveux et hormonal, car il régularise les menstruations et complète l'œstrogénothérapie.

Zinc et cuivre

Un excès de cuivre, métal lourd et toxique, comme de fer, peut provoquer, aux dépens du zinc, des insomnies, de l'hypertension, de l'arthrose, un état d'agitation incessante et des troubles hépatiques. L'accumulation du cuivre dans l'organisme provoque des maladies coronariennes. Les hypertendus et les fumeurs voient leur teneur en cuivre augmenter considérablement. L'excès de cuivre amène le durcissement des artères et donc l'artériosclérose. Or, le zinc fait chuter l'excès de cuivre en diminuant sa concentration dans les différents tissus. C'est donc un facteur d'équilibre.

■ *Le magnésium*

Anti-oxydant, il joue un rôle essentiel dans la défense de l'organisme contre les infections. Il est très utile contre les spasmes, les douleurs musculaires ou cardiaques avec irritabilité nerveuse, vertiges et troubles de la mémoire – le lot de certaines à la ménopause. Il améliore l'hypertension, l'artériosclérose et l'insuffisance cardiaque et facilite le sommeil. En outre, comme le squelette renferme plus de 65 % du magnésium de l'organisme, il s'avère très précieux dans tous les problèmes osseux rencontrés à la ménopause.

> Le besoin journalier est de 200 à 500 mg.
> Les meilleures sources de magnésium sont les fruits secs oléagineux, les légumineuses, le cacao, les céréales complètes : 100 g de pain complet contiennent 80 mg de magnésium, contre seulement 25 mg pour le pain blanc.

■ *Le potassium*

Potassium et magnésium

Nous avons vu le rôle du potassium dans les cas d'hypertension et dans la maladie cardiaque au moment de la transformation hormonale de la cinquantaine. L'interaction entre magnésium et potassium est essentielle : toute ingestion de magnésium provoque une augmentation concomitante du potassium. En cas de carence, mieux vaut prendre les deux éléments ensemble.

Potassium et sodium

Notre organisme renferme une grande quantité de potassium et moitié moins de sodium. Lorsqu'on consomme plus de potassium, celui-ci augmente dans le plasma, entraînant une élimination accrue du sodium.

Compte tenu de l'effet négatif du sodium sur l'hypertension et le cholestérol, il est clair qu'il faut en consommer le moins possible à la ménopause, car de nombreux aliments en contiennent en quantité suffisante.

Le potassium, en revanche, a un effet *hypotenseur* et favorise *l'élimination du sodium* par les urines. Le potassium et son pendant, le magnésium, ainsi que le calcium ont des propriétés antagonistes à celles du sodium. Mais quelle que soit la dose ingérée de potassium, il faut être vigilant avec la consommation du sel (on a, d'ailleurs, tout intérêt à remplacer le sodium par du chlorure de potassium iodé ou de la poudre d'algue). À la ménopause ou chez les personnes prédisposées à l'hypertension, l'excès de sel doit être soigneusement évité (voir p. 84).

> Le besoin quotidien en potassium est de 2 à 4 g.
> Saler les aliments est une habitude que l'on acquiert au fil du temps, car la première nourriture qu'est le lait maternel contient 55 mg de potassium par 100 ml, pour seulement 15 mg de sodium. Ce premier nutriment humain est donc très peu salé.

■ *Le fluor*

Le fluor aide le calcium à se fixer dans les os et empêche de le faire dans les tissus mous, tels que les artères, les ligaments, les tendons, les cartilages, ce qui évitera les raideurs, les compressions nerveuses, les déformations et les douleurs. De plus, sous l'influence du fluor, la perte de calcium par les urines diminue.

Il joue donc un rôle dans la minéralisation des tissus durs et sa présence est nécessaire à l'organisme. Il a la propriété de se déposer dans l'os, qui le garde très longtemps, même si on supprime son apport. On a remarqué que l'ostéoporose s'observait beaucoup plus fréquemment dans les régions pauvres en fluor que dans celles qui en sont riches. On traite cette affection par l'apport de 40 mg de fluorure de sodium par jour.

> On trouve du fluor essentiellement dans l'eau, les poissons, les fruits de mer, le thé, la bière, les épinards, le persil, les carottes.
> Le besoin journalier à la ménopause se situe entre 0,5 et 1 mg.

■ *Le calcium*

En ce qui concerne le calcium, deux éléments sont à considérer, son ingestion d'une part, et son élimination d'autre part. Il est essentiel de consommer, chaque jour, du calcium (de l'ordre de 800 mg pour un adulte jeune), car par le jeu des différentes absorptions, réabsorptions et de la filtration au niveau des tubes rénaux, une grande partie se retrouve dans les urines et dans les matières fécales. Pour que l'os en bénéficie, il faut donc en ingérer suffisamment[44].

L'absorption du calcium

Elle dépend de plusieurs facteurs :

La solubilité

Que le calcium soit soluble facilite son absorption, mais il existe des *inhibiteurs* de l'absorption du calcium parmi lesquels le phytate et l'oxalate en excès. Le phytate est présent dans certaines légumineuses et dans les céréales, et l'oxalate dans les épinards, l'oseille, la rhubarbe et, en moindre quantité, dans le chou frisé[45].

133

L'âge

Il est admis que l'absorption du calcium est forte chez le bébé (40 %) ; elle décline entre 2 et 8 ans (27 %), augmente pendant l'adolescence, entre 9 et 17 ans (30 %), puis décline à nouveau à l'âge adulte, entre 18 et 30 ans (20 %).

C'est pendant l'adolescence, entre 9 et 17 ans, qu'il convient d'en consommer le plus. En effet, c'est durant cette période que la prévention primaire doit exercer ses effets les plus importants.

Le capital osseux

Il dépend de la nutrition, de facteurs mécaniques et génétiques, et atteint son maximum vers 30-35 ans.

La vitamine D

C'est le principal facteur d'influence dans le processus réel d'absorption du calcium.

La prévention de l'ostéoporose par le calcium

La prévention peut être envisagée comme primaire ou secondaire.

La *prévention primaire* intervient à la fin de la période de croissance de l'enfant ou de l'adolescent pour obtenir un pic de masse osseuse maximale et pouvoir en disposer à la ménopause.

En revanche, la *prévention secondaire*, ou tardive, s'adresse à la population féminine en période de ménopause.

Contrairement à une idée reçue, un régime riche en calcium ne favorise pas l'apparition de *lithiases rénales*. Au contraire, il existe une relation inversement proportionnelle entre l'apport alimentaire en calcium et le risque relatif de lithiases. Ainsi, pour éviter la lithiase, faut-il boire beaucoup d'eau, manger moins de viande et absorber plus de potassium et de calcium sauf en cas de calculs calciques avérés.

APPORT QUOTIDIEN DE CALCIUM RECOMMANDÉ[46] (EN MG/JOUR)	
Nourrisson (de 0 à 1 an)	600
Enfant	800 à 1 000
Adolescent (de 11 à 15 ans)	1 200 à 1 400
Adulte	800 à 900
Femme enceinte	1 200 à 1 500
Femme allaitante	1 500 à 2 000
Femme en période de ménopause	1 200 à 1 500
Femme après la ménopause et personnes âgées	1 000 à 1 400

L'élimination du calcium

Nous avons vu que les principales voies d'élimination du calcium sont l'urine (150 mg) et les matières fécales. Une très petite quantité se perd dans la sueur, les cheveux, les ongles et la peau (10 mg par jour). Or, ces pertes, elles aussi, tout comme l'absorption, varient en fonction de l'âge.

Le bébé assimile le calcium au maximum et n'en perd pratiquement pas. Chez l'adolescent, en revanche, les pertes urinaires sont les plus importantes, car l'apport de calcium est en relation avec l'apport de protéines. Les pertes augmentent avec l'âge et la corpulence.

La quantité de protéines ingérées influe sur l'excrétion du calcium. En effet, plus on en ingère, plus l'élimination du calcium par l'urine augmente[47]. C'est ainsi que le régime occidental, particulièrement riche en protéines, peut avoir des effets négatifs lorsque l'apport de calcium s'avère insuffisant.

L'équilibre calcium-phosphore

La plus grande partie du phosphore est stockée, comme le calcium, dans le squelette, et sa concentration influence l'absorption et la répartition du calcium. Le rapport optimal entre les deux substances est de 1 à 2 unités de calcium pour 1 unité de phosphore. Actuellement, notre nourriture est dénaturée par les phosphates qu'on ajoute dans les denrées alimentaires de fabrication industrielle. Durant les vingt dernières années, la consommation de phosphates est passée de 1,5 g à 4 g par jour. Cet excédent favorise l'élimination excessive de calcium par les urines et intensifie l'ostéoporose à la ménopause.

■ *En conclusion*

L'équilibre en vitamines et minéraux doit passer avant tout par une alimentation saine et de qualité. La supplémentation doit être maniée avec précaution sous peine d'arriver à des surdoses, toxiques pour certains éléments.

Il existe de très bons cocktails, notamment ce complexe antioxydant :

UN COCKTAIL ANTI-OXYDANT

Pour une gélule préparée :
- magnésium :......................... 75 mg ;
- vitamine C :......................... 100 à 200 mg ;
- vitamine E :......................... 40 à 60 mg ;
- carotène   :......................... 20 mg ;
- sélénium   :......................... 75 microgrammes.

Mais apprenez à lire les étiquettes afin de ne pas multiplier les apports. L'abus des suppléments vitaminiques en tout genre, pratiqué en particulier aux États-Unis, entraîne de véritables intoxications. Dans le doute, il est donc préférable de se fier aux indications d'un praticien compétent, plutôt que d'avaler mille et une gélules.

SOIGNER L'ENVELOPPE
DU CORPS : LA PEAU

Entièrement exposée à l'environnement extérieur, la peau est le plus vaste organe du corps. Les cellules les plus superficielles de l'épiderme se rénovent constamment. La deuxième couche, composée de collagène, de fibres élastiques et de tissu graisseux, confère à la peau son éclat et son élasticité.

Avec l'âge, les cellules ne se renouvellent plus aussi vite. La couche de graisse sous-cutanée devient de plus en plus mince, provoquant des changements sur le contour du visage. Les glandes sébacées et sudoripares suivent le même chemin, leur nombre est en constante diminution. La peau devient plus sèche, irritable et beaucoup plus fine.

La ménopause accélère le vieillissement de la peau, car celle-ci subit le contrecoup des changements hormonaux qui s'opèrent dans l'organisme. Mais ils ne sont pas seuls à l'origine de cette évolution. Loin de là ! Les toxines provenant de l'alcool et du tabac nuisent à la santé dans son ensemble, et la peau en subit aussi les conséquences par un vieillissement accéléré. L'exposition au soleil, mal dosée, peut aussi s'avérer très nocive. L'alimentation joue un rôle essentiel dans la qualité de la peau. Une belle peau dépend de la nourriture, de son hydratation interne et externe, des soins prodigués, de la vie que l'on mène, d'un dosage équilibré d'ensoleillement. Il ne faut pas oublier non plus qu'être bien dans sa peau sous-entend être bien dans sa tête. Les crèmes ne remplaceront jamais les heures de sommeil perdues, les angoisses non contrôlées, les crispations qui marquent si fort le visage.

À nous d'équilibrer et de bien gérer nos énergies pour être en harmonie totale : la peau en retire, par ricochet, tout le bénéfice. Pour y parvenir, nous pouvons recourir au yoga, au taï chi chuan et à la méditation. Et pourquoi ne pas essayer la gymnastique faciale qui consiste d'abord à détendre le visage par différentes techniques de relaxation et de respiration, puis à faire travailler les muscles du visage suivant une méthode bien précise.

Comment la peau vieillit : les radicaux libres

Un radical libre[48] est un agent anti-oxydant agressif qui s'attaque à la membrane même de la cellule[49]. Les radicaux libres sont produits par de nombreux mécanismes cellulaires vitaux[50]. Normalement, il existe un équilibre entre production et élimination des radicaux libres. Leur présence est physiologique, mais leur augmentation est nocive. En oxydant les cellules, elle entraîne une diminution de l'immunité cellulaire visible par la diminution des cellules de protection (immunocompétentes).

On le voit au niveau de la peau : *la détérioration cellulaire épaissit la couche cornée par accumulation de cellules mortes et amincissement de l'épiderme.* Au niveau du derme, l'élasticité est de médiocre qualité, les vaisseaux de la peau sont altérés, tout ceci contribue à *diminuer l'élasticité de la peau* et à *favoriser les rides.*

Les radicaux libres sont mentionnés pour les problèmes de peau, parce que leur action est, ici, visible, mais leur effet nocif se fait aussi sentir particulièrement :

– sur l'appareil cardio-vasculaire et coronarien : les radicaux libres sont responsables de l'ischémie myocardique par le biais du cholestérol[51] ;

– sur l'appareil ostéo-articulaire : la surproduction est responsable de la diminution de la viscosité du cartilage articulaire[52] qui provoque des phénomènes d'arthrite inflammatoire et d'arthrose chronique ;

– dans le cerveau : l'involution et le vieillissement cérébral seraient induits par l'augmentation des radicaux libres[53] ;

– dans le foie : les radicaux libres interviennent dans le bouleversement histochimique qui se produit en cas de cirrhose.

Les radicaux libres sont produits par des agents nocifs – déjà cités plus haut :

– le tabac provoque la diminution des anti-oxydants cellulaires, par une augmentation de la production des radicaux libres présents dans la fumée et accroît la formation des plaquettes sanguines responsables du processus de coagulation ; de plus, les vitamines B et C sont moins bien absorbées et le taux de sélénium diminue ;

– les radiations ionisantes, les émanations de gaz industriels et ménagers, les gaz d'échappement des voitures, les UV et, avec le facteur aggravant, le déficit en sélénium, vitamines E et C, l'ozone qui irrite le poumon ;

– la vieillesse et ses corollaires : diminution du sélénium et de la vitamine E ; mauvaise assimilation ou diminution d'absorption de la vitamine C.

Le tabac, les radiations solaires, les médicaments, la pollution forment des radicaux libres qui possèdent une grande agressivité vis-à-vis des molécules voisines, dégradant les divers constituants, tant cellulaires qu'extra-cellulaires. Ils sont produits de manière excessive par les hautes températures, les rayonnements (Rx, gamma, UV...)[54]. On a émis l'hypothèse que les trois quarts des cancers qui se produisent chez l'homme seraient liés à l'environnement, tandis qu'un quart serait dû à l'alimentation.

■ Quels sont les moyens de défense contre les radicaux libres ?

On les retrouve dans les barrières enzymatiques propres à l'organisme[55]. Les vitamines, les minéraux, la phytothérapie et les acides gras polyinsaturés[56] permettent de lutter contre l'usure sénile et l'involution.

Soigner la peau par voie interne

■ *Les vitamines et les minéraux*

Les plus importantes sont les vitamines A, E et celles du groupe B, qui toutes jouent un rôle primordial dans le maintien de l'élasticité de la peau et lui donnent cet aspect sain.

La *vitamine A*, en association avec les vitamines B_3 et B_5, ainsi que les vitamines C et D, régénère la peau abîmée et vieillissante ainsi que les plaies des grands brûlés. De nombreuses crèmes sont riches en vitamine A.

La *vitamine B_3*, considérée comme une vitamine d'énergie, favorise les échanges cellulaires. Elle intervient dans la circulation superficielle et favorise l'irrigation de la peau.

Mais c'est surtout la *vitamine B_5* qui reste la vitamine spécifique de la peau et du cuir chevelu. Elle entre souvent dans la composition des crèmes de beauté. La prise d'œstrogènes oraux mal équilibrés, de contraceptifs ou d'anti-inflammatoires provoque la chute des cheveux. Elle est rapidement arrêtée par l'administration de vitamine B_5.

Les *vitamines E, A et C* sont des anti-oxydants puissants qui protègent du vieillissement prématuré. La *vitamine E* redonne à la peau son élasticité. Elle est à utiliser aussi bien par voie orale que par application externe.

Le *fer* est important parce que sa carence se traduit par une sécheresse cutanée.

L'*iode* est nécessaire aussi pour la qualité de la peau et des phanères.

Le zinc associé à la vitamine B_6

Les deux composantes majeures des tissus conjonctifs sont les fibres collagènes et les fibres élastiques. La vitamine B_6 et le zinc sont indispensables pour le tissu élastique achevé[57]. À la ménopause où se produit la diminution de l'élasticité de la peau, la consommation de zinc en quantité suffisante est indispensable.

Outre la peau qui bénéficie de la présence du zinc, les ongles cassants, les cheveux ternes et pauvres en pigments se revigorent sous son action. En effet, la vitamine B_6 et le zinc sont nécessaires pour synthétiser le pigment de la peau et des cheveux, tandis que la chute des cheveux est due à la diminution du taux de zinc et à l'augmentation du cuivre. Les œstrogènes de synthèse contrarient l'action du zinc et de la vitamine B_6. Depuis que les femmes prennent la pilule, sous l'effet des œstrogènes, leurs ongles sont devenus plus cassants que ceux des hommes. Si donc une œstrogénothérapie est nécessaire à la ménopause, il faut essayer de consommer du zinc en quantité suffisante.

LES NUTRIMENTS D'UNE PEAU SAINE	
Vitamine A	anti-oxydant qui prévient le dessèchement
Vitamine B complexe	répare les tissus, prévient la chute des cheveux, renforce les nerfs, améliore la circulation, régularise les sécrétions
Vitamine B_6	utile à la synthèse de l'ADN et de l'ARN
Vitamine B_3	améliore la circulation, réduit le cholestérol, maintient l'équilibre de la peau, des gencives, des tissus digestifs
PABA (vitamine B_{10})	stimule les bactéries intestinales
Vitamine C	anti-oxydant, essentiel pour la formation du collagène, prévient la rupture des capillaires
Vitamine E	anti-oxydant, respiration cellulaire
Vitamine F	lubrifie, prévient la sécheresse de la peau et la perte des cheveux
Iode	essentiel pour une activité thyroïdienne normale, nécessaire pour la peau, les cheveux, les ongles
Fer	vital pour la formation du sang : peau sèche en cas de carence

■ *Préparations complexes à prendre par voie orale*

Il existe de nombreux cocktails de nutriments – à prendre par voie orale donc – pour qu'une peau retrouve «toute sa beauté». Assez vite, elle récupère son épaisseur, son élasticité, et les rougeurs des petits vaisseaux superficiels ont diminué... Mais là encore, méfiez-vous des surdoses et lisez bien les étiquettes.

Ainsi, nous avons obtenu de très bons résultats au bout de trois mois en prescrivant 2 comprimés par jour de la composition suivante :
• protéines provenant d'os de poisson
• vitamine C
• gluconate calcique
• gluconate de zinc
• amidon
• dioxyde silicique
• stéarate de magnésie

Il en a été de même avec des gélules d'une autre composition plus vitaminée :
• orotate de magnésium
• L + DL aspartate de calcium
• orotate de calcium
• méthionine
• lysine
• vitamine B_3
• vitamine B_6
• vitamine B_5
• sélénium

■ *L'hydratation*

L'hydratation de la peau se fait aussi par voie interne. Boire suffisamment, c'est-à-dire au moins 1,5 l d'eau par jour, est indispensable. Observer une monodiète, ou carrément un jeûne, peut être très bénéfique pour tout l'organisme et donc pour la peau, de même que surveiller les organes d'élimination tels que la vessie et l'intestin. Le fonctionnement des reins et du foie est très important, car on peut boire et uriner, mais mal éliminer les déchets et les toxines.

D'où la nécessité d'utiliser les techniques de drainage, notamment la phytothérapie, par le biais de tisanes ou teintures mères, ou par des préparations à base de macérations de bourgeons.

Lutter contre le dessèchement de la peau par voie externe

■ *Les composants des produits de soin*

Dans les composants de produits de soin qui viennent en tête de liste se trouvent l'**élastine** contenant les **vitamines A** et **E**. Elle préserve l'élasticité de la peau. Diverses huiles végétales sont incorporées aux crèmes de soin afin de combattre la sécheresse de la peau.

Certains laboratoires ajoutent des **hormones** dans leurs crèmes. Leur efficacité n'est guère à remettre en question, mais elles contiennent de l'œstradiol ou l'hormone mâle testostérone, qui a l'inconvénient de stimuler la pilosité sur le visage.

Les **liposomes** rejoignent le peloton des substances efficaces. Au cours du vieillissement de la peau, on constate la rigidité de la membrane des cellules de l'épiderme. Ces cellules sont entourées par des molécules qui portent le nom de phospholipides. Avec l'âge, la fluidité des cellules s'altère. Celles-ci s'encrassent, notamment par une accumulation de cholestérol, et se durcissent. La fluidité de ces membranes cellulaires demeure essentielle pour garder à la peau toute sa jeunesse.

Les liposomes ont la même structure que les phospholipides et sont préparés à partir de lécithine de soja. Ils possèdent la propriété d'être le vecteur de produits anti-vieillissement tels que les extraits de thymus, des vitamines, des peptides et des collagènes.

Les phospholipides, avec lesquels est constituée la membrane cellulaire, retiennent l'eau et les différentes solutions aqueuses dans les vésicules qui se sont formées le long de la paroi, à la suite de l'agitation et de la pression exercée sur la peau. Les liposomes ont la propriété essentielle de se mélanger avec les cellules apportant les substances actives à leur régénérescence. À partir de la ménopause, les liposomes ne doivent pas être oubliés dans les soins de la peau.

Les huiles de soins

Dès l'Antiquité, les Crétois et les Grecs avaient compris tous les bienfaits que procuraient les huiles végétales extraites des fruits qui les entouraient : olives, sésame, amandes. Trente siècles plus tard, le procédé n'est pas tombé en désuétude.

La peau, organe protecteur par excellence contre les agressions du monde extérieur, est aussi l'organe de liaison avec le système nerveux. Elle est dotée, en effet, d'une mémoire sensitive, qui « retient » ce que nous avons vécu au cours de notre vie : songez aux rides dites d'expression qui sont le témoin de la réactivité des organes internes. Qui ne sait pas que la peau est un émonctoire pour le foie et les intestins !

La peau est riche en corps gras. Ainsi le sébum produit par les glandes sébacées, et d'autres phospholipides jouent un rôle de barrière en retenant l'eau de la peau, lui évitant de se dessécher. Elle se renouvelle très rapidement et, pour ce faire, a besoin des acides gras insaturés dont le métabolisme peut être perturbé par un excès d'hormones.

Les huiles végétales vierges

Elles sont précisément riches en acides gras de qualité qui ne sont dénaturés à aucun moment de leur production. L'huile vierge est additionnée d'une petite fraction d'huile de germe de blé naturelle pour en améliorer la conservation et éviter son oxydation.

Elle peut prévenir le dessèchement, comme nous le voyons ici, mais aussi être le vecteur des bienfaits des plantes médicinales, comme nous le verrons dans le chapitre concernant l'aromathérapie (voir p. 195).

Les huiles végétales sont utilisées comme base à laquelle on peut ajouter des huiles essentielles. On peut se servir de plusieurs huiles végétales. Pour la peau desséchée du visage, l'huile de jojoba et d'avocat est particulièrement intéressante. Afin d'éviter l'allergie, il est toujours prudent, au préalable, d'effectuer un test avec l'huile choisie, sur une petite zone de la peau.

L'huile de noyau d'abricot *(Prunus armeniaca)*

Cette huile, riche en vitamines, tonifie les peaux fatiguées, dévitalisées particulièrement aux zones fines de l'épiderme, comme le visage et le cou.

L'huile vierge d'amande douce *(Prunus amygdalus)*

Qui n'a bénéficié de cette huile peu pénétrante pour la prévention des vergetures et la régénération de la peau durant la grossesse ? En outre, elle soulage les contractures et les spasmes (avec Ocimum basilicum).

Par ailleurs, appliquée en lent massage sur le ventre, elle a raison de la constipation rebelle. En saison hivernale, la petite toux sèche de trachéite est soulagée par l'huile d'amande douce (avec quelques gouttes d'Eucalyptus radiata).

L'huile de germe de blé *(Triticum sativus)*

Elle est riche – jusqu'à 500 mg pour 100 g d'huile – en vitamine E, puissant anti-oxydant qui favorise la régénération cellulaire, la reminéralisation et lutte contre l'anémie. C'est une huile « anti-vieillissement » dont vous pourrez constater l'efficacité sur vos ongles cassants et dédoublés. Elle est comestible et se prend donc aussi en capsules d'huile.

L'huile d'avocat *(Laurus persea)*

Elle rend l'élasticité et efface les fines ridules des zones plus fines de la peau : les joues, le contour des yeux, le cou, le front. Elle redonne un éclat, une brillance aux cheveux ternes, secs et cassants avant le shampooing.

L'huile d'onagre *(Œnothera biennis)*

Elle est riche en acide gamma-linolénique (10 %) – précurseur des prostaglandines dont la synthèse est plus difficile avec l'âge –, tout en conservant un rapport idéal entre les acides linoléiques (70 %) et gamma-linoléniques (10 %). Nous avons décrit plus haut tout l'intérêt de ces acides gras insaturés dans l'alimentation : alors ne vous privez pas de consommer l'huile d'onagre.

Pour les soins de la peau, les graines qui donnent l'huile d'onagre permettent l'assouplissement, l'activation de la circulation, la régénération de la peau et de tous les tissus.

L'huile d'onagre est commercialisée sous forme de capsules huileuses de 500 mg et 1 000 mg.

L'huile vierge de bourrache *(Borrago officinalis)*

Elle contient encore plus d'acide gammalinolénique (15 à 25 %) que l'huile d'onagre. Elle équilibre non seulement les peaux sèches et déshydratées, mais améliore l'aspect des peaux grasses. Sa rareté explique son prix.

Elle est commercialisée sous forme de capsules huileuses de 500 mg.

L'huile de jojoba *(Gimmondsia chinensis)*

Comme elle est très proche du sébum humain, elle sert de base naturelle à beaucoup de crèmes et constitue l'une des meilleures armes contre les rides et le dessèchement de la peau.

L'huile de rosier muscat *(Rosa rubiginosa)*

Son huile est particulièrement riche en vitamine A et en acides gras insaturés. D'où son action réparatrice sur les peaux abîmées, les peaux sèches ayant tendance aux rides, mais aussi pour la prévention et le traitement des vergetures. Bien souvent, cette huile végétale sert d'excipient-tampon pour éviter l'impression de brûlure provoquée par l'huile essentielle *pure*.

L'huile vierge de noisette *(Coryllus avellana)*

À l'inverse de la précédente, elle limite, par sa richesse en acides gras insaturés, la production de sébum des peaux trop grasses. La peau devient lisse et douce. C'est un excipient idéal des huiles essentielles, et elle est indiquée pour les peaux sensibles et rougissantes. Par voie orale, elle est reminéralisante, digestive et vermifuge.

L'huile vierge de souci *(Calendula)*

La teinture mère est bien connue en homéopathie qui en fait un large usage pour ses propriétés antiseptiques et cicatrisantes.

L'huile nourrit les peaux sèches, rugueuses ou gercées. Le souci est également indiqué contre les verrues en usage externe.

Les huiles essentielles

Les huiles essentielles, dont nous traiterons au chapitre concernant l'aromathérapie (voir p. 195), sont évidemment particulièrement indiquées en application sur la peau. L'absorption percutanée permet une action directe avec une efficacité maximum.

L'oliban

Utilisé dès le XVᵉ siècle avant J.-C. comme encens, il est réputé pour ses effets bénéfiques sur la peau. Ajouté à petite dose à la préparation destinée à la peau du visage, ii régénère et combat les effets dus à l'âge.

Le néroli

Il s'obtient par distillation du bigaradier et est très réparateur pour les peaux desséchées. C'est un sédatif qui relâche les muscles du visage et aide à effacer les ridules d'expression.

> Attention : ne pas s'exposer au soleil dans les six heures qui suivent son application.

Le santal

Son odeur est chaude, sucrée et exotique. Il agit délicatement et de manière apaisante sur la peau desséchée. Ses propriétés anti-inflammatoires sont bienvenues pour l'acné et l'eczéma.

La rose damascena

Cette fleur fut découverte, d'après la légende, par une princesse mongole. Depuis l'Antiquité, son huile, appliquée en massage sur le visage, dissipe les maux de tête et les douleurs oculaires. Elle entre, en général, dans la composition des produits de soin pour ses qualités adoucissantes, hydratantes et calmantes. C'est une huile progestéronique.

Le benjoin

Cette huile réchauffante et apaisante, sucrée par la vanilline qu'elle contient, est utilisée avant tout pour le corps et les mains où elle combat la sécheresse de la peau.

On trouve dans le commerce de très bonnes préparations. Ainsi, le produit suivant, qui est excellent, à base de :
• huile d'avocat et de soja ou de germes de blé ;
• allantoïne ;
• perhydrosqualène ou liposomes d'azulène ;
• urée comme facteur d'hydratation de la peau dans un excipient approprié.
Les cas les plus avancés de dessèchement de la peau du visage et du cou peuvent bénéficier des mêmes ingrédients en y ajoutant de très petites quantités d'hormones.
Les pharmacies spécialisées et les très bonnes herboristeries proposent aussi des préparations, comme celle-ci :

FORMULE POUR LA PEAU SÈCHE DU VISAGE	
Base	Huiles essentielles
2,5 ml d'huile d'amande douce 2,5 ml d'huile de jojoba	2 gouttes de néroli 1 goutte d'oliban 1 goutte de rose damascena

N'hésitez donc pas à bien lire les étiquettes.

LE MOUVEMENT

Le besoin d'activité physique est impressionnant chez les enfants et les adolescents. Mais on croit souvent à tort qu'avec la maturité, la dépense physique n'est plus nécessaire. Sédentarité de la vie moderne oblige, on ne bouge guère, mais moins on bouge, moins on a envie de bouger et plus on a de mal à bouger. Lorsque le stress est là, peu de gens ont le réflexe salutaire d'aller se dépenser physiquement pour se détendre. Pourtant, il n'y a pas meilleur remède pour l'équilibre nerveux. L'activité physique est indispensable et avec les mêmes bénéfices à tous les âges. On peut s'y remettre même si on avait tout arrêté, et un exercice régulier se traduit toujours par des progrès, même s'ils sont plus lents que chez une personne plus jeune.

L'exercice physique permet indiscutablement de prévenir, d'atténuer ou de pallier les symptômes de la ménopause et les effets du vieillissement.

La prévention par l'activité physique

■ *La prévention de l'ostéoporose*

L'exercice physique est un moyen majeur d'éviter l'ostéoporose. Il stimule le remodelage osseux et contrecarre efficacement la résorption, qu'elle soit due à une insuffisance œstrogénique ou

149

calcique. Ainsi, on a remarqué chez les sportifs une augmentation de la densité osseuse au niveau des fémurs. Par exemple, la masse osseuse est plus importante du côté dominant chez le joueur de tennis. À tout âge, les stimuli mécaniques ont un impact bénéfique sur l'architecture de l'os (voir note 14). Les chiffres sont clairs : l'entraînement physique peut augmenter la masse osseuse de 4,2 % ; or, dans les plus mauvais cas, la perte osseuse annuelle à la ménopause est de 2 à 5 %...

Les femmes ménopausées soumises à une activité physique *une heure trois fois par semaine* augmentent leur masse calcique totale par une action nerveuse, vasculaire et mécanique directe en rapport avec la tension musculaire aux points d'ancrage. L'ostéoporose, touchant principalement les faces antérieure et postérieure des os longs, épargne les bords interne et externe, ceux qui sont soumis aux forces de tension et de compression : déminéralisation et absence de stimulation mécanique sont liées. Les parties du squelette soumises à tension sont en quelque sorte protégées. Il existe aussi une correspondance entre la minéralisation et la masse musculaire correspondante à un certain niveau de l'os. Par exemple, le psoas iliaque, un muscle puissant, et les vertèbres lombaires qui sont en contact avec lui sont importants et volumineux : le psoas est un muscle d'une force considérable et la vertèbre lombaire est beaucoup plus massive qu'une petite vertèbre cervicale.

> Il existe un degré optimum à ne pas dépasser. Un niveau élevé d'activité physique ou de compétition entraîne une inhibition de l'activité ovarienne avec diminution du taux des hormones œstradiol et progestérone, due à l'hyperactivité de l'axe nerveux hypothalamo-hypophysaire. C'est ainsi qu'on observe chez les sportives de compétition ou les danseuses une absence des règles par suite d'insuffisance ovarienne et, en conséquence, une perte osseuse.

Ainsi l'ostéoporose est en partie liée à la masse musculaire. Les femmes noires n'en souffrent pratiquement pas parce que leur masse musculaire est importante. Et indépendamment des hormones, la différence de masse musculaire entre les hommes et les femmes explique qu'ils soient moins atteints par l'ostéoporose.

Une activité physique modérée augmente la masse osseuse, tandis que la sédentarité et l'inactivité, en augmentant la résorption osseuse et l'élimination du calcium par l'urine, favorisent l'ostéoporose. Trente-six semaines de repos complet au lit suffisent pour déminéraliser de 25 à 45 % les adultes en bonne santé. La remobilisation leur restitue heureusement par la suite cet « os perdu » en parties égales. Ceci a également été vérifié chez les astronautes, qui sont soumis à une sédentarité forcée.

■ *L'oxygénation*

L'exercice physique augmente la capacité thoracique en fournissant un apport accru en oxygène nécessaire aux échanges cellulaires. Nous avons vu (p. 105) qu'une marche d'une heure après le travail diminue nettement l'acidité urinaire. On peut conclure qu'en fournissant à l'organisme une grande quantité d'oxygène, on lui donne une possibilité de brûler son excédent d'acide. L'oxygénation est aussi un bon moyen de lutter contre le stress et le surmenage qui provoquent l'acidification du terrain, et empêchent la combustion des déchets.

■ *Des effets sur tous les plans*

L'activité physique n'a pas seulement pour effets d'augmenter la masse osseuse et de diminuer l'acidité de l'organisme. Les articulations restent souples, un corps qui bouge bien vieillit moins, avec moins de douleurs en tous genres, moins de risques d'excès de poids, un tonus physique et mental maintenu. Même parmi les réfractaires à l'exercice, qui n'a expérimenté le sentiment de détente, de bien-être, que l'on éprouve après une promenade ? Il n'y a rien de tel pour éponger le stress, tandis que l'énergie non extériorisée se retourne contre soi en passivité, source de tension nerveuse. **L'activité physique doit faire partie des règles d'hygiène de vie au même titre que le sommeil et l'alimentation.**

Pour les effets sur l'ostéoporose, il ne faut pas attendre l'âge de la ménopause pour commencer l'exercice physique. C'est dix ans

LES EFFETS DE L'EXERCICE SUR TOUS LES PLANS

Les os
- Les muscles de soutien des articulations et des os se renforcent.
- Les cartilages, les ligaments et les tendons deviennent plus épais et plus souples.
- Le maintien et l'équilibre sont améliorés.
- La densité osseuse augmente.

Les bouffées de chaleur
- La diminution du stress et l'amélioration de la circulation sanguine peuvent diminuer l'apparition, l'intensité et la fréquence des bouffées de chaleur.

Le système hormonal
- Les glandes surrénales, les ovaires et le système endocrinien en général fonctionnent mieux.

Le système nerveux
- L'exercice fait sécréter les endorphines qui calment notre système nerveux.
- L'aptitude à réagir vite et les autres fonctions intellectuelles s'améliorent.
- Le sommeil est plus reposant.

La forme sexuelle
- La sécrétion accrue des hormones améliore la circulation sanguine et l'oxygénation favorise la lubrification et l'élasticité des organes sexuels.
- Les muscles du périnée (pour les femmes) et pubo-coccygien (pour les hommes) étant tonifiés, les rapports sexuels sont améliorés.
- La testostérone, hormone importante pour le désir sexuel, augmente.
- L'exercice réveille le corps et les sens s'ils étaient engourdis.

Le système digestif
- L'assimilation et le transit s'améliorent. Faire de l'exercice est un bon moyen de lutte contre la constipation.

La circulation
- L'exercice améliore la circulation, ce qui rend les jambes moins lourdes, dégonfle les poches sous les yeux, rend la peau plus lisse et plus élastique.
- Le sang circulant mieux, les caillots dangereux se dissolvent mieux.
- L'oxygénation et la nourriture des cellules s'améliorent, et l'activation de la circulation contribue à la diminution du taux de cholestérol dans le sang.

Le système immunitaire
- La résistance aux rhumes, aux bronchites et même à certaines maladies graves est meilleure.

avant le début de la ménopause qu'il faut prendre ces habitudes, surtout si on a raté la période de prévention primaire, c'est-à-dire la période de croissance, celle où une nourriture riche en calcium et la pratique de la gymnastique auraient pu déterminer une grande masse osseuse. Mais pour tous les autres plans, il n'est jamais trop tard pour s'y mettre, en reprenant très progressivement mais très régulièrement une activité.

L'activité physique dans la vie quotidienne

Faire de l'exercice n'est pas nécessairement pratiquer un sport. On a aujourd'hui besoin d'activité physique organisée parce que la vie moderne a considérablement réduit la dépense musculaire pour laquelle nous sommes néanmoins génétiquement programmés. Au cours des cinquante dernières années, notre dépense physique quotidienne a diminué de 30 %. Lorsque la vie quotidienne demandait beaucoup plus d'énergie physique, il y avait moins de problèmes d'excès de poids, d'angoisse, de stress, de troubles du sommeil. Si l'on est réfractaire à toute pratique organisée et régulière d'un sport, on peut cependant ne pas rater d'occasions de bouger. Les premières fois cela demande un effort, ne serait-ce que parce qu'il faut y penser, mais par la suite, cela deviendra un automatisme :

– évitez les ascenseurs pour monter (et descendre) les escaliers d'un pas dynamique ;

– préférez la marche (ou le vélo) à la voiture chaque fois que c'est possible. Une heure de marche quotidienne (tonique, pas du piétinement) est la durée nécessaire pour la santé. **Une heure de marche, c'est aussi deux fois une demi-heure, ou quatre fois un quart d'heure.** Ce n'est pas beaucoup, mais c'est descendre un ou deux arrêts d'autobus plus tôt, aller à pied faire la course qui ne va pas occasionner le port de lourds paquets, ne pas chercher systématiquement à se garer au plus près. Le gain de temps éventuel (et encore !) ne compense pas le gain d'équilibre procuré par l'exercice ;

– considérez certaines activités ménagères guère enthousiasmantes comme autant d'occasions de se bouger ;

– lorsque la fringale vous tenaille, sortez, marchez d'un pas rapide, faites n'importe quoi de physique pour soulager la tension, et la faim va s'envoler.

Le sport

Quel sport choisir ? Le choix est vaste, du moment qu'on ne le pratique pas de manière intensive.

■ *La gymnastique*

C'est la base de toutes les activités physiques. Pratiquée régulièrement et sans excès, elle donne du tonus, améliore la santé et retarde le vieillissement. On peut toujours faire chez soi quelques mouvements afin de combattre la sédentarité, mais pour garder un capital osseux, il est important d'en faire au moins trois heures par semaine.

Quelle gymnastique ? Il vaut mieux privilégier le *stretching*, gymnastique d'étirement en douceur qui améliore la souplesse du corps et des articulations, et la *gymnastique douce*. Ces deux disciplines peuvent être pratiquées malgré les problèmes de dos ou d'arthrose. Tandis que l'aérobic et autres gymnastiques très actives peuvent être source de tensions, de contractures ou de claquages musculaires.

> Attention : quelle que soit la gymnastique que vous choisissez, le mouvement ne doit jamais être fait en blocage respiratoire ou pendant l'inspiration, mais pendant l'expiration.

■ *Les gymnastiques orientales*

Le yoga

C'est un ensemble de techniques mentales et physiques sur un fond de philosophie qui nous vient de l'Inde où il est pratiqué depuis 3 500 ans. Il allie la sérénité et le dynamisme. Fondé sur le contrôle de la respiration, le yoga permet de retonifier et d'assouplir le corps et combat efficacement le vieillissement.

Le taï chi chuan

C'est une gymnastique qui fait partie de la médecine chinoise au même titre que l'acupuncture ou la phytothérapie. Basée sur l'énergie Yin-Yang, elle améliore la souplesse, le contrôle de soi, rend plus patient et plus équilibré.

> *La danse du dragon*, un exercice de taï chi chuan, fait bouger la colonne vertébrale de manière ondulatoire, tout en souplesse. On lui attribue la stimulation de notre système hormonal et une meilleure combustion des graisses. Remise à l'ordre du jour par des professeurs de taï chi à New York, elle s'avère très efficace dans l'amincissement. Il faut pratiquer cet exercice au moins dix fois de suite pour obtenir un résultat.

La pratique du yoga ou du taï chi chuan augmente la connaissance de soi, intervient harmonieusement sur le fonctionnement de tout le corps. Nous avons constaté, dans notre pratique, que les femmes initiées à ces techniques passent plus facilement la ménopause.

■ *La marche*

Les longues randonnées pédestres et les marches rapides se valent, mais il faut être bien chaussé. 1 500 mètres en 15 à 20 minutes correspondent à une vitesse de 5-6 kilomètres à l'heure.

■ *La bicyclette*

C'est un sport complet qui améliore les articulations de la hanche et des genoux, renforce la musculature, en particulier celle des jambes, et réduit les œdèmes.

■ *Le jogging*

Il est déconseillé en cas d'arthrose du genou ou de la hanche, et de problèmes cardio-vasculaires. Il est essentiel de porter de très bonnes chaussures antichoc.

■ *Le tennis*

C'est un sport intense à éviter en cas de problèmes de dos, de genou et d'épaule. Du fait même de son intensité, il demande à être pratiqué régulièrement. Celles qui en ont l'habitude peuvent bien entendu continuer à le pratiquer, mais la compétition n'est pas indiquée, tandis que la pratique à quatre permet d'y jouer sur un rythme moins soutenu.

■ *Le golf*

Il associe la marche, l'adresse et la coordination et peut être pratiqué par tous les temps. Mais il est contre-indiqué en cas de problèmes de dos, de hanche ou d'épaule.

■ *La natation*

C'est un sport complet à privilégier. Nager fait travailler toutes les articulations de manière harmonieuse, muscle le corps, apaise et procure un bon sommeil. En cas de problèmes de genoux, de hanche ou de colonne vertébrale, il vaut mieux préférer la nage sur le dos.

La gymnastique en piscine (aquagym) renforce la musculature sans risque de chute ou d'élongation.

■ *Le ski*

Toutes celles qui ont l'habitude du ski alpin peuvent parfaitement continuer à le pratiquer. Sinon, le ski de fond peut être un bon choix, car il augmente l'endurance et procure une musculation harmonieuse tout en diminuant le risque de chutes, de fractures et d'accidents.

Tous les autres sports dont on a l'habitude peuvent être pratiqués. En revanche, il peut être déconseillé de s'initier à un nouveau sport.

Le déroulement de la ménopause dépend en grande partie de soi-même. Toute femme peut éviter certains problèmes, en être moins dérangée, mieux les vivre grâce notamment à un exercice physique régulier. L'activité physique est le reflet d'une attitude générale qui favorise la santé physique et psychologique.

LES TRAITEMENTS :
L'ALLOPATHIE,
LES MÉDECINES
DOUCES

LA MÉNOPAUSE EST
UN ÉVÉNEMENT HORMONAL

Les sécrétions hormonales diminuent, ce qui entraîne un certain nombre de symptômes. D'où la tentation de les soigner par l'administration d'hormones.

Le déficit en œstrogènes se traduit par :
- bouffées de chaleur (50 à 70 % des femmes à la ménopause) ;
- sécheresse vaginale, prurit vulvaire (60 % des femmes) ;
- difficultés lors des rapports, ou dyspareunie (40 % des femmes) ;
- diminution de la sensibilité clitoridienne (17 %) ;
- écoulements vaginaux (31 % des femmes ménopausées) ;
- modification de la peau ;
- saignements postcoïtaux (8,8 % des femmes) ;
- troubles du sommeil ;
- pertes de mémoire ;
- diminution de la capacité vésicale d'où augmentation de la fréquence des mictions et incontinence urinaire lors des activités sexuelles.

Le déficit en progestérone se traduit par très peu de symptômes généralement attribués à la ménopause. Il serait responsable d'une partie des symptômes attribués au syndrome prémenstruel (donc valable pour la pré-ménopause) :
- règles abondantes ;
- cycles courts.

Le déficit en testostérone se traduit par une diminution du désir sexuel.

Ne sont pas directement influencés par le déficit hormonal (en œstrogènes ou en progestérone) :
- anxiété ;
- dépression, vulnérabilité due à l'isolement affectif ;
- irritabilité aux conditions de vie peu satisfaisantes ;
- manque d'énergie ;
- tension nerveuse ;
- fatigue.

LES TRAITEMENTS ALLOPATHIQUES

La thérapeutique hormonale de substitution ou THS

La thérapie hormonale de substitution a été un grand bond dans la prise en charge médicale des femmes et le signe d'un changement de mentalité. Enfin, la médecine ne considérait plus comme allant de soi les troubles dont se plaignaient les femmes : il ne s'agissait plus d'une simple question de confort. Aujourd'hui, 25 % à 30 % des femmes ménopausées ont recours à une thérapie hormonale de substitution. Mais toutes les femmes devraient-elles pour autant y recourir ?

Il existe de toute manière une *inégalité* devant la ménopause, car il y a deux types d'ovaires postménopausiques : des ovaires actifs et des ovaires inactifs. Certaines femmes ayant des ovaires intacts présentent des mécanismes de compensation endocrinienne après la ménopause. Les femmes ne réagissant pas de manière identique à la ménopause, elles n'ont donc pas, toutes, besoin d'un traitement hormonal.

De plus, et ce n'est pas le moins important, la sensibilité des femmes n'est pas la même. Des facteurs psychologiques peuvent jouer (voir p. 39)...

■ *Sur quoi agissent les hormones dans la thérapie de substitution ?*

Le système vasculaire

Les hormones ont sans conteste une action bénéfique sur l'endothélium de la paroi vasculaire. En effet, à la ménopause, se produit normalement une baisse de la résistance et de la pulsatilité[58] des artères utérines et une vasodilatation, donc un élargissement de l'aorte et des artères coronaires[59].

Les hormones (surtout la progestérone)[60] ont aussi une action sur la lipoprotéine a (voir p. 59), et donc sur l'athérome (dégénérescence graisseuse de l'intérieur de l'artère). Pour comprendre leur action sur le métabolisme des lipides, rappelons ce qui a été dit concernant le profil lipidique, l'hypertension, la surcharge pondérale et les antécédents familiaux (voir pp. 57 et suivantes).

Elles ont une action sur les facteurs hémodynamiques : au cours d'une bouffée de chaleur, sont libérées de grandes quantités d'adrénaline et de noradrénaline, les mêmes neuromédiateurs que ceux du stress et de l'excitation sexuelle : l'adrénaline augmente et la noradrénaline diminue, ce qui amène une vasodilatation périphérique et une vasoconstriction centrale. C'est pourquoi une bouffée de chaleur s'accompagne de rougeur (vasodilatation).

Enfin, les œstrogènes éviteraient qu'un trop grand flux de calcium ne se dirige vers les parois vasculaires[61].

En fait, les concentrations d'œstrogènes utilisées en laboratoire, pour provoquer ces réactions, sont de loin supérieures à celles rencontrées dans la réalité.

Les hormones et l'ostéoporose

La thérapeutique hormonale substitutive agit, principalement par les hormones œstrogènes, sur les ostéoblastes – les cellules formatrices de l'os. Elle est efficace pour enrayer la décalcification osseuse (sans pour autant combler le retard accumulé). Toutefois, les taux d'hormones nécessaires sont proches de ceux de la femme jeune en période d'activité génitale, ce qui ne va pas sans faire courir un risque de transformation anormale.

Mais il est vrai que, contre toute attente, il n'y a qu'un très faible pourcentage (1,2 %) de patientes postménopausées qui, alors qu'elles prennent des hormones, perdent plus de 1 % de masse osseuse par an.

Les hormones et le cancer du sein

Le risque relatif de voir survenir un cancer du sein est incontestablement augmenté, plus ou moins selon le type d'hormones prescrites, passant de 1,25 à 2 (1 étant le risque relatif sans traitement)[62]. Le cancer du sein ou un terrain prédisposant est habituellement considéré comme une contre-indication. À quelque titre que ce soit, les hormones ont des effets de promotion du cancer, qu'il s'agisse des œstrogènes ou des substances dérivées, apparentées à la progestérone, c'est-à-dire les progestogènes[63]. La progestérone naturelle elle-même a des effets sur la prolifération cellulaire, ce qui ne veut pas dire cancer mais peut-être une étape préalable à une transformation anormale, à savoir le cancer. Les *œstrogènes* sont des promoteurs[64] – hormis quelques-uns, moins dangereux potentiellement mais aussi moins actifs[65].

On connaît d'ailleurs les risques dus à l'hyperœstrogénémie, à l'augmentation anormale des œstrogènes chez la femme dans la puberté précoce, dans la ménopause tardive, lors d'une première grossesse tardive, en cas de nulliparité. Ce sont tous des facteurs de nature à augmenter la quantité d'œstrogènes chez une femme. On connaît aussi le rôle protecteur de l'allaitement qui correspond précisément à un blocage œstroprogestatif et le rôle protecteur du tamoxifène qui est un anti-œstrogène préventif du cancer du sein[66].

Par ailleurs, certaines maladies bénignes du sein comme la maladie de Reclus, qui se traduit par la présence de fibrokystes dans le sein, sont améliorées par la thérapeutique hormonale.

Les hormones et le cancer de l'utérus

Concernant l'intérieur de la matrice – l'endomètre utérin –, il y a huit fois plus de risques de provoquer un cancer avec l'emploi seul d'œstrogènes que s'ils sont associés à de la progestérone. Le traitement œstrogénique doit donc toujours être couplé avec un progestatif durant 14 jours. Le risque de transformation anormale au niveau de l'utérus est alors nul. Il n'en va malheureusement pas de même pour les transformations qui peuvent survenir au niveau du sein où l'adjonction de progestatifs ne résout pas le problème.

◼ *Quelques questions*

Quel est le taux de réussite du traitement?
La patiente motivée dans son traitement classique a un résultat de 30 % supérieur à celle qui n'est pas motivée. Ce qui est énorme surtout lorsqu'on considère le reproche généralement formulé à l'encontre de l'homéopathie et de l'effet placebo.

Les femmes qui prennent des œstrogènes sont-elles mieux protégées ou bien est-ce parce que l'on administre des hormones aux femmes les plus saines?
Les résultats reflètent sans doute plus l'état de santé de départ des utilisatrices et des non-utilisatrices des hormones que les effets des hormones elles-mêmes. Les femmes sous œstrogènes sont peut-être des utilisatrices plus conscientes ou soucieuses de leur santé, et qui vivent en en tenant compte.

Pourquoi y a-t-il une telle différence d'un pays à l'autre?
La femme japonaise est de loin celle qui risque le moins de succomber à un problème coronarien ou à un cancer du sein. Mais c'est aussi celle qui affiche très nettement les taux les plus bas d'œstrogènes au cours de sa postménopause et qui recourt le moins aux produits de substitution. Par contre, la même Japonaise qui immigre aux États-Unis et adopte l'alimentation et le mode de

vie américains voit ses risques de mortalité cardio-vasculaire devenir identiques à ceux de l'Américaine.

Qu'est-ce qui fait abandonner une thérapie hormonale substitutive?

Malgré les avantages signalés de cette thérapeutique lourde, il apparaît que seuls 15 à 20 % de la population féminine en âge de ménopause suivent régulièrement celle-ci.

Parmi les raisons d'abandon d'une thérapeutique hormonale, il y a les saignements, la sensation de gonflement, la prise de poids, les nausées, les douleurs mammaires et les maux de tête.

Alors faut-il prendre des hormones?

Sur le plan cardio-vasculaire, si l'on reprend les conclusions du congrès de septembre 1994 à Berlin sur les maladies cardio-vasculaires, les résultats ne sont pas flagrants. Une prescription systématique d'hormones pour la prévention cardiaque est un changement de comportement prématuré.

Sur le plan osseux, il existe des alternatives, mais dans certains cas d'ostéoporose importante, il est vrai que la prescription d'hormones s'impose.

■ *Le mode d'administration de la thérapie hormonale de substitution*

Chaque patiente doit discuter du traitement avec son médecin qui peut lui prescrire un traitement œstroprogestatif séquentiel, c'est-à-dire avec un arrêt d'une semaine par mois provoquant des règles artificielles, ou un traitement continu qui ne donne généralement plus de menstruations tout en étant aussi efficace. Il est important de savoir qu'ajuster le traitement demande souvent du temps, que le médecin peut tâtonner, essayer plusieurs dosages. Pour la patiente, le sentiment d'amélioration peut être long à venir. C'est pourquoi un certain nombre de femmes abandonnent.

Les œstrogènes peuvent être administrés en comprimés par voie orale – ce qui a l'inconvénient de faire passer l'hormone par le foie –, ou par voie cutanée (en gel à appliquer) – ce qui ne permet pas l'administration d'une dose rigoureusement identique à chaque fois –, ou encore par système transdermique ou patch – un pansement adhésif transparent, qui distribue toujours la même quantité (selon plusieurs dosages différents).

En conclusion, faut-il prendre des hormones ? Oui, peut-être, mais pas dans n'importe quelles conditions et pas de la même manière pour chacune. La tendance actuelle est d'encourager la thérapie hormonale de substitution de manière systématique, quitte à trouver des aménagements pratiques pour la rendre attractive soit par l'amélioration du coût, soit par la diminution du nombre de comprimés à prendre ou par des injections à dates fixes effectuées par le médecin. Comme tout ce qui est systématique et tend à faire consommer la même chose à tout le monde, ces procédés nous paraissent aller à l'encontre de tout ce que nous ont appris les médecines millénaires : l'originalité du terrain de chacun.

Le traitement classique de l'ostéoporose

L'exercice physique et la prise régulière de calcium, tout en étant indispensables, pourraient ne pas être suffisants. C'est pourquoi des médicaments préventifs sont souvent prescrits.

■ *Le traitement préventif*

La thérapeutique hormonale substitutive

On a vu qu'elle enrayait le processus mais que les taux très élevés d'hormones nécessaires ne sont pas sans inconvénients.

Par ailleurs, une *nouvelle molécule*, qui est un dérivé flavonoïde, agit sur les ostéoblastes.

◼ *Le traitement curatif*

Le même enthousiasme n'est pas de mise quand l'ostéoporose s'est déjà installée...

– Le **calcium**, à raison de 1 g à 1,5 g, est nécessaire mais insuffisant.

– La **vitamine D** est surtout utile pour l'ostéoporose sénile, celle qui survient chez les personnes âgées de plus de 75 ans qui manquent de soleil, ce qui compromet l'absorption intestinale du calcium et induit une augmentation anormale de l'hormone parathyroïdienne ou parathormone PTH. L'administration de vitamine D_3 a pour effet bénéfique de diminuer le taux sanguin de cette hormone.

– La **calcitonine** augmente le contenu minéral osseux de la colonne vertébrale et des os périphériques (avant-bras, fémur) en atténuant les douleurs osseuses. Elle supprime l'activité des ostéoclastes – les cellules destructrices de l'os – en train de résorber la matrice osseuse. Elle a une efficacité sur la colonne vertébrale au début de la ménopause quand elle est utilisée pendant trois ans. Son administration se fait soit par voie nasale (spray), soit par injection intramusculaire.

> Exemple : l'administration de 100 unités par jour, 10 jours par mois pendant 24 mois, réduit le taux de fracture de plus de 50 %.

– Les **biphosphonates**[67] sont surtout nécessaires, lorsque l'ostéoporose est sévère, à savoir que la densité minérale osseuse est très basse et qu'il y a plusieurs fractures vertébrales[68]. Ils inhibent aussi les ostéoclastes avec une efficacité comparable à celle de la calcitonine.

– Le **fluor** stimule la formation des ostéoblastes en formant des cristaux de *fluoroapatite*[69], mais on peut émettre des réserves parce que cet os nouveau (« os de verre ») n'a pas les mêmes propriétés biomécaniques qu'un os sain et normal.

■ *De nouvelles voies après la ménopause*

– Le **tamoxifène**, utilisé aussi dans le cancer du sein, est un analogue sélectif des œstrogènes, parce que le corps possède des récepteurs très spécialisés : le sein a son récepteur et l'os en a un autre.

Le tamoxifène a un effet positif, stimulant pour l'os, mais son action est moins favorable sur l'endomètre utérin qui peut être anormalement stimulé. De toute façon, son action serait nulle d'un point de vue cardio-vasculaire.

– La **parathormone**[70] est une hormone sécrétée par les glandes parathyroïdes et qui joue un rôle essentiel dans l'équilibre phosphocalcique de l'organisme (élévation du taux de calcium sanguin, élimination du phosphore par les urines). À haute dose, elle stimule la résorption, et donc aggrave l'action des ostéoclastes ; cependant, à faible dose, elle aide à la formation de l'os (d'ailleurs, l'homéopathie utilise la parathormone en 5 à 7 CH).

– Les **sels de strontium** diminuent les ostéoclastes et augmentent les ostéoblastes, et permettent l'édification de l'os (voir le chapitre sur l'homéopathie, p. 219).

– Les **sels de silicium** augmentent les cellules ostéoblastes (voir note 13).

L'allopathie propose donc la thérapie hormonale de substitution, supposée agir sur l'ensemble des troubles qui accompagne la ménopause, et une thérapie de l'ostéoporose. Mais elle ne propose aucune autre voie aux femmes qui ne veulent ou ne peuvent adopter ces traitements.

LA PHYTOTHÉRAPIE

La médecine des simples

La phytothérapie, qui consiste à utiliser les plantes dans un but thérapeutique, remonte à la nuit des temps. Il y a une filiation incontestable entre les médecines grecque, chinoise et la phytothérapie moderne. Rarement médecine a eu un tel recul.

On confond souvent homéopathie et phytothérapie. La première utilise des substances des trois règnes : animal, minéral et végétal, mais à des doses infinitésimales. La seconde ne se sert que des plantes, en quantité dite pondérale, c'est-à-dire des grammes ou des millilitres.

Dans les premiers temps, on recherchait la similitude entre la morphologie du corps humain et la forme ou la couleur de la plante (doctrine des signatures). Dans l'Antiquité, certaines plantes étaient vénérées pour leurs vertus évidentes que l'on n'expliquait que par la magie. Mais c'est en observant le comportement des animaux, puis de l'homme, lors de l'ingestion d'une plante, que l'on a pu se faire une idée de leur action. Il suffit d'observer les effets (expectoration, vomissement, diarrhée) de telle ou telle herbe sur le chat ou le chien qui en a absorbé. L'imaginaire, puis l'empirisme, puis la méthode expérimentale par l'observation systématique et répétée, et enfin l'isolement des principes actifs par la chimie, ont ainsi de mieux en mieux isolé les propriétés des plantes. Aujourd'hui, on connaît la composition exacte des constituants biochimiques de chaque plante comportant des principes actifs. La condition est que la plante soit soigneusement préparée, notamment récoltée au moment où la teneur en principes actifs est à son point optimal, et utilisée sous une forme adéquate et à dose variable.

> **Exemple :** la sauge est riche d'une essence antiseptique et fongicide. Elle contient un tanin astringent. Le thé de sauge est très efficace comme gargarisme en cas de maux de gorge, grâce à l'essence et au tanin. Le thé de sauge peut être bu, et c'est là que nous trouvons sa propriété de lutte contre les **sueurs nocturnes** de la ménopause. Mais l'huile essentielle de sauge contient une thuyone, de telle sorte que consommée trop régulièrement, elle a des effets emménagogues (elle provoque les règles).

L'emploi des plantes a été appelé la médecine des simples. En réalité, une plante n'a jamais *une* simple action, ni *une* seule propriété. Son utilisation doit tenir compte des différentes propriétés de la plante.

Celle-ci peut être analysée selon ses diverses saveurs, d'où l'on peut déduire ses potentialités, la chaleur et l'humidité qu'elle procure : ce sont les qualités effectives primaires. Chaque saveur a une action bien particulière : ainsi la saveur sucrée harmonise, calme, refroidit, humidifie et restaure, et la saveur âcre ou piquante active, énergétise, assèche et disperse.

D'autres qualités sont dites secondaires : la plante est stimulante ou calmante, nourrissante ou décongestionnante, relaxante ou structurante.

■ *La patiente en phytothérapie*

Comme dans toutes les médecines douces, l'interrogatoire est très important. La patiente énumère ce qu'elle ressent, ce dont elle souffre. Le médecin déduit de ces indices quels sont les organes ou systèmes concernés, que ce soient des symptômes généraux, digestifs, articulaires ou cardio-vasculaires, ou des symptômes de déséquilibre hormonal. Ce système de pensée a été à la base de la recherche de la plante adéquate depuis la plus haute antiquité. Il y a d'ailleurs, comme en homéopathie, un profil phytothérapique. Nous l'avons indiqué en note à chaque fois que c'était nécessaire.

Chaque plante a son tropisme, c'est-à-dire qu'elle s'adresse à tel organe particulier.

> **Exemple :** le romarin.
> C'est une plante douce et piquante, chaude et sèche. Elle va stimuler, restaurer, dissoudre et resserrer. Son action s'exerce sur le cerveau, le cœur, les poumons, les intestins, l'utérus et les organes urinaires.
> Elle a pour fonction de :
> • améliorer la circulation, stimuler le cœur et disperser le froid, ce qui la rend utile dans la déficience cardiaque, la tension artérielle basse ;
> • encourager l'expectoration, guérir la sinusite, les maux de tête et la migraine ;
> • stimuler la digestion, enlever l'« excès d'humidité » (notion chinoise) et supprimer les accumulations ; elle est diurétique ; on la retrouve dans la colite, la gastro-entérite, l'inflammation de la vésicule biliaire et l'augmentation du taux de cholestérol ;
> • combattre l'infertilité : on dit qu'elle fortifie le Yang et accroît les œstrogènes. La carence du yang se traduit par des douleurs lombaires, la diminution de l'énergie sexuelle, une urine abondante et claire et des pertes blanches ;
> • augmenter l'énergie constructrice (on dit qu'elle améliore le T'chi – voir p. 251) ; elle donne de la force aux nerfs et aux glandes, elle combat la dépression et améliore la vue ;
> • réduire l'infection et être cicatrisante dans divers traumatismes et dans la candidose chronique.
> Pour résumer son action, on devrait dire que c'est un stimulant circulatoire – ce qui est manifestement réducteur.

■ *Le champ d'action de la phytothérapie*

Il est extrêmement vaste. Sa seule limite est la connaissance plus ou moins vaste du médecin phytothérapeute. Ce n'est pas une médecine inoffensive ou une médecine placebo. Certaines plantes peuvent être dangereuses et réclament une formation approfondie.

Nous avons préféré nous en tenir ici aux plantes occidentales et laisser de côté les plantes chinoises : tout d'abord pour une question de disponibilité, ensuite parce que les plantes locales sont très riches.

■ *Efficacité et toxicité*

Une plante sur sept est bénéfique. 80 % d'entre elles n'agissent que très lentement, et de ce fait peuvent être prises quotidiennement et n'ont pas de toxicité chronique. Les 19 % restants ont des effets toniques ou relaxants, ce qui sous-entend qu'on ne peut les prendre longtemps. Reste environ 1 % de plantes très actives aux effets rapides. Plus rapide est leur action, plus courte et peu fréquente doit être la durée d'administration, sous peine de toxicité.

Les plantes sont efficaces, en bien comme en mal. Ainsi de la ciguë administrée à Socrate. Qui ne connaît la célèbre *Buveuse d'absinthe* de Picasso ? L'**absinthe**, cette « herbe de Diane » à laquelle on a prêté diverses vertus depuis l'Antiquité, a été à la fin du siècle dernier un fléau social comparable aux drogues d'aujourd'hui. Elle renferme, en effet, un poison redoutable. À faible dose, elle est apéritive comme l'anis. À forte dose, elle crée de l'accoutumance. Elle s'attaque au système nerveux, entraînant des hallucinations et, à plus ou moins long terme, la déchéance. Elle pousse dans des endroits rocheux et incultes, au bord des routes en Europe et en Asie centrale russe. Elle est utilisée dans la fabrication de liqueurs ; c'est donc un excellent tonique. On utilise ses feuilles duveteuses, et ses fleurs minuscules, jaunes en forme de pompon qui dégagent quand on les frotte une forte odeur aromatique. Elle stimule l'appétit comme le romarin et est excellente dans les insuffisances du foie. Elle nous intéresse ici parce qu'elle régularise ou provoque les règles. Mais comme elle fait merveille en cas de diarrhée, elle n'est pas à prescrire chez la femme naturellement constipée. Et elle a l'inconvénient d'avoir, une fois réduite en poudre, un goût très fort.

■ *Les modes d'utilisation*

On peut prendre les plantes sous forme de **tisane**, en infusion (en versant de l'eau bouillante sur les feuilles, ce qui extrait les principes en 5 à 15 minutes), ou par décoction (on fait bouillir la plante dans l'eau, généralement les parties dures, racines, tiges...), ou sous forme de **poudre**, contenue dans des gélules ou des capsules commercialisées.

Quand la poudre a été mélangée à l'eau ou à l'alcool, puis évaporée, on obtient d'abord un *extrait fluide* ou liquide (1 g de celui-ci correspond à 1 g de plante sèche) et après dessiccation, un *extrait sec* qui est forcément plus chargé en principes actifs que la poudre. Le *nébulisat* est un extrait sec obtenu après dessiccation très rapide.

Parmi les formes liquides, on distingue :

– la teinture mère, TM, où la plante fraîche, ou plus rarement la plante séchée, a macéré dans l'alcool et qui correspond au 1/10 du poids de la plante déshydratée ; la teinture mère homéopathique désignée par TMØ est la substance de base qui sert à la préparation des diverses dilutions homéopathiques ;

– la teinture obtenue par immersion prolongée de la poudre végétale sèche ou d'une plante fraîche dans l'alcool dilué ;

– l'alcoolature étant réservée à l'extraction de la plante fraîche par l'alcool ;

– le macérat glycériné : on soumet des bourgeons de plantes à la dissolution dans la glycérine diluée au 1/10 dans un mélange eau + alcool, de telle sorte qu'on obtient la première dilution décimale hahnemannienne (on rejoint ici l'homéopathie) ; la macération est une extraction aqueuse opérée à température ordinaire pendant quelques heures ;

– la suspension intégrale de plantes fraîches, ou SIPF, est faite à froid pour bloquer les réactions enzymatiques des plantes fraîches et retrouver ainsi tous les principes actifs.

Enfin, le traitement par les huiles essentielles, l'aromathérapie, est un mode d'administration très spécifique qui fait l'objet du chapitre suivant.

Comme les plantes sont « naturelles », la tendance à l'automédication est encore plus grande. Mais leur maniement est délicat, et à lire les différents remèdes, vous comprenez qu'il est difficile au profane de choisir le meilleur. Il vaut mieux, comme pour tout traitement, s'adresser à un praticien. Par ailleurs, des préparations de plantes variées et en grande quantité sont proposées aujourd'hui par différentes marques. Cependant, la production industrielle ne nous paraît pas offrir la meilleure garantie de qualité. C'est pourquoi il nous paraît préférable de se les procurer dans certaines pharmacies spécialisées que le phytothérapeute est à même d'indiquer.

La phytothérapie est particulièrement indiquée pour soigner un certain nombre de signes de la préménopause et de la ménopause. Il existe en particulier :
– des plantes utiles en cas d'hémorragie ;
– des plantes utiles en cas d'absence de règles ;
– des plantes œstrogéniques et/ou stimulantes de l'activité hormonale ;
– des plantes à action progestative et/ou régulatrices de l'activité hormonale ;
– des plantes anti-oxydantes ;
– des plantes anti-vieillissement ;
– des plantes reminéralisantes.
La plupart des plantes peuvent être actives sur plusieurs fonctions, dont une ou deux principalement. Ainsi, en cas d'hémorragies, certaines plantes ont une action dans le domaine circulatoire, mais interviennent aussi sur la fonction hépatique ou vésiculaire. Toutefois, selon le terrain, comme dans toutes les médecines douces, telle ou telle plante sera préférée.

Plantes utiles en cas d'hémorragies

L'hamamélis

Elle a des propriétés vasoconstrictrices : elle diminue la perméabilité capillaire et augmente la résistance de la **paroi des**

vaisseaux[71]. D'où son utilisation dans les affections veineuses, les varicosités, la couperose, les règles trop abondantes, les règles anormales – métrorragies – et, en général, dans les troubles de la ménopause où elle est associée avec l'Hydrastis et le marron d'Inde qui ont à la fois des activités veineuse et lymphatique.

Cette plante est astringente : elle contracte et diminue la sécrétion. Et elle est aussi aphrodisiaque – ce qui est beaucoup moins connu.

L'épine vinette ou *Berberis*

La *Berberis* est bien connue des homéopathes qui l'utilisent principalement pour ses indications rénales. La berbérine[72] est nécessaire au péristaltisme et au tonus de l'intestin, de l'estomac et des voies biliaires. Elle permet de soigner les **métrorragies**. Cependant, la *Berberis* ayant une action laxative, elle est à éviter, bien sûr, en cas de diarrhée.

> Compte tenu de la présence d'alcaloïdes, dépasser les doses pourrait être dangereux. C'est pourquoi l'utilisation homéopathique de *Berberis* qui est, elle, dénuée d'effets secondaires indésirables, est appréciée. Mais elle n'a pas nécessairement la même activité que la « plante » *Berberis*.

L'ortie brûlante ou *Urtica urens*

Les orties[73] sont nutritives, riches en fer et en magnésium sans être trop acides comme les épinards qui sont, eux, déconseillés à la ménopause pour ce motif. Elles stimulent les organes digestifs comme le foie, le pancréas et la vésicule biliaire. Elles sont diurétiques et soulagent les rhumatismes. L'ortie **arrête les hémorragies et régularise les règles ou les fait réapparaître**. Elle est connue pour son action sur la peau qu'elle nettoie et pour la chute des cheveux. Pour toutes ces raisons, on l'utilise beaucoup à la ménopause.

L'ortie blanche ou lamier ou *Lamnium album*

Elle n'a pas de poils urticants, ne pique pas. On se sert de ses fleurs. *Grosso modo*, elle a les mêmes qualités que l'ortie piquante. Son emploi dans les **pertes blanches** est bien connu, mais ses propriétés vasoconstrictrices veineuses astringentes (elle resserre les tissus et diminue la sécrétion) la rendent efficace, en cas de **métrorragies**, mais aussi de diarrhée.

La bourse à pasteur ou *Capsella bursa pastoris* ou *Thlaspi bursa pastoris*

Souvent prise contre les **règles trop abondantes ou trop longues**, elle est utile à la ménopause pour ces mêmes raisons. Mais son effet hémostatique par action sur le système veineux est modéré et inconstant ; elle ferait baisser la tension[74].

Ce remède est indiqué lorsque **l'hémorragie est de sang foncé avec beaucoup de caillots** et s'accompagne de crampes utérines. Les règles sont souvent précédées et suivies de pertes brunâtres. L'utérus est souvent gros et congestionné. Il n'est pas indiqué chez les asthéniques, les gens sans réaction où Trillium pendulum est à préférer.

La bourse à pasteur a également une action sur la cystite, les calculs rénaux, principalement lorsqu'il y a des dépôts d'urates.

L'hydrastis ou *Hydrastis canadensis*

Cette plante a une double action[75] : en resserrant les fibres musculaires au niveau central et en périphérie. C'est un vasoconstricteur central qui stimule les fibres lisses de l'utérus et a donc une action ocytocique (l'ocytocine est une hormone hypophysaire qui a pour effet de contracter l'utérus, c'est pourquoi on l'administre par perfusion, pendant les accouchements, aux femmes dont les contractions sont insuffisantes) ; elle a une action relaxante sur le système nerveux sympathique.

Elle est indiquée pour les **hémorragies utérines mineures**, et elle est associée avec l'hamamélis dans les affections veineuses, dont les **hémorroïdes**, comme vasoconstricteur artériel et veineux.

Il ne faut pas dépasser les doses prescrites, car de fortes doses peuvent provoquer des convulsions.

La potentille ou *Potentilla tormentilla*

Cette plante **hémostatique** (régularise les règles hémorragiques) est principalement active chez une femme qui souffre de diarrhée chronique alternant avec de la constipation et des pertes d'urine.

Le géranium Robert ou *Geranium maculatum*

Elle a les mêmes propriétés que la potentille, mais convient plus à une patiente qui a de l'acidité gastrique.

L'herbe de Saint-Jean ou *Hypericum perforatum*[76]

C'est une plante particulièrement utile en période de préménopause, quand l'**hémorragie** se double de découragement, de **dépression** et d'insomnie, avec un côlon et une vessie irritables et des douleurs articulaires diverses.

Le cyprès ou *Cupressus sempervirens*

Il est indiqué en préménopause[77], parce qu'il est **hémostatique et décongestionnant veineux** pour les règles fortes et les saignements intermenstruels, les hémorroïdes, les veines variqueuses. Il est anti-inflammatoire pour la phlébite et l'endométrite. Il est relaxant par son action calmante sur le système nerveux parasympathique trop soumis au stress émotionnel. Sa composition en phyto-œstrogènes en fait aussi un produit de choix de la ménopause.

Le mélilot ou *Melilotus officinalis*

Le mélilot stimule la **circulation** cérébrale et périphérique. Il est surtout un remède prophylactique de la thrombose et d'augmentation de la résistance capillaire par diminution de la perméabilité vasculaire. Puisqu'il améliore le retour veineux et favorise la circulation lymphatique, c'est le remède des **hémorroïdes** et des **varices**, tout comme le marron d'Inde[78]. Son principe actif, la coumarine, pouvant devenir, à haute dose, nocif pour le foie, il convient de respecter à la lettre la prescription.

La vigne ou *Vitis vinifera*

On emploie la feuille de vigne[79]. C'est un remède très sûr qui traite la **ménorragie**, la phlébite, les hémorroïdes, les troubles de la ménopause, mais qui agit – c'est moins connu –, sur les **arthrites des petites articulations des mains** principalement, et sur le rhumatisme déformant.

Le chardon Marie ou *Carduus marianus*

C'est un puissant tonique connu pour protéger la fonction hépatique grâce à ses fruits et la rétablir dans la cholecystite et l'hépatite chronique. Quand le foie – surtout le lobe gauche – est un peu gros, son action est sensible sur la constipation. Comme elle améliore le retour veineux au niveau de la veine porte hépatique, on peut l'utiliser dans les **hémorragies** et les **troubles menstruels**, de même que dans les varices.

Le chardon Marie convient particulièrement à une femme qui est hypotendue, variqueuse, frileuse et dépressive, qui a des troubles de mémoire et manque de ressort.

Sa composition[80] le rend utile dans l'hypotension où elle a un effet semblable à la méthergine – ergot de seigle qui est un champignon qui croît sur les épis de seigle – mais à l'inverse de l'ergot de seigle qui pouvait donner de l'ergotisme, c'est-à-dire de graves problèmes circulatoires, le chardon Marie, au contraire, protège la fonction hépatique et améliore tout le système veineux de l'organisme.

Le souci ou *Calendula*

Il est recommandé lorsqu'il y a de la congestion utérine caractérisée par des règles précoces et abondantes avec de la pesanteur pelvienne, des varicosités, des jambes lourdes et des crampes nocturnes.

Le maïs *(Zea/Maïs)*

Son action est multiple[81] : il a une action antihémorragique, mais agit aussi sur les douleurs rhumatismales de type goutte, les excès de cholestérol, l'hypertension, les inflammations de la vésicule biliaire, la cystite chronique où son action diurétique est remarquable – en multipliant par cinq le volume uriné. C'est une plante tout indiquée en période de préménopause.

En cas d'hémorragies, on prescrit également la prêle (voir p. 193).

Exemple de traitement

Si, par des dosages, on a une notion de l'activité hormonale :
• S'il y a un excès d'œstrogènes ou des méno-(métro-)rragies par hyperœstrogénie vraie : il y a une hyperactivité de la *Follicule Stimulating Hormone* (FSH) hypophysaire avec pour corollaire de l'hyperœstrogénie.
Le traitement comportera :
Vitex Agnus Castus 400 mg, 2 fois par jour, du 5ᵉ au 25ᵉ jour du cycle.
Tenant compte de la métabolisation des hormones au niveau du foie, on y ajoute :
Cynara Scolymus 400 mg de nébulisat, 2 fois par jour, chez une patiente pléthorique (c'est-à-dire souffrant d'un état d'encombrement, d'un excès de poids, d'une surcharge de tension), chaude,
ou *Carduus Marianus* qui est antihémorragique chez une personne hypotendue, variqueuse, frileuse et dépressive, 200 mg (1 : 6), 2 fois par jour ou TMØ 30 gouttes, 3 fois par jour.
On y adjoindra une organothérapie diluée et dynamisée complémentaire de progestérone 3 CH 15 gouttes, 1 à 2 fois par jour.
• S'il y a insuffisance de l'hormone du corps jaune, la progestérone :
Alchémille en nébulisat 400 mg, 2 fois par jour, du 10ᵉ au 25ᵉ jour du cycle, associé ou non à l'Achillée 250 mg, 2 fois par jour pendant la même période.

• S'il y a un trouble de la coagulation sanguine :
Equisetum Arvense en nébulisat, en quantité relativement importante, de l'ordre de 400 mg, 3 fois par jour et la *Capsella*, surtout lorsque les hémorragies ont tendance à se produire 1 mois sur 2, en TMØ 20 gouttes, 3 fois par jour.
En cas d'hémorragies lors de la phase aiguë, Achillée teinture mère ou 1D, qui peut isolément être répété tous les quarts d'heure et qui associé aux plantes suivantes, sera prescrit à raison de 50 gouttes, 3 fois par jour.
• En cas d'hémorragie :
Lors de la phase aiguë, *Drymis winterii* TM ou 1D, qui peut isolément être répété tous les quarts d'heure et qui, associé aux suivants, sera prescrit à raison de 50 gouttes, 3 fois par jour.

Capsella bursa pastoris TM.
Urtica urens TM.
Achillée millefolium TM.

Les plantes contre l'absence de règles en période de préménopause

L'absence de règles peut être d'origine hormonale, ovarienne, ou bien avoir une cause fonctionnelle dans l'organe effecteur des commandes de l'ovaire, c'est-à-dire l'utérus (voir pp. 27 et 28).

Les aménorrhées utérines fonctionnelles peuvent être traitées par les plantes.

Les remèdes sont alors :
– *Hydrastis* (voir p. 176) ;
– *Ginkgo biloba* (voir pp. 181 et 192) ;
– *Artemisia absinthum* ou absinthe qui **fait venir les règles** grâce à son huile essentielle comportant du chamazulène et de la thuyone. C'est une plante qui peut être dangereuse, c'est pourquoi on n'utilise jamais l'huile essentielle pure.

Pour les aménorrhées fonctionnelles ovariennes, il existe deux types de plantes : les œstrogéniques ou les stimulantes de l'activité hormonale, et les progestéroniques ou les stabilisatrices de l'activité hormonale. Il faut, en effet, faire la distinction, entre les plantes œstrogéniques, encore désignées par le vocable *œstrogene-like* ou œstrogène équivalent, parce qu'elles contiennent des substances proprement œstrogéniques, c'est-à-dire des phyto-œstrogènes, et les plantes stimulantes de l'activité hormonale parce qu'elles stimulent l'ovaire à produire des hormones œstrogènes. Les deux sont utilisées en cas de déficit œstrogénique.

Plantes œstrogéniques	Plantes stimulantes de l'activité hormonale
Sauge	Ginkgo biloba
Actée	Ginseng
Houblon	Cassis
Fenouil	Angélique
Anis vert	Éleuthérocoque
Cumin	Avoine
Réglisse	Romarin
Avoine	Ortie piquante
Souci	

■ *Les plantes œstrogéniques et/ou stimulantes de l'activité hormonale*

Des plantes stimulantes des œstrogènes sont indiquées parce que l'insuffisance hormonale peut se traduire par de la **dépression**, des **difficultés de concentration**, des **troubles de la mémoire** et de la **fatigabilité**...

Le noyer du Japon ou *Ginkgo biloba*

Son action s'exerce sur les capillaires où le Ginkgo biloba restaure le **tonus artério-veineux** cérébral, améliore la résistance et la perméabilité des capillaires. Il modifie le **métabolisme** cellulaire[82], piégeant les radicaux libres et inhibant leur formation. De ce fait-là, il lutte contre les troubles dus au **vieillissement**, à savoir : les tremblements, les vertiges, les pertes de mémoire, les sifflements d'oreille ou acouphènes et la baisse des capacités intellectuelles. Il contribue à la régulation sympathique en diminuant le risque de thrombose. C'est une plante employée dans l'artério-pathie des membres inférieurs, car c'est un tonique veineux, efficace contre les jambes lourdes et les varices.

Le Panax ginseng ou *Aralia ginseng*

Agissant sur le système nerveux central, il régularise et amé-liore l'activité cérébrale sans effet d'excitation comme le ferait une amphétamine.

Au point de vue circulatoire, il a un court effet hypertenseur immédiat par vasoconstriction capillaire à mettre sur le compte de son activité tonique; mais à la longue, il a plutôt un effet hypoten-seur, toujours de courte durée. Il équilibre l'activité du **cœur**, aug-mente la **concentration cérébrale** et **améliore la mémoire**. C'est un anti-agrégant plaquettaire comme le Ginkgo biloba, ce qui lui permet d'enrayer le processus de vieillissement. Il serait aphrodisiaque[83].

Au niveau du pancréas, il a une activité hypoglycémiante, ren-force l'activité de l'insuline (contre le diabète) et diminue le cho-lestérol en cas d'hypercholestérolémie.

Il régularise, enfin, divers états d'hypoactivité comme la diges-tion lente, le ballonnement intestinal et l'aérocolie, surtout avec des selles molles de diarrhée chronique, des rhumes et une toux à répétition.

Cependant, le Panax ginseng n'est prescrit que chez la femme asthénique, manquant de dynamisme et de force, pâle et qui n'a donc jamais chaud, dont la mémoire et la concentration flanchent. Sans quoi, surviennent des symptômes tels qu'agitation, irritabi-lité, logorrhée, nervosité, voire insomnie et bouffées de chaleur. C'est donc plutôt le remède de la femme plus âgée qui manque d'énergie, qui transpire au moindre effort, ou de la femme méno-pausée plus jeune correspondant à ces caractéristiques, car ce **revitalisant**, actif sur un plan immunologique, n'a pas son pareil.

La sauge officinale ou *Salvia officinalis*

S'il existe 500 variétés de sauge, les deux plus connues et pous-sant abondamment, sont la *sauge officinale* ou grande sauge qui pousse dans le midi de la France, et la *sauge sclarée* à odeur d'ambre gris (*ambra grisea*) qui s'utilise pour remédier à une pilosité excessive et à l'acné.

La sauge officinale[84] est un tonique de l'énergie. On se sert des feuilles et des fleurs. Elle est donc stimulante et, à ce titre, conseillée aux surmenés, aux hypertendus et aux déprimés. Cet astringent est indiqué pour les pertes de sang anormales, les pertes blanches et les règles insuffisantes (la différence tient à la dose appliquée). Par sa propriété diurétique, elle aide les reins paresseux, soulage les rhumatismes et les migraines. Elle est douée d'une **action œstrogénique** par stimulation ovarienne, elle contient une substance semblable aux œstrogènes, agit aussi en cas de **déficit immunitaire**, comme dans une mycose ou en cas d'hypotension. En période de ménopause, elle se révèle efficace contre les **sueurs** des mains et des aisselles.

À son contact, la peau devient plus belle et les cheveux tombent moins.

L'actée à grappes ou *Actea racemosa* ou encore *cimicifuga*

Parmi les principales indications de l'actée[85], on peut trouver une action anti-LH d'où son intérêt à la ménopause où précisément la LH (*Luteinizing hormone*) augmente considérablement.

Elle est antispasmodique, antimigraineuse, antivertigineuse, hypotensive et sédative sur le système nerveux neurovégétatif. Elle trouvera donc son champ d'application à la ménopause avec **insuffisance œstrogénique**.

Elle est prescrite pour les cas de frilosité, lipothymie – sensation d'évanouissement facile –, quand il y a **aggravation de tous les symptômes pendant les règles** – à l'opposé de *Lachesis* homéopathique (voir p. 216) – et des **contractures musculaires** aux niveaux cervical et dorsal non améliorées par l'exercice physique : c'est la maladie des dactylos. À l'opposé de la sauge, l'actée est à utiliser chez les femmes sympathicotoniques, c'est-à-dire celles qui sont nerveuses, dépressives, délicates, rhumatisantes, anxieuses, aux spasmes fréquents et à cernes bleuâtres autour des yeux. Elles sont hypertendues et souffrent d'arthrose cervico-dorsale.

Le houblon ou *Humulus lupulus*

Les fleurs de houblon[86] sont sédatives et légèrement hypnotiques. De même que le lupulin, elles s'emploient aussi contre l'insomnie. C'est une plante **très œstrogénique** (elle contient des phyto-œstrogènes) et même anti-androgénique (on l'utilise aussi comme anaphrodisiaque ou modérateur des désirs sexuels dans l'éjaculation précoce chez l'homme). Elle s'avère, donc, très intéressante à la ménopause, lorsque des poils superflus poussent sur le visage.

Le cassis ou *Ribes nigrum*

Le premier effet rapporté a été son action sur la rétention d'urine et les calculs. Comme le cassis est astringent, il calme les diarrhées chroniques par les tanins, les coliques et les maux d'estomac, soulage les infections buccales, comme les aphtes, mais c'est surtout un excellent diurétique, comme nous l'avons vu, et un très bon antirhumatismal, parce qu'il est anti-inflammatoire et anti-allergique par ses feuilles[87]. Ses effets sont analogues à ceux de la cortisone.

Par les propriétés vitaminiques P de ses fruits, par son action de vasoconstriction capillaire, c'est un **adjuvant dans les métrorragies**. Il donne de parfaits résultats en cas d'**arthrose** et d'**ostéoporose**, principalement avec des bourgeons en macération glycérinée D1.

Il est sans toxicité.

L'angélique ou *Angelica archangelica*

L'angélique[88] est **stimulante de la production d'œstrogènes**, mais aussi **digestive** dans la dyspepsie hyposthénique par insuffisance de suc gastrique et hypotension. C'est plutôt un stimulant de l'appétit. On va la prendre dans les troubles chroniques de l'estomac, de l'intestin et de la vésicule biliaire, contre la flatulence, tellement commune à la ménopause ou les spasmes abdominaux.

C'est une plante de régulation neuropsychique, la plante du stress par excellence, dont on retrouve le même effet chez *Crataegus oxyacantha*, la ballote fétide, la lavande officinale. Cette régulation de l'état nerveux la rend utile en cas d'insomnie par anxiété.

Le carvi ou cumin des prés ou *Carum carvi*

Le cumin des prés[89] non seulement lutte contre les phénomènes d'**artériosclérose**, mais est aussi doué de **propriétés œstrogéniques** et digestives tout à fait remarquables. Cette propriété est d'ailleurs bien connue pour améliorer la digestion, surtout après des repas gras. Il combat l'atonie intestinale et la flatulence. Il est spasmolytique des muscles du tractus gastro-intestinal. Il augmente le volume des seins et est légèrement diurétique.

Il existe deux autres plantes de grande qualité œstrogénique, le fenouil et l'anis vert, que nous abordons au chapitre sur l'aromathérapie, compte tenu de leur mode d'utilisation préférentiel.

La réglisse ou *Glycyrrhiza glabra*

Quelle plante merveilleuse[90], quand on connaît les plaintes habituelles à la ménopause! En effet, la réglisse **apporte des œstrogènes**. Elle est cholagogue et spasmolytique, hypotensive, antirhumatismale et a une action mucolytique, mais il faut quand même tenir compte du fait qu'elle comporte 50 % d'hydrates de carbone. C'est pourquoi elle est prescrite en période prémenstruelle ou au cours de la ménopause, lorsqu'un **besoin de sucre devient incoercible**.

L'éleuthérocoque ou *Eleutherococcus senticoccus*

L'éleuthérocoque[91] stimule la **production d'hormones**. Elle améliore la **concentration**, la circulation cérébrale, la vitesse de réaction et a une action, de manière plus générale, sur l'asthénie.

Mieux vaut ne pas la prendre en fin de journée. L'éleuthérocoque a une **action antistress**[92]. On a pu trouver des propriétés antitumorales et antimétastatiques[93]. Comme antidiabétique, enfin, il a une action sur le métabolisme des hydrates de carbone.

On ne l'utilise, comme la racine de ginseng, qu'en cas de ménopause confirmée, quand il y a inactivité ovarienne. Ces deux produits ont un pouvoir antiradicalaire et promoteur des défenses immunitaires.

Avec les désagréments qui accompagnent la ménopause (fatigue, manque d'entrain, diminution du tonus, fragilité plus grande vis-à-vis des situations) qui n'ont pas été vécus comme stressants jusqu'alors, on comprend tout l'intérêt de l'éleuthérocoque.

L'avoine ou *Avena sativa*

L'action du fruit décortiqué[94] est connue pour l'**insomnie par nervosité**, en cas de **dépression** mineure, comme tonique contre la fatigue et en cas de perte d'appétit. Elle semble avoir une sorte d'action de **stimulation thyroïdienne** par stimulation neuromusculaire, avec un très léger effet sédatif de type passiflore, c'est-à-dire spasmolytique des muscles lisses. Elle a une **action œstrogénique** et est conseillée pour les peaux sèches.

Le romarin ou *Rosmarinus officinalis*

Nous le traiterons avec les anti-oxydants (voir p. 191). Mais c'est aussi un **stimulant des œstrogènes** ovariens.

L'ortie piquante ou *Urtica dioïca*[95]

Elle soutient les déficiences du stroma ovarien (une partie de l'ovaire) et les **œstrogènes**, d'où son utilité en cas de chute de cheveux.

Le souci

Quand, en périménopause, les règles deviennent difficiles et irrégulières, crampoïdes avec présence de caillots, le déficit œstrogénique est comblé par les phytostérols, caroténoïdes, flavonoïdes et huiles essentielles contenus dans le souci.

■ *Les plantes à action progestative et/ou régulatrice de l'activité hormonale*

Les symptômes généralement attribués à la période progestative du cycle sont d'origine à la fois physique et psychologique : ballonnement, rétention d'eau (œdème), céphalée, tension douloureuse des seins, dépression, irritabilité et cycles courts, douloureux, abondants.

Les plantes progestéroniques

Elles ne contiennent pas de progestérone en tant que telle, mais sont stimulantes de l'activité progestative du corps jaune et de l'ovaire. Ce sont :
– l'alchémille ;
– l'achillée ;
– le *Trillium* ;
– le *Viburnum*.

Les plantes régulatrices de l'activité des gonadotrophines

Elles freinent la production de FSH et la LH qui, précisément, augmentent à la ménopause.
Ce sont :
– le grémil ;
– la bourrache ;
– le romarin.

Pour une activité aussi régulatrice mais plus progestéronique :
– l'agneau chaste.

Les plantes à double stimulation

Certaines donnent un regain de progestérone et de testostérone (hormone mâle) :
– le santal ;
– la salsepareille.

Certaines donnent un regain d'œstrogène et de progestérone :
– l'*Helonias* ;
– l'ortie blanche.

Les plantes répertoriées ci-après ont été classées selon l'importance de leur action.

L'alchémille vulgaire ou *Alchemilla vulgaris*

C'est une plante hypoglycémiante et surtout astringente (qui resserre les tissus et diminue les sécrétions), contenant des toniques capillaires et veineux, donc hémostatiques[96].

L'expérience clinique a montré qu'elle était ***progesterone-like***[97]. Elle est hypocholestérolémiante et légèrement anti-inflammatoire. Expectorante, elle est aussi diurétique avec dissolution des calculs urinaires.

Elle est ainsi indiquée pour :

– une femme ayant un **gros fibrome congestif** avec des méno- ou métrorragies par insuffisance lutéale, de la congestion pelvienne et de la ptôse utérine, de la **tension mammaire** prémenstruelle, des pertes blanches et des jambes variqueuses ; des selles plutôt molles – entérocolite spasmodique – avec des ballonnements et de la flatulence par insuffisance hépato-vésiculaire ou pancréatique ;

– pour la femme dont le métabolisme est pléthorique avec de l'artériosclérose, une tendance au diabète, du rhumatisme, un excès de poids et de la cellulite, des maux de tête et des vertiges ; dont la peau est sèche ou eczémateuse ; qui se plaint de démangeaisons vulvaires ou de la leucorrhée par vaginite ; et qui peut avoir manifesté de l'irritabilité et souffert de cystites et de pyélites.

Un tel état de santé rend cette femme agitée, irritable, fatiguée et insomniaque, d'autant plus épuisée si elle se préoccupe de tout et de tous au sein de la famille.

Si l'alchémille vient tout de suite à l'esprit en cas de ménopause pour son action progestéronique, d'autres plantes, peut-être moins connues, s'avèrent tout aussi intéressantes.

Le mille-feuille ou *Achillea millefolium*

Chez une femme facilement enrhumée, qui n'a plus ses règles, qui présente des **troubles veineux**, voire hémorroïdaires et dont l'hypertension pourrait prédisposer à la thrombose cérébrale ou coronaire, l'achillée[98] vient à point nommé, parce qu'elle est **stimulante progestéronique** et, comme la camomille, elle soulage les **spasmes** de l'utérus chez la femme qui a des règles douloureuses et des intestins ballonnés – c'est un des désagréments des progestatifs de synthèse –, fait baisser la tension et est un antiseptique urinaire.

L'agneau chaste ou gattilier ou *Vitex agnus castus*

Le gattilier a des vertus **progestative, anti-œstrogénique** et anti-FSH (anti-*Follicule Stimulating Hormone*), favorisant l'augmentation de l'hormone LH (lutéotropique hypophysaire)[99]. Ce qui pourrait expliquer son rôle anaphrodisiaque, vrai ou supposé.

C'est lorsqu'on constate une perte de sang par insuffisance du corps jaune ou qu'il y a un syndrome prémenstruel par hyperfolliculinie avec de l'acné commune, de l'herpès labial ou de la rétention d'eau prémenstruelle, que l'on administre le gattilier. Son action galactogogue supposée est plutôt controversée.

Le grémil ou *Lithospermum officinalis*

Sa propriété « antigonadotrophine »[100] fait utiliser le grémil dans le **syndrome prémenstruel, les règles hémorragiques de la ménopause** ou encore l'acné prémenstruel. Elle est antitumorale[101], ce qui, à notre sens, la rend intéressante pour des cas de **fibromes** à la ménopause. Elle est antithyréotrope : elle diminue l'activité de la glande thyroïde.

Quelques autres activités sont du plus grand intérêt : elle est détoxiquante et nettoie la peau ; elle est diurétique par stimulation du rein tout en calmant l'irritation des voies urinaires. Enfin, elle est antirhumatismale.

La bourrache ou *Borrago officinalis*

Elle est conseillée chez la femme énervée, présentant de l'hypertension et une toux rebelle. De plus, elle convient aussi aux sujets qui n'urinent pas assez après des infections urinaires. En acupuncture, on pourrait dire que la bourrache relâche le Rein Yang et le Yang du Cœur.

Elle aurait des **propriétés antigonadotrophiques** (anti-FSH/LH). Mais attention, comme elle est sudorifique – elle provoque la sueur et la transpiration –, elle est préconisée en période de préménopause, quand la peau est particulièrement sèche[102].

Le romarin ou *Rosmarinus*

Nous le traitons avec les anti-oxydants (voir p. 191), mais il trouve ici sa place, parce que lui aussi est **antigonadotrope**.

Le trillium

C'est la plante **progestéronique**[103] du prolapsus et de l'incontinence. Utilisée en préménopause lorsque l'utérus est congestif, les règles trop abondantes, les seins tendus et kystiques, et que surviennent des bouffées de chaleur.

Le viorne américain ou *Viburnum*

Cette plante **progestéronique**[104] est administrée en période de préménopause, quand il y a des douleurs crampoïdes dans les jambes, des règles qui ne viennent pas, accompagnées de tension mammaire, d'une irritation trop fréquente et de pesanteur abdominale. Elle est aussi stimulante de la **parathormone** qui intervient dans le métabolisme du calcium osseux.

■ *Les plantes à double potentialité hormonale*

L'ortie blanche ou *Lamnium album*

Déjà vue dans les plantes antihémorragiques[105], elle stimule la **progestérone** et les **œstrogènes**, et est également efficace en cas d'incontinence urinaire et lorsque les cycles sont retardés ou insignifiants.

Le *Sabal serrulata*

Il accroît la **progestérone** et la **testostérone**. Il faut réserver cette plante à la femme fatiguée, amaigrie, qui manque d'entrain et de désir sexuel, dont les cycles sont irréguliers et qui devient incontinente.

La salsepareille ou *Sarsaparilla*

Elle stimule la **progestérone** et la **testostérone** chez une femme rhumatisante et eczémateuse. On tire profit de ses propriétés diurétiques et d'élimination de l'acide urique[106].

L'Helonias

Elle augmente les **œstrogènes** et la **progestérone** et s'avère intéressante lorsque les jambes sont lourdes, l'utérus prolabé vers l'arrière, la digestion lente, les règles trop abondantes ou absentes.

Les plantes anti-oxydantes

Le romarin ou *Rosmarinus officinalis*

Piège à radicaux libres[107], il concourt à maintenir la qualité de la membrane cellulaire. Il est antiradicalaire et anti-inflammatoire[108].

La teinture mère est expectorante, antiseptique, tonique cardio-vasculaire, fluidifiante et antispasmodique[109]. L'huile essentielle est, de ce fait, emménagogue (elle provoque les règles). C'est en effet une excellente plante pour l'équilibration endocrinienne et le retard de règles ou les règles douloureuses[110].

Le cassis ou *Ribes nigrum*

Voir p. 184.
Il a une action anti-inflammatoire et antiradicalaire.

Le *Chrysanthellum americanum*

C'est une plante protectrice de la cellule hépatique lésée, doublée d'une action cholérétique[111]. Elle est aussi antiradicalaire et son usage est très utile dans les thérapeutiques agressives pour le foie comme dans la chimiothérapie anticancéreuse.

L'éleuthérocoque

Voir p. 185.

Les plantes anti-vieillissement

Le Ginkgo biloba

Nous avons décrit plus haut (voir p. 181) tout l'intérêt du Ginkgo biloba : il améliore la circulation cérébrale, périphérique des membres inférieurs et tonique veineux.

La petite pervenche ou *Vinca minor*

Elle a une action bénéfique sur la circulation cérébrale[112].
Les homéopathes connaissent la *Vinca minor*, mais l'emploient d'une toute autre manière.

Le panax ginseng ou *Aralia ginseng*

Voir p. 182.

Les plantes reminéralisantes

La prêle des champs ou *Equisetum arvense*

C'est une plante siliceuse[113] comme le plantin et le Polygonum aviculaire.

Elle a une action diurétique. Elle freine le vieillissement des fibres élastiques et diminue le risque artérioscléreux en cas d'hypercholestérolémie et de menace de thrombose veineuse. Elle a une action anti-inflammatoire ; on l'utilise de ce fait dans les **affections articulaires** – rhumatisme, tendinite. Sa richesse en minéraux combat la fragilité des ongles et des cheveux, et est très efficace dans des cas de **déminéralisation** où l'on met à profit sa propriété de stimulation de la parathormone. Sur le plan génital, elle diminue la congestion du petit bassin, et ses propriétés hémostatiques se déduisent de ses composés coagulants : elle peut donc être considérée comme une plante antihémorragique.

Le varech vésiculeux ou chêne marin ou *Fucus*

Très riche en minéraux[114], le Fucus permet de remédier à la **déficience endocrinienne, particulièrement thyroïdienne, au déséquilibre hormonal**, lutte contre l'obésité, la maladie fibrokystique du sein, les fibromes. Son action urinaire le rend utile non seulement dans la rétention d'eau, mais aussi dans la néphrite aiguë. Son action digestive porte sur la constipation par sécheresse et autre digestion pénible.

La renouée des oiseaux ou *Polygonum* aviculaire

La renouée[115], tout comme la prêle, n'est pas qu'une « simple reminéralisante ». Elle est, en effet, diurétique, dépurative et vulnéraire (guérit la plaie), légèrement laxative, antihémorragique et **reminéralisante**. Dans l'ensemble, cette plante est fortement antivirale[116]. Ses indications urogénitales seront donc très variées : rétention lymphatique de la cellulite, rétention urinaire, inflammation urétrale, **leucorrhée** et **pertes sanguines trop abondantes**.

Dès lors, quand en périménopause, la femme se plaint de règles trop abondantes avec des selles trop molles d'insuffisance hépatique, de cellulite envahissante, et qu'elle est sujette à la déminéralisation avec des antécédents d'herpès, la renouée des oiseaux est à prescrire.

L'ortie

Outre ses qualités citées p. 186, elle est **reminéralisante**[117], hémostatique, antianémique et légèrement diurétique.

L'AROMATHÉRAPIE

C'est une médecine douce, même si certaines des essences sont hautement toxiques... Celui qui s'en sert doit en être dûment averti. On peut la considérer comme une branche de la phytothérapie, puisqu'il s'agit bien de plantes, mais elle est une pratique à part entière, qui ne date pas d'hier.

On recense jusqu'à 800 000 espèces de plantes, mais beaucoup s'avèrent trop toxiques et ne peuvent pas être exploitées. Une plante est aromatique quand elle dégage une odeur suffisante, bonne ou mauvaise, d'où le nom d'aroma(to)thérapie[118].

Qu'est-ce qu'une essence ?

L'essence est une sécrétion naturelle élaborée par l'organisme végétal. Tout commence très simplement avec une molécule d'*eau*. Le pigment vert de la chlorophylle capte les rayons solaires. Cette énergie captée est convertie pour séparer l'eau en oxygène et en hydrogène. Le *gaz carbonique* absorbé par la plante se combine à de l'hydrogène afin de former des *sucres*. À partir de ces sucres, il y a formation de diverses molécules[119].

Qu'est-ce qu'une huile essentielle ?

Il existe une centaine de plantes à essence. Nombre de végétaux contiennent une infime proportion d'essence. Une huile essentielle est un extrait naturel de plantes obtenu lors de l'extraction qui se fait par distillation à la vapeur d'eau ou à l'aide de solvant. Cette extraction donne des molécules plus ou moins légères, plus ou moins lourdes. On retrouve les plus légères[120], les plus solubles, dans ce qu'on appelle un hydrolat aromatique.

■ *D'où viennent les huiles essentielles ?*

Nous utilisons les huiles essentielles «naturelles» par opposition à celles de synthèse, mais malheureusement aujourd'hui, plus de 90 % des essences proposées sont synthétiques.

Pour bien définir une huile essentielle, il faut connaître *l'espèce* botanique, c'est-à-dire le genre de la plante suivi d'un qualificatif. Il existe, en effet, quelques centaines d'eucalyptus, plusieurs lavandes qui ont des propriétés différentes, de même que la sauge peut être officinale ou sclarée.

Il faut connaître aussi l'organe *sécréteur :* est-ce la feuille ou l'écorce qui sécrète l'huile essentielle ?

Enfin, il faut connaître le composant[121] le plus *marquant,* le plus décisif pour l'effet général de la plante. Ainsi, le romarin est souvent suivi du qualificatif de son constituant principal : l'acétate de bornyle verbénone qui a un effet hépatoprotecteur.

La plante est la résultante «nouvelle» d'un ensemble de composants, mais n'est pas la somme arithmétique de chacun d'entre eux pris individuellement. Or, c'est cela qui fait toute la différence entre une huile essentielle synthétique – résultante d'un certain nombre de composants ajoutés les uns aux autres –, et l'huile essentielle naturelle qui est une résultante nouvelle, parfois à l'aide d'un constituant, présent pas nécessairement en grande quantité, mais donnant tout le pouvoir et toute la caractéristique de cette plante.

Tout comme le remède homéopathique a une action sur la

matière mais aussi sur l'intellect, une femme qui prend une huile essentielle présente des caractéristiques psychiques particulières, parce que l'huile essentielle a une odeur qui est en relation avec les sentiments.

Si du parfum émane une odeur, celle-ci est constituée de *particules* qui émettent des *vibrations* qui vont influer sur notre état intérieur, notre état mental. L'odeur est le reflet de ce que nous sommes au moment présent.

L'intérêt de ces substances aromatiques réside dans les propriétés multiples qu'on peut leur trouver. Outre l'activité directement gynécologique, on peut y adjoindre des qualités de stimulation du système immunitaire, d'anti-inflammatoire ou d'hépatoprotection.

Le végétal n'a pas seulement un corps physique, mais un autre corps plus subtil ; nous pourrions parler d'une force vitale supérieure appelée le **corps éthérique**.

L'essence, qui est une **énergie-odeur**, *se matérialise* en une molécule aromatique. La plante aromatique est, à ce titre, un des végétaux les plus évolués, parce qu'elle condense et matérialise une énergie liée aux sentiments.

Les huiles essentielles seront donc prescrites différemment selon que l'on veut agir sur le physique, avec des quantités pondérables, ou sur le psychisme. Les fleurs de Bach, produites elles aussi à partir de plantes aromatiques, sont prescrites à l'instar de l'homéopathie, à de très hautes dilutions.

> Les fleurs de Bach n'ont rien à voir avec le compositeur, mais avec le Dr Edward Bach. Elles sont surtout connues dans les pays anglo-saxons. Ayant remarqué que les patients souffrant d'une même maladie ou ayant un profil psychologique semblable réagissaient souvent à un remède identique, et que la personnalité de l'individu était souvent déterminante dans l'évolution de la maladie, le Dr Bach repéra des schémas de comportement selon les différents types d'individus, leurs réactions et leur personnalité. Il proposa de traiter les désordres émotionnels et mentaux pour retrouver la santé physique.

Ces quintessences florales sont obtenues à partir des fleurs cueillies au moment de leur floraison et déposées dans un bol rempli d'eau pure, laissé dans les champs, s'imprégnant du pouvoir de la plante ; à l'élément eau se mêlent les éléments terre, feu et air. Leur alliage crée un remède puissant, une eau très active dont peuvent témoigner tous ceux qui en ont bénéficié. 38 « fleurs » – encore appelées les harmonisants –, réparties en sept groupes, traitent chacune un état émotionnel particulier ou un aspect de la personnalité.

Voici quelques exemples parmi les 15 fleurs de Bach recommandées à la ménopause :

• *Walnut ou noyer* : c'est une efflorescence clé dans toute période d'adaptation, car elle permet de prendre de la distance par rapport à ce bouleversement. La femme qui est très sensible psychologiquement et émotionnellement ressent généralement les changements hormonaux de manière beaucoup plus violente et réactive.

• *Willow ou saule* : pour celles qui voient tout en noir, qui sont très négatives, quand la ménopause est vécue comme un rejet, une perte de sa place dans la société. Excellent contre les ressentiments, pour retrouver un sentiment positif de tolérance, calmer l'irritabilité.

• *Mustard ou moutarde* : en cas de dépression ou lorsque survient un accès de sentiment d'insécurité très perturbant.

• *Wild rose ou églantier* : pour celles qui manquent totalement de vitalité et sont abattues par ce changement.

• *Scleranthus ou alène* : pour lutter contre l'indécision et contre toute forme de déséquilibre.

• *Larch ou mélèze* : pour retrouver la confiance en soi.

Combien coûtent les huiles essentielles

Le prix prohibitif des substances aromatiques est peut-être dû en partie aux nombreux coûts annexes – notamment de marketing – des sociétés qui les produisent. Il n'en reste pas moins qu'il faut distiller quelque 3 000 kg de fleurs pour obtenir un litre seulement de certaines huiles essentielles. Comme pour les plantes en phytothérapie, il est important que les huiles essentielles soient d'une qualité irréprochable. Pour vous en assurer, demandez des adresses de fournisseurs à votre médecin.

■ *Les principales huiles essentielles*

Le cyprès toujours vert ou *Cupressus sempervirens*

On sait souvent qu'il est régulateur de sueurs et qu'il peut faire venir les règles, mais on ignore souvent que c'est un équilibrant général et neurotonique, antispasmodique, qu'il stimule le système immunitaire. En cas de rhumatisme, on peut l'associer avec le genévrier ou juniperus.

C'est une huile essentielle[122] très précieuse à la ménopause par ses **propriétés œstrogéniques** qui la rendent active sur les bouffées de chaleur et le système vasculaire, en équilibrant le tonus nerveux. Ainsi une femme qui a toujours eu une vie bien remplie, y compris sur le plan sexuel et qui, à la ménopause, passe par une crise sentimentale, retrouve, grâce au cyprès, son dynamisme, son équilibre.

Le romarin ou *Rosmarinus officinalis*

Le romarin est bien connu comme cholagogue et cholérétique, c'est-à-dire comme draineur de la vésicule biliaire ; il est associé avec la sarriette – *Satureja montana* – dans les problèmes intestinaux et surtout dans les infections génitales. Tandis qu'en association avec Salvia, il est lipolytique, hypocholestérolémiant. Le romarin est **œstrogénique** et puissamment **anti-oxydant** (voir p. 191). Pour l'artériosclérose, on peut l'associer avec *Helichrysum italicum*. Il est un stimulant endocrinien, lutte contre les dépressions nerveuses, les angoisses, les spasmes digestifs et la colite – il est administré alors avec *Ocimum basilicum*.

C'est un ami des femmes, car il combat les affections de la peau (il entre dans la composition de « l'eau de Cologne »). Antispasmodique, il régularise les règles et, en association avec *Salvia* (encore !), guérit les pertes blanches.

Il existe **trois types** de romarin aux propriétés différentes :
– Le **romarin officinal ABV**, le plus connu, c'est-à-dire romarin

acétate de bornyle verbénone[123]. Il convient à celle qui a des problèmes de vésicule biliaire avec un **excès de cholestérol** et qui manifeste quelques spasmes digestifs, voire une légère dépression nerveuse.

– Le **romarin officinalis 1-8 cinéole**[124] est peut-être moins connu. Alors que le romarin ABV est surtout administré par voie orale, le 1-8 cinéole s'utilise surtout par voie externe pour ses **propriétés** antalgiques dans les affections rhumatismales et **activatrices de la circulation** où il fait merveille.

– Le **romarin officinal à camphre**[125] donne une huile hypotensive à faible dose. Elle vient à bout d'une **hypertension rebelle**, mais elle est aussi hypocholestérolémiante, tonicardiaque en association avec l'hélichryse, a une action de relaxation musculaire couplée avec le cyprès, et antirhumatismale dans l'arthrose de la colonne jointe à l'*Hypericum*. C'est un **emménagogue** (provoque les règles) non hormonal, à utiliser durant la ménopause, quand les règles s'espacent.

La menthe poivrée ou *Mentha piperata*

C'est un tonique[126] de **tous les organes** sans exception, y compris de l'utérus. Antispasmodique, elle agit sur les douleurs des règles ; et elle est mucolytique : elle dissout les glaires. C'est un très bon antiseptique, bactéricide et anti-inflammatoire, notamment pour la cystite – en association avec le santal ou la sauge. On ne s'étonnera pas non plus de ses propriétés cholagogue, stimulante des fonctions digestives dans la constipation ou encore anti-anémique. Elle combat les crampes et l'aérophagie, les gonflements et les ballonnements. Son action est **analogue à celles des hormones**, en favorisant les règles par régulation ovarienne. À la ménopause, elle est idéale pour toutes celles qui ont un taux de cholestérol élevé avec des difficultés digestives et des cystites à répétition.

La lavande ou *Lavandula*

On emploie, principalement, trois lavandes dont on n'utilise que les fleurs :

– **La lavande vraie ou *Lavandula vera*.**[127]

C'est un bon antispasmodique, anti-inflammatoire, décongestionnant et désinfectant – efficace pour les mycoses cutanées. C'est aussi un tonicardiaque utile en cas d'asthme. Le rhumatisme et la goutte peuvent être améliorés par la lavande officinale. En teinture mère ou en huile essentielle, elle est excellente pour l'estomac, le foie et la rate, pour les vertiges avec **hypertension**, les migraines, les nausées et les **bouffées de chaleur.**

Bien que dépourvue de toxicité, elle est surtout active par voie cutanée où elle excelle dans les maladies de la peau comme l'eczéma, notamment périnéal ou périanal. En tant que **calmant** du système nerveux, la lavande est un régulateur des tachycardies et des troubles du sommeil. Elle est indiquée pour la chute des cheveux.

– **La lavande spica ou *Lavandula spica***[128], ou lavande aspic (du nom de la vipère).

Cette lavande est anticoagulante, antispasmodique et **emménagogue** : elle provoque les règles, en cas de cycles longs avec règles douloureuses durant la préménopause. Anti-infectieuse, elle agit sur le staphylocoque doré, et est antimycotique aussi bien dans les intestins que sur la peau. Elle est encore antinévralgique, antirhumatismale et immunostimulante. Elle est aussi employée pour éviter la thrombose.

– *Lavandula stœchas.*

Cette lavande, très coûteuse, a des propriétés anti-infectieuses, notamment contre un microbe comme le *Pseudomonas œruginosa* qui sévit dans des **infections urinaires** ou **gynécologiques.**

Le thym vulgaire ou *Thymus vulgaris*

C'est une plante stimulante et tonique chez la déprimée, hypotendue et apathique, angoissée. Elle *rétablit les règles déficientes* des femmes à la préménopause. On l'a dite aphrodisiaque. Elle soigne en usage externe la leucorrhée. Elle améliore les vertiges et autres bourdonnements d'oreille, et calme tous les spasmes, de l'estomac, des palpitations cardiaques, et l'insomnie. Elle favorise la miction et a un étonnant pouvoir antiseptique.

Voyons les différentes sortes de thym :

– Le thym à thymol.[129]

Il est préconisé pour ses propriétés anti-infectieuses à large spectre, dans les **infections à répétition, urogénitales** et gastro-intestinales où il stimule le transit gastro-intestinal – avec la menthe et le laurier noble. Le thymol est 30 fois plus bactéricide que le phénol. Il agit là où l'immunité fait défaut, comme dans les cystites à répétition et dans l'arthrose.

– Le thym à linalol.[130]

Il est tonique, aphrodisiaque, antidépresseur et anxiolytique en cas de claustrophobie[131]. Il stimule l'immunité face aux cystites, et aux vaginites à candida et à staphylocoques. Il régularise l'appétit.

On peut l'associer avantageusement à la *Ravensara* ou au romarin ABV.

– Le thym à thuyanol.[132]

On retrouve, dans thuyanol, le mot thuya. Les familiers de l'homéopathie savent que le thuya est antiverrues : il est donc virucide, bactéricide. Il est même utilisé contre le fameux *Chlamydiæ*. Il est tout aussi efficace dans des infections telles que la sinusite, la cystite, l'endométrite, la salpingite ou les condylomes vénériens.

Il est enfin, comme tous les thyms, un immunostimulant, puisqu'il favorise la production des immunoglobulines A, un anti-diabétique, puisqu'il renferme du chrome et un stimulant du foie.

Les différentes sortes de thym sont excellentes pour toutes les femmes qui, les problèmes de la ménopause mis à part, souffrent d'infections urinaires et gynécologiques diverses.

La sarriette ou *Satureja montana*

Elle stimule[133] l'intellect, la digestion, les intestins (combat les flatulences et est laxative), permet d'évacuer les sécrétions encombrantes des bronches, de la corticosurrénale. Paradoxalement, elle calme les crampes d'estomac, les diarrhées de toutes natures et **provoque les règles**. En remontant la tension, elle supprime la fatigue. Comme le thym, elle est anti-infectieuse, antivirale, antiparasitaire, aussi bien urinaire que génitale ou intestinale.

La présence du phénol explique qu'on préfère l'utiliser par voie buccale, plutôt que par voie cutanée, mais à raison de 1 à 3 gouttes par gélule – et pas plus – pour éviter l'irritation.

La *Satureja* est bien contrôlée par le romarin ABV et aura tendance à s'emballer si on l'associe à la menthe poivrée.

Cette huile essentielle est **stimulante hypophysaire**, préconisée à la ménopause pour les femmes en déficit hormonal, fatiguées, nerveuses et se plaignant de flatulences.

La marjolaine ou *Origanum majorana*

Ses effets sont fonction des doses employées[134]. À petites doses, elle stimule la digestion et est un tonique de l'estomac et de l'intestin. Elle dégage les voies respiratoires encombrées par les sécrétions et apaise l'irritation de la vessie.

À doses moyennes, elle est stimulante en cas de **retard de règles** peu abondantes et accompagnées de crampes.

À doses plus fortes, elle stoppe les **spasmes**, réduit la tension nerveuse et l'anxiété.

Exemple de traitement.

Marjolaine avait 40 ans. Son cœur battait trop vite, et quand le stress était trop grand, elle était prise d'oppression, de brûlures d'estomac ou de spasmes avec des selles molles. À d'autres moments, l'agitation laissait la place à un état de dépression avec envie de ne rien faire. Ses nerfs craquaient, elle doutait d'elle-même et n'avait plus la force de se révolter contre son patron ou contre la société en général. Parfois, elle était tenaillée par une cystite à colibacilles (il lui était même arrivé d'avoir un staphylocoque doré dans les urines). Une cure d'*Origanum majorana* en huiles essentielles l'a remise sur pied. Elle a retrouvé son autonomie et sa joie de vivre.

L'immortelle ou *Helichrysum italicum*

Active sur la circulation, l'immortelle[135] fait merveille chez ces femmes qui sont sujettes aux bleus. Désclérosante, elle **combat la cellulite** et les cicatrices hypertrophiques et disgracieuses. Elle fait baisser le taux de cholestérol. Elle est antirhumatismale, anti-inflammatoire et puissamment antispasmodique (avec dilatation des coronaires), mais aussi mucolytique, ce qui la rend efficace dans les bronchites, rhinites, sinusites et dans les problèmes gynécologiques. Comme la mélaleuque, elle est antivirale – dans le papillomavirus et l'herpès, antifongique et antiparasitaire.

La cannelle de Ceylan ou *Cinnamomum zeylanicum* ou *Verum*

La cannelle de Ceylan[136] est un tonique et un **stimulant sexuel**, donc aphrodisiaque et emménagogue, fluidifiant par la coumarine qu'elle contient. Elle convient, en particulier, aux personnes dévitalisées, trop introverties, anémiées, amaigries, souffrant de leucorrhées, de vaginite et d'oligoménorrhée.

La cannelle stimule le système digestif en cas de constipation, d'aérocolie et même d'entérocolite, le système immunitaire par augmentation des immunoglobulines A, et combat les fermentations en association avec *Eugenia caryophyllata*. Il n'est pas étonnant de l'administrer dans des cas de pyorrhée alvéolo-dentaire. Elle est antiseptique, antibactérienne, antivirale, antifongique. La forme « feuille », riche en eugénol, est à préférer dans les cas de salpingite, stomatite, cystite, entérocolite, précisément au moment où le caractère infectieux est prédominant. Son pouvoir anti-infectieux et immunostimulant explique son action contre la colibacillose urinaire et la candidose ou moniliase chronique.

Les clous de girofle ou *Eugenia caryophyllus*

Le girofle est *antiseptique*[137], virucide et bactéricide à large spectre d'action grâce au phénol, antiparasitaire. Il est efficace contre les entérocolites virale et bactérienne, la dysenterie amibienne et dans la sphère gynécologique, la salpingite, l'endomé-trite, la cystite et les mycoses à répétition. C'est aussi un *anti-asthénique*, combattant la somnolence au volant ainsi que l'hypo-tension. C'est un léger aphrodisiaque et un remarquable tonique utérin favorisant la dilatation utérine – avec la cannelle[138]. Il est immunostimulant par augmentation des gammaglobulines. Il agit aussi sur la *dysrégulation thyroïdienne* et la polyarthrite rhumatoïde.

Cette huile essentielle, à action très polyvalente, trouve sa place dans le traitement de la périménopause.

L'orange amère ou bigaradier ou bergamote ou *Citrus aurantium*

On utilise plusieurs de ses constituants :

– La **fleur** contient l'essence de neroli-bigaradier. On en fait de l'« eau de fleur d'oranger », calmante, somnifère et, néanmoins, sti-mulante sexuelle, en cas de désintérêt sexuel ou de frigidité.

– La **feuille** ou petit grain bigarade (PGB) de l'oranger amer[139] a une très bonne activité spasmolytique chez la femme nerveuse, anxieuse ou dépressive, dont le spasme peut tout aussi bien être cardio-vasculaire dans la *dystonie neurovégétative* avec palpita-tions, que dû à la colique spasmodique avec flatulences, ou enfin articulaire chez la personne souffrant d'arthrose. C'est parce qu'il est tonique, stimulant et excitant qu'il aide l'estomac et libère les gaz intestinaux en cas de constipation. Il constitue un excellent adjuvant, en période de ménopause.

– Le **zeste** ou couche externe de l'écorce[140]. C'est un anti-septique à large spectre, calmant des maux de ventre. Sa très belle action régulatrice au niveau de l'**hypothalamus** explique proba-blement son activité dans la dystonie neurovégétative et dans la dépression si fréquente à la ménopause.

Le laurier noble ou *Laurus nobilis*[141]

C'est un expectorant, un mucolytique, y compris pour les pertes blanches, un antiviral contre l'herpès ou le *Chlamydiæ*, un anti-infectieux et un bactéricide génito-urinaire ou broncho-pulmonaire. Il est immunostimulant par augmentation des bêta- et des gammaglobulines. C'est un grand remède psychologique, équilibrant et *antidépresseur*, un tonique cérébral et un anxiolytique, à utiliser au moment de la ménopause chez la femme dépressive, sujette à des infections diverses.

C'est un remède de la diathèse manganèse-cobalt (voir p. 242) qui tempère l'affectif de l'oranger amer et s'associe bien avec *Ravensara aromatica*.

Le ravensare aromatique ou *Ravensara aromatica*

Sa composition est assez voisine de celle du laurier noble. C'est une huile essentielle *antivirale* pour l'herpès et le zona, *stimulante* dans des cas de dépression ou de stress, décontractante musculaire et *spasmolytique*[142]. C'est donc un remarquable remède contre l'*insomnie*, surtout en action locale parce que sa résorption est également tout à fait adéquate.

Le ravensare anisé ou *Ravensara anisata*[143]

Riche en substances **œstrogéniques**, c'est une huile essentielle de choix à la **préménopause**, parce qu'elle pourrait, en période charnière, faire revenir les règles et augmenter le volume des seins.

Le fenouil ou *Fœniculum vulgare*

Si l'huile essentielle[144] et les semences stimulent le péristaltisme de l'intestin dans la constipation par paresse intestinale, l'ensemble du fruit combat, au contraire, les crampes intestinales, aide à la libération des gaz intestinaux et combat l'aérophagie. Il draine aussi le foie. On ignore souvent qu'il est antispasmodique (il facilite les règles et fait venir le lait ou résorbe les engorgements du sein), tonique et stimulant par sa racine, diurétique par les sels de potassium. Enfin, son principal intérêt, à la ménopause, est qu'il contient des **substances analogues aux œstrogènes (*les phytohormones*)**.

Le fenouil est très bénéfique pour une femme qui, en pré-ménopause, a des règles de plus en plus irrégulières, voire absentes, qui a des palpitations, un faux-angor, c'est-à-dire qu'elle est spasmophile, et qui souffre, de plus, des troubles digestifs décrits ci-dessus.

L'anis vert ou *Pimpinella anisum*

Il est reconnu comme ayant des **effets analogues à ceux des œstrogènes**, c'est un excellent spasmolytique pour les règles douloureuses, régulières ou irrégulières, à utiliser surtout en préménopause. Moins puissant que le fenouil, l'anis vert est un grand ami de l'appareil digestif lors de fermentations excessives. Il est bien connu que l'essence de ces fruits donne un apéritif, connu sous des appellations diverses...

L'eucalyptus

– L'eucalyptus citronné (feuilles) pour l'hypertension et l'arthrite inflammatoire du tennis elbow.
– L'eucalyptus globuleux officinal (feuilles) pour le syndrome inflammatoire respiratoire bien connu.
– L'eucalyptus à fleurs multiples à crypstone (feuilles) en cas de dysplasie du col, de condylomes.

On voit tout le parti que l'on peut tirer des huiles essentielles qui, outre les propriétés analogues à celles des œstrogènes de certaines d'entre elles, auront d'autres qualités bien utiles au cours de la ménopause. Songeons à leur action dans les troubles neuro-végétatifs et la dépression, leur lutte contre la constipation et les spasmes digestifs. Certaines ont d'étonnantes propriétés antibiotiques. Plus d'une est antirhumatismale. Même l'immunité n'est pas oubliée. Leur composition explique leur efficacité. Mais leur dosage demeure du ressort du spécialiste.

L'HOMÉOPATHIE

L'homéopathie est une approche médicale qui, pour le dire simplement, se propose de soigner le mal par le mal. Les symptômes présentés par un malade sont donc traités par l'emploi à dose très faible de « drogues » qui provoqueraient chez l'homme sain des signes de la même pathologie. Admise par Hippocrate, elle a été expérimentée au début du XIXᵉ siècle par Hahnemann, qui en a formalisé les principes et la pratique, plus complexe que l'on ne l'imagine.

Les grandes lois de l'homéopathie

■ *La première loi : la similitude*

Nous reprenons ici l'idée que l'on se fait, en général, de l'homéopathie : toute substance susceptible expérimentalement de provoquer chez des sujets sains une série de symptômes est capable cliniquement de guérir un sujet malade présentant les mêmes symptômes.

Le trouble ou la maladie évolue du sensoriel au lésionnel – d'abord réversible puis irréversible – en passant par le fonctionnel.

■ *La deuxième loi : il suffit de trois symptômes de valeur maximum pour trouver le remède*

Parmi l'ensemble des symptômes, l'homéopathe en recherche trois importants ; trois symptômes banals ne permettent pas, à eux trois, de déterminer le remède.

Il est à noter que l'ensemble des symptômes de la maladie, à un moment donné, est différent de la totalité des symptômes, c'est-à-dire tous les symptômes depuis le début de la maladie, y compris ceux qui ont disparu. Mais certains symptômes sont dits « universels », ce sont les symptômes héréditaires, ceux qui sont apparus depuis la naissance jusqu'à la fin de cette maladie.

L'état du patient s'améliore quand les symptômes évoluent de haut en bas, du dedans vers le dehors (par exemple, quand l'asthme se transforme en eczéma), et disparaissent dans l'ordre inverse de leur apparition : les derniers venus sont les premiers à partir.

■ *La troisième loi : la dynamisation*

Les remèdes homéopathiques ont été choisis aussi bien dans le règne végétal, qu'animal[145] ou minéral. Plus la similitude est grande entre les symptômes du malade et les caractéristiques « symptomatiques » du remède, plus la dynamisation sera grande.

L'échelle de déconcentration est le plus souvent centésimale : une goutte de TM – teinture mère provenant de l'extraction de la plante – est diluée dans 99 gouttes de solvant, généralement de l'éthanol à 70°. Après dynamisation (de violentes secousses sont imprimées au flacon), on obtient la première centésimale. Une goutte de la première centésimale (1 CH), diluée dans 99 gouttes de solvant, donne la deuxième centésimale (2 CH), et ainsi de suite…

Les dynamisations basses vont de 1 à 5, les moyennes de 7 à 12, les élevées de 15 à 30.

On parle parfois de K et non de CH. Il s'agit alors de la préparation codifiée par Korsakov, souvent une dilution au centième.

■ *La quatrième loi : l'individualisation*

Il n'y a pas de recette en homéopathie. Chaque malade réagit *à sa manière*, et ce sont **ses** symptômes *groupés* qui vont décider du remède le plus adéquat.

Chaque malade ne présente pas *tous* les symptômes du remède. Même si deux patientes présentent la *même maladie*, elles ne recevront pas nécessairement le *même remède*.

Parmi les signes les plus valables, les plus intéressants sont ceux qui sont instinctifs, qui échappent à la volonté, comme les règles, la sexualité, les désirs alimentaires, les signes psychiques. Les signes les moins valables sont ceux qui sont banals, comme la fatigue après une nuit d'insomnie, par exemple.

Le remède homéopathique

Le *similimum* – du latin *similimus* qui signifie le plus semblable – est le remède homéopathique. Par extension, le malade prend le nom du remède. Certains remèdes, comme China, Graphites, Lachesis, Sepia, Silicea, sont des remèdes dits profonds parce qu'ils intéressent plusieurs fonctions générales, ont une durée d'action longue et modifient le sens physiopathologique. D'autres ont une action plus ponctuelle. Enfin, selon la dilution adoptée, ils auront une indication différente. En général, plus la dilution est grande, plus l'action est profonde.

Trois catégories de maladies chroniques

Hahnemann avait réparti les maladies chroniques en trois catégories ou diathèses (du grec *diatesis* qui signifie disposition du corps, état de santé, tempérament).

■ *La Psore*

Elle est caractérisée par une alternance morbide ou par un retour périodique des symptômes, avec bien souvent un point de départ, la suppression d'une affection et son remplacement « alternatif » par un autre symptôme. L'exemple le plus classique et reconnu en médecine allopathique est la suppression de l'asthme et son remplacement par un eczéma, ou le contraire. La Psore correspond à un ensemble de troubles dus à une intoxication exogène ou endogène aboutissant à une surcharge progressive, aggravée par une élimination insuffisante au niveau des émonctoires.

On trouve aussi dans la Psore des troubles essentiellement fonctionnels de l'asthénie, une mauvaise thermorégulation et un psychisme empreint d'anxiété.

Les remèdes psoriques décrits sont : Ambra grisea, Carbo, Gelsemium, Graphites, Lachesis, Lycopodium, Petroleum, Sepia, Sulfur, Thuya.

■ *La Sycose*

Elle provient de la suppression d'un écoulement urogénital, peut faire suite à une thérapeutique inadéquate et atteint le système lymphatique. Il y a une mauvaise défense des portes d'entrée et infiltration hydrique des tissus.

Quelques manifestations de la Sycose :
- Prolifération cellulaire anormale comme on en voit dans le fibrome, les kystes, les verrues.
- Catarrhe chronique des muqueuses.
- Infiltration et mauvaise régulation hydrique.
- Tendance dépressive avec peur phobique.
- Sueurs grasses fétides avec, malgré tout, de la pâleur.

Les remèdes indiqués pour les sycotiques sont : Aurum, Graphites, Lachesis, Lycopodium, Sepia, Silicea, Sulfur, Thuya.

■ *La Luèse*

Causée par des maladies génitales et par l'alcoolisme, elle est caractérisée par des indurations, des ulcérations, la sclérose des tissus et l'apparition tardive d'exostoses. Les maux sont aggravés la nuit.

Appartiennent à la Luèse : Aurum, Carbo animalis, China, Conium, Graphites, Sulfur.

La ménopause est plus ou moins bien vécue. La transition peut être harmonieuse ou, au contraire, des sentiments aussi divers que l'agressivité, l'hypersensibilité, la dépression peuvent apparaître. Or, nous avons vu que les symptômes psychiques – qui précisément abondent à la ménopause – faisaient partie des plus importants pour la recherche du remède. L'homéopathie est donc une thérapeutique de choix.

Trois constitutions

Il y a trois constitutions en homéopathie qui sont imprimées dans le corps dès le départ : la carbonique, la phosphorique et la fluorique qui auront une ménopause différente. La carbonique est plutôt courtaude, la phosphorique est plutôt longue, et la fluorique se développe de manière irrégulière. Le médecin juge par la constitution et le comportement à quel type de ménopause il a affaire.

À la constitution carbonique correspond Calcarea carbonica.
À la constitution phosphorique correspond Calcarea phosphorica.
À la constitution fluorique correspond Calcarea fluorica.

■ *La carbonique*

Elle est plutôt rondelette et bien dans sa peau. Elle a les pieds sur terre et dégage de l'optimisme et de la chaleur. Elle suit plus ou moins les recommandations médicales.

Elle est bien souvent obligée d'avouer qu'elle a fait un « petit écart », particulièrement en ce qui concerne les fromages, de telle sorte que l'hypertension, le diabète, les troubles vasculaires et l'artériosclérose, risquent de la guetter.

La carbonique passe bien la période de sa ménopause, même si son poids augmente quelque peu. Sa transpiration, surtout nocturne, lui fait rechercher une place fraîche dans le lit. Les maux de tête qu'elle avait avant ses règles peuvent réapparaître ou s'exacerber, des démangeaisons s'installent.

> Comme remède dit « de terrain », son état pourrait être amélioré par **Sulfur**.

■ *La phosphorique*

Elle est longiligne, type mannequin. Très imaginative, un rien capricieuse, elle se fatigue très rapidement, elle est vite au bout du rouleau, d'autant plus qu'elle attrape froid facilement. Elle est d'ailleurs une grande frileuse aux extrémités glacées et est régulièrement spasmophile. Au moindre écart alimentaire, c'est son foie ou ses intestins qui pâtissent.

La phosphorique n'a jamais eu de grands problèmes de poids. À la ménopause, elle aura très peu tendance à grossir et, si d'aventure, elle prend quelques kilos, un régime bien approprié en viendra vite à bout. Attention au spleen qui peut la guetter et au regret improductif du passé.

> Son remède de terrain est **Ignatia** pour son instabilité du système nerveux neurovégétatif qui l'aide quand elle est en lutte contre tant de contrariétés.

■ *La fluorique*

Elle possède un caractère instable, elle est du genre rebelle insoumise. On a dû la conduire chez l'orthodontiste. Elle change fréquemment d'école, d'orientation professionnelle, d'amis. Adulte, elle aura facilement des varices disgracieuses. Elle peut être géniale ou décevante : le meilleur côtoie le pire.

L'humeur de la fluorique passe par des hauts et des bas. Sa sexualité aussi : elle oscille entre les désirs sexuels accrus et le refus d'elle-même dans un sentiment de désaveu, pouvant l'entraîner à un excès de boisson ou à une ingestion abusive de médicaments, notamment des antidépresseurs.

> Le *Lachesis*, pour personne fatiguée le matin et en forme le soir, vient à la rescousse, car il régule les poussées congestives occasionnant l'hypertension, pour autant que d'autres caractères soient présents pour compléter le tableau.

Une thérapeutique de choix

L'homéopathie est une thérapeutique de choix à la ménopause. Ce cap est plus ou moins bien vécu, harmonieusement ou troublé de symptômes physiques et de sentiments négatifs : agressivité, hypersensibilité, dépression. Or, les symptômes psychiques, qui abondent alors, sont de première importance, on l'a vu, pour la recherche du remède.

Il n'y a pas qu'un seul remède à la ménopause, mais on pourrait dire que chacun des remèdes homéopathiques s'applique éventuellement à la ménopause avec, néanmoins, une certaine restriction : les remèdes qui sont évoqués plus loin ont des caractéristiques « ménopausiques », c'est pourquoi ils sont à prescrire principalement lors de cette période de la vie de la femme.

Cela étant dit, une patiente qui présente des signes de Gelsemium peut résoudre ses problèmes avec ce remède, la patiente Graphites a des symptômes tout à fait différents de la patiente Gelsemium et résout ses problèmes avec le remède Graphites.

Le remède est donc tout à fait spécifique d'une patiente bien particulière qui présente en totalité ou en majorité les symptômes dudit remède.

On a coutume de dire que l'homéopathie requiert un certain temps pour que ses résultats soient visibles. Mais ce n'est pas toujours le cas, chacun connaissant l'arrêt quasi immédiat de symptômes sous l'effet d'un traitement homéopathique bien adapté. Cependant, prendre le temps de réagir au remède homéopathique ne veut pas dire qu'il faille laisser se dérouler la maladie en y assistant les bras croisés. Il s'agit de réagir ponctuellement et le plus rapidement possible devant chacun des symptômes – des indices, si ténus soient-ils. Ceci va à l'encontre des médicaments allopathiques qui, bien souvent, ont une large zone d'activité, ainsi qu'une très grande efficacité.

Des types cliniques très dessinés

Il existe, en homéopathie, des types cliniques bien dessinés. Nous nous y référons lorsqu'ils correspondent à un remède très classique de la ménopause (par exemple, Lachesis ou Sepia).

■ *Quelques exemples*

Lachesis

Il est souvent considéré comme un maître remède à la ménopause. Pourquoi?
Nous savons que le Lachesis est un venin de serpent.
Le symbolisme du serpent remonte à la nuit des temps. Dans l'Ancien Testament, le serpent joue d'abord un rôle négatif. Il symbolise les entités spirituelles, l'homme accédant grâce à lui à la faculté de connaissance, qui lui permet d'acquérir l'autonomie et la liberté. Dans l'Égypte ancienne, le serpent était également synonyme de puissance et de dignité. Il se trouvait au milieu du front du pharaon et symbolisait son inspiration.
Le côté négatif du serpent signifiait que l'homme se détachait du monde spirituel à cause de la connaissance qu'il avait acquise de son monde terrestre. Le serpent est lié à la médecine, puisque le dieu de la médecine, Hermès ou son équivalent romain Mercure, sont représentés avec le « caducée », une baguette autour de laquelle s'enroulent en sens opposé deux serpents. Ce sont eux qui

confèrent à Hermès le pouvoir de lier et de délier, principes fondamentaux de l'art de guérir. Par la suite, le pouvoir de guérir a été transmis à un demi-dieu, Asclépios. Il a aussi une baguette mais elle n'est dotée que d'un seul serpent, ce qui la lie à la terre et donc à l'homme.

Le serpent est un animal rampant qui ne peut pas se dresser. Pour pouvoir se dresser, il a besoin d'un axe, d'un tuteur. Pour l'homme, cet axe est donné par le courage, la confiance dans le destin, l'assurance et la détermination de s'engager dans la réalisation d'un objectif supérieur.

Serpent et colonne vertébrale

Le serpent n'est que colonne vertébrale. Il est dépourvu de membres.

L'âge venant, lorsque le spirituel en l'homme se détache progressivement de la vie terrestre, l'intérêt pour le corps physique s'estompe peu à peu avec pour conséquence l'ostéoporose, le dos voûté de la vieillesse. Il faut, alors, développer un nouvel élan d'intérêt du Moi pour son squelette.

Portrait physique et psychique de la femme Lachesis

Lachesis a des règles peu importantes et si elle en a, ce sont des règles de sang foncé avec des ecchymoses spontanées. Cette absence de règles peut survenir à la suite d'un choc affectif ou d'un deuil, ou également à la suite d'une ablation de tel ou tel organe.

Il existe, chez elle, une intolérance à tout ce qui serre au niveau du cou – elle ne supporte pas un col montant – ou à la taille – elle ne supporte que difficilement une ceinture serrante.

Si la sensation de constriction siège à la gorge, cela pourra être un remède de goitre ou d'angine. Si la sensation se manifeste au niveau des membres inférieurs, c'est alors un remède de varices principalement du côté gauche ou de trouble de l'ovaire gauche. Toutes ces sensations de constriction font que Lachesis a besoin d'air frais et qu'elle supporte très mal ses bouffées de chaleur, lesquelles s'accompagnent d'une sensation de battement dans la tête et de faiblesse du cœur.

C'est un remède des démangeaisons à l'anus ou à la vulve quand doivent survenir les règles.

Il n'y a cependant pas que des inconvénients sur le plan physique puisque la patiente Lachesis, tout comme Graphites, Calcarea carbonica et Sanguinaria, risque très peu l'ostéoporose.

Dans le domaine psychique, Lachesis alterne entre nervosité, excitation, et bavardages incessants, et un certain mutisme avec langueur. Ne l'appelle-t-on pas, d'ailleurs, *Lachesis mutans* ?

Modalités particulières de ce remède

Lachesis est aggravée par la chaleur sous toutes ses formes : confinée dans un grand magasin, dans un ascenseur. Ces bouffées de chaleur sont ressenties plus particulièrement le matin, au réveil, et plus intensément lorsqu'elle a subi une déception la veille. L'amélioration de son état s'effectue dès qu'elle est au grand air, ou le soir, ou encore la nuit.

Lachesis fait partie d'une association avec Asterias rubens et Amyl nitrosum.

Asterias rubens

Psychiquement, c'est une patiente irritable, qui ne supporte pas la contradiction, dont l'état s'aggrave la nuit où elle a trop chaud et si elle a bu du café. Elle souffre d'une violente congestion cérébrale qui lui fait mal ; Asterias rubens est d'ailleurs un remède d'ictus apoplectique. Comme Lachesis, ses règles sont en retard et d'ailleurs peu abondantes. De manière caractéristique, elle présente bien souvent de la mastose, une congestion des seins : une mastose gauche dans un sein fibreux induré avec des irradiations dans le dos et dans le bras du même côté. On s'oriente encore plus vers ce remède si l'on diagnostique un ovaire malade, du même côté que le sein.

Amyl nitrosum

C'est une femme au visage rouge et chaud, qui éprouve une subite sensation d'éclatement de la tête, parce que survient une dilatation artérielle qui s'accompagne d'angoisse. Elle se plaint d'un battement des carotides, des tempes, de tout le corps, d'une accélération cardiaque et d'extra-systoles. Comme chez Lachesis, elle éprouve une sensation d'étouffement quand un vêtement la serre au cou. Elle a tellement chaud qu'elle ouvre portes et fenêtres, même par temps très froid. Elle est hypotendue.

Psychiquement, elle se soucie excessivement des autres, et la moindre émotion aggrave son cas. Les *flushes* provoquées par la moindre émotion commencent à la face, au thorax et sont suivies de transpirations diffuses ; ses extrémités sont glacées.

Même en allopathie, c'est un remède d'angine de poitrine.

Glonoïnum, Sanguinaria, Strontium Carbo sont des remèdes associés

– **Glonoïnum** est composé des initiales GL(ycérine) O(xygène) N(itrogène) : la nitroglycérine utilisée en allopathie sous le nom de Trinitrine. C'est une Belladonna aggravée.

Les maux de tête de la patiente Glonoïnum sont congestifs, sa tête est rouge et chaude, parce qu'elle est hypertendue, volubile et nerveuse, elle n'a plus ses règles et présente une sensation de gonflements. Elle a des sueurs aux extrémités qui sont froides et pâles, des palpitations et une sensation de battements dans tout le corps et à l'occiput. Elle a des troubles visuels, des bourdonnements d'oreilles et des vertiges. Comme Lachesis, elle présente une oppression respiratoire, ne tolère pas les cols serrés, et perçoit une amélioration au grand air. Par contre, son état s'aggrave au soleil, lors de bains trop chauds, et si elle boit de l'alcool.

– **Sanguinaria**. C'est une femme *migraineuse* – migraine droite périodique – du week-end qui a des bouffées de chaleur avec des pommettes rouges et qui saigne à cause de la présence de polypes utérins. À l'arrêt des règles, elle a des douleurs abdominales, de la tension mammaire et des pertes irritantes. Le tableau se complète de troubles respiratoires, de polypes nasaux, de sensibilité au pollen, de troubles diarrhéiques et de périarthrite scapulo-humérale droite, comme chez Ferrum.

Ces caractères font la différence avec Glonoïnum, parce que

comme chez celle-ci, le soleil est moins bien supporté et provoque plus facilement des céphalées avec les yeux et les mains qui brûlent.

– **Strontium carbonicum**. Cette femme colérique et acariâtre a des règles trop brèves. Si elle a des troubles mineurs, ce sont les bouffées de chaleur à la tête avec des maux de tête, accompagnés de cette sensation tellement fréquente d'engorgement et de fourmillement dans les mains et les bras. Quand le problème se complique, elle présente des spasmes artériels un peu partout : angine de poitrine, hypertension, spasmes auditifs, d'où les bourdonnements. Si les spasmes sont musculaires, elle présente des crampes dans les jambes et dans les pieds, ce qui rend la marche difficile. Elle a des spasmes à l'anus. Elle a une contracture douloureuse de la nuque et des spasmes aux paupières. Si le tissu osseux et fibreux est atteint, elle peut souffrir de rhumatismes au genou et/ou à l'épaule.

Son état peut s'aggraver avec le froid sous toutes ses formes, vu les spasmes et l'atteinte rhumatismale ; mais avec le chaud (soleil, bain chaud), il risque de s'améliorer, à l'inverse de Lachesis.

Il est fort intéressant de noter que même en allopathie, on préconise aujourd'hui Strontium carbonicum pour des problèmes de ménopause et de troubles osseux.

Lilium tigrinum (lys tigré)

Psychiquement, cette femme est nerveuse, agitée et manque de concentration. Allumeuse, un peu moqueuse, elle devient vite anxieuse, y compris sur le plan des désirs sexuels contraignants. Elle passe ensuite par une phase dépressive avec pleurs. Cette nervosité s'aggrave à la chaleur.

Elle présente un *faux-angor*, fausse angine de poitrine, avec engourdissement du bras droit, des palpitations, un besoin impérieux d'uriner et d'aller à la selle, tout ceci étant assez normal chez une personne nerveuse.

Les règles foncées, en avance et *peu abondantes*, se manifestent lors de la marche et non la nuit. Elle souffre habituellement de *pesanteur pelvienne* due à la descente de l'utérus, à la rétroversion ou au fibrome : la station debout aggrave son cas. Elle souffre de l'ovaire gauche, surtout en marchant, la douleur irradiant la cuisse ou le sein gauche. Les paumes des mains et les plantes des pieds sont brûlantes, comme chez Sulfur. Si d'aventure, c'était pour ce dernier caractère que l'on choisissait le remède, il faudrait néanmoins aussi songer à Calcarea fluorica que nous verrons plus loin.

China

China est indiqué pour la femme qui a encore des règles, même si elles sont irrégulières, pour une patiente hypersensible au bruit et aux odeurs, qui présente en préménopause des pertes de sang noir avec caillots, ce qui provoque des sueurs froides et une anémie. L'épuisement est dû aux pertes liquidiennes constituées par le sang, les sueurs abondantes et débilitantes, la diarrhée, les pertes blanches ou les pertes mêlées de sang survenant après les règles. L'état de cette femme, ainsi affaiblie, s'aggrave lorsqu'elle est dans un courant d'air ou, en général, au grand air.

Elle est hypersensible, et, comme Bryonia, elle est soulagée par la pression forte, de même que par la chaleur. Par ailleurs, son malaise s'aggrave après le repas mais, curieusement, seulement un jour sur deux.

Acidum sulfuricum

Ce remède est assez voisin de China puisqu'ici aussi, les règles sont encore présentes avec des hémorragies de sang noir et des caillots. Les bouffées de chaleur alternent avec des frissons, des sueurs froides visqueuses et des tremblements intérieurs. Elle éprouve aussi une sensation de palpitations qui peut se généraliser à tout le corps.

Comme Lachesis, elle supporte mal le vin et présente des ecchymoses spontanées.

Ferrum

La patiente « Ferrum » présente de l'anémie. Elle souffre de bouffées de chaleur sèches avec une rougeur flamboyante du visage et des battements de cœur. Elle a encore des règles fréquentes, abondantes, prolongées, cessant un jour ou deux pour réapparaître ensuite, qui sont d'autant plus fatigantes qu'elles s'accompagnent bien souvent de maux de tête synchrones avec la rougeur du visage. On ne sera donc pas étonné de retrouver des vertiges avec des acouphènes (bourdonnements) dans les oreilles.

Le jour où les règles cessent, il peut y avoir une hémorragie nasale de remplacement ou, encore plus fréquemment, une perte blanche irritante qui donne une sensation de vagin à vif, surtout après des rapports sexuels. Parfois, d'autres symptômes peuvent nous mettre sur la voie, notamment une périarthrite scapulo-humérale, un prolapsus utérin, une incontinence d'urine.

Nous retrouvons ici une modalité semblable à Lachesis : l'amélioration par une marche lente au grand air. Par contre, il y a aggravation par les mouvement rapides, le froid et pendant la nuit, où les douleurs lombaires sont plus fréquentes, ce qui permet de la différencier de Lachesis qui se sentait plutôt bien la nuit.

Sepia (l'encre de seiche)

Qui dit descente d'organes dit remède féminin par excellence. On cite alors Sepia.

Pour la petite histoire, disons que Sepia a été expérimenté par Hahnemann lui-même chez son préparateur, qui avait l'habitude de suçoter, mâchonner sa plume empreinte d'encre de seiche donc de Sepia. Ce préparateur a donc développé toute une pathogénie, un ensemble de symptômes semblables à Sepia.

Psychiquement, Mme Sepia a des pensées négatives. Elle est triste, irritable, voire indifférente à l'égard de ses proches, que ce soit son mari ou ses enfants, avec un désir de solitude, un refus des distractions et une intolérance à la consolation, ce qui la distingue de Pulsatilla. De plus, elle ne manifeste plus beaucoup d'intérêt pour les relations sexuelles. Le matin, elle se réveille fatiguée, et le soir l'anxiété la saisit.

À la ménopause, les bouffées de chaleur montent du bassin

222

avec une sensation de brûlure au sommet du crâne, alors que le visage est pâle. D'intenses sueurs chaudes envahissent tout le corps. On retrouve le prolapsus ou descente d'organes : de l'utérus, de la vessie et du rectum. Elle se plaint de sécheresse vaginale et de vieillissement de la peau. Elle présente parfois ce symptôme si fréquent à la ménopause : le vertige ou la lipothymie (un sentiment de défaillance).

Comme Lachesis, elle ne supporte pas les cols trop serrés.

Pour être complet, il faut encore parler de sa pesanteur pelvienne, de sa constipation, de ses douleurs lombo-sacrées, ainsi que de sa tendance à l'herpès génital et labial. Ses règles insuffisantes sont parfois remplacées par une leucorrhée jaune, acide ou laiteuse. Bien qu'elle soit plutôt hyperthyroïdienne, elle peut avoir eu de l'obésité après une grossesse !

Cyclamen

C'est un autre remède qui fait songer à Sépia mais qu'il faut différencier.

Mme Cyclamen est une femme triste, fatiguée, susceptible, méticuleuse, souffrant parfois de dépression.

Elle se plaint d'un coryza allergique accompagné d'éternuements ou, au contraire, d'une sécheresse du nez. Une amélioration se fait sentir avec le grand air. Elle ne digère pas bien, principalement les aliments gras ; elle a des maux de tête – frontaux ou de la temporale gauche – avec des vertiges et des nausées, parce que ses règles tardent à venir. Ces maux de tête sont relayés par des *troubles visuels* sous forme de mouches volantes, de scintillement ou de brouillard.

Si ses règles, qui la soulagent, surviennent en avance, elles sont abondantes, cailloteuses, noirâtres, douloureuses, précédées d'un état dépressif ; elle se culpabilise. Ses règles sont accompagnées d'un gonflement des seins qui persiste après les règles. Comme pour Ferrum, c'est une patiente anémique.

Gelsemium

C'est le remède tout indiqué quand le trac l'emporte.

Mme Gelsemium a un *trac* d'anticipation qui se traduit par une diarrhée subite ou un brusque besoin d'uriner. Parfois survient un tremblement par vagues successives, remontant tout le long de la colonne. Elle est de tempérament excitable, irritable, que l'on qualifiait autrefois d'hystérique, mais la frayeur, la surprise ou l'émotion soudaine la paralysent.

Comme Actea, elle a des maux de tête de type congestif à partir de la nuque, avec une sensation d'éclatement, de bouillonnement au front et dans les globes oculaires, de pression sur les yeux et de lourdeur des paupières. Mais à la ménopause, Mme Gelsemium a ses règles en retard, peu abondantes et des douleurs dans l'utérus se répercutant jusque dans le dos et dans les hanches.

Actea racemosa ou Cimicifuga

Des chaleurs sèches et des règles qui se passent assez mal : c'est un remède à appliquer à une femme frileuse qui, quand elle avait ses règles, pouvait, lors de l'ovulation, d'ailleurs douloureuse, avoir également une perte de sang entre les cycles. La dysménorrhée était en relation directe avec l'abondance des règles. Les femmes travaillant tendues, penchées en avant souffrent de crampes dans le haut du dos, de douleurs des muscles de la nuque, surtout à gauche, avec parfois une sensation d'éclatement du crâne.

C'est un grand remède gynécologique pour celle dont les symptômes s'aggravent au moment des règles et chez qui intervient un élément important de spasme, élément déjà rencontré chez Strontium carbo. Mais, chez Actea racemosa, le spasme peut être utérin. Plus les règles sont abondantes, plus intense est la douleur qui les accompagne. C'est l'ovaire gauche et le sein gauche qui sont douloureux parce que le sang foncé est entravé par le spasme du col. Le spasme peut être cardiaque, avec une palpitation irradiée dans le bras gauche qui est tout engourdi. Le spasme peut être thoracique avec une douleur irradiée sous le sein gauche ou devant le cœur. Quand le spasme est gastrique, c'est une sensation de vide à l'estomac qui va prévaloir et enfin, si le spasme est artériel, on peut retrouver le bourdonnement d'oreille à la ménopause.

Sur le plan mental, c'est une femme hypersensible qui est soit très bavarde, soit plutôt dépressive comme Mme Lachesis. Le remède s'avère très utile, à la ménopause, en cas de surexcitation, de chagrins et de soucis concentrés, quant à la suite de chocs moraux, il y a apparition d'angoisse ou au contraire de mélancolie.

Homéopathie de la ménopause

■ *Quand la rougeur prédomine*

On songe à Aconit, Pilocarpus, Melilotus.

Aconit

Aconit est un remède reconnu en cas de grippe, de refroidissement, un remède aigu d'urgence, en cas d'**agitation anxieuse**, de fièvre soudaine avec des frissons sur une peau sèche et chaude, de gorge sèche avec une soif intense. On dit communément que dès qu'il y a transpiration, c'est Belladonna qui prend le relais. Déjà avant la ménopause, cette patiente a tendance à l'hypertension, son cœur bat trop vite et douloureusement, ce qui l'angoisse et l'agite lors de ses règles douloureuses et hémorragiques d'un sang bien rouge. Celles-ci peuvent disparaître quelque temps à l'occasion d'une frayeur subite ou après une exposition à un vent sec et froid. Son vagin sera chaud et sec, et son abdomen distendu et chaud. Parfois lors d'une poussée de tension, elle présente une hémorragie angoissante de sang rouge brillant. Si l'on retrouve les deux petits signes : angoisse avec peur de mourir (assez rare) et aggravation aux alentours de minuit, ce remède peut être préconisé.

Pilocarpus jaborandi

C'est un autre remède de la grippe. Mme Pilocarpus a des accès de transpiration (froide la nuit) très violents, s'accompagnant de tremblements, de palpitations avec une intense **rougeur de la tête et du cou**, et parfois, une hypersalivation.

Melilotus (mélilot)

Remède très **circulatoire** à prendre plutôt avant la ménopause affirmée. Mme Melilotus est dépressive ou irritable, anxieuse, et son visage s'empourpre brusquement alors que ses carotides battent par hypertension artérielle. Les maux de tête ne s'apaiseront que si une hémorragie – nasale ou utérine – survient. Ses symptômes s'aggravent lors des règles abondantes. Et elle souffre d'une douleur lombo-sacrée. La bouffée peut survenir par tous les temps, froid et humide, nuageux ou soleil direct.

■ *Quand la froideur glacée prédomine*

Veratrum album

Cette femme est glacée principalement aux extrémités : le bout du nez, les pieds, les jambes et les mains. Elle est très pâle quand elle s'assied, et rosit quand elle se couche. Elle a la sensation d'avoir un bloc de glace sur le sommet du crâne et elle en tremble. Quand elle avait ses règles, celles-ci étaient douloureuses comme des coups de couteau dans l'abdomen, en avance, abondantes, épuisantes, avec nausées, envie de vomir et diarrhée, ainsi qu'une soif intense pour des boissons froides. En dehors de ses règles, elle était paradoxalement constipée sans besoin, avec de grosses selles larges. Maintenant qu'elle est en ménopause, les sueurs sont froides, le corps, surtout le front, est perlé de **sueur glacée** ; elle est pâle comme un linge. Son épuisement est tel qu'elle est prête à s'évanouir avec baisse de température centrale.

Veratrum viride

Cette femme ne ressemble pas du tout à la précédente. Rougeaude, **pléthorique**, elle a une tension élevée et lors de l'arrêt des règles, présente une **congestion de la tête** avec de violents battements artériels (comme un cœur qui bat la chamade), de la nausée ou même des vomissements. Il n'est pas étonnant que sa vision soit double ou partielle. Sa langue est rouge au milieu et blanche ou jaune sur les côtés. Et elle présente des rhumatismes.

■ *Quand il n'y a pas de sueurs mais des palpitations*

Aurum

Pour une femme plutôt âgée, aux yeux et cheveux foncés, à la peau olivâtre et couperosée, accablée quand vient l'hiver, ce qui n'est pas sans analogie avec Sépia. Cette patiente est pléthorique, d'un rouge sombre, congestive, *frileuse* mais améliorée par l'*air froid* – ce qui n'est paradoxal qu'en apparence, puisque se sentant intoxiquée, elle a besoin d'air pour son action anti-oxydante –, hypertendue, artérioscléreuse et *essoufflée* notamment par son ballonnement dû à l'insuffisance hépatique. À l'inverse de ce qui se rencontre la plupart du temps à la ménopause, **il n'y a pas ici de sueurs**.

Elle souffre de spasmes comme chez Strontium et Actea, et ressent des **palpitations** douloureuses qui l'obligent à s'arrêter. Le mouvement aggrave toutes ses douleurs, mais elle se sent mal en position couchée, la nuit, par ralentissement des échanges. Quand elle est au stade congestif, cette femme plutôt âgée est hyperactive, hypersensible, excitée, emportée, colérique, velléitaire. Quand c'est le spasme qui domine, apparaissent le mal de tête, les vertiges, une sensation d'ébriété et le changement de caractère en anxiété, en pessimisme. Sa vue se dégrade avec l'hypertension intraoculaire : des mouches volent devant les yeux, des trous se font dans son champ de vision avec une sensation de picotement, de brûlure oculaire, de sable dans les yeux.

Au niveau gynécologique, elle souffre de **douleurs ovariennes**, comme si ses règles allaient venir, d'une lourdeur du petit bassin, d'une descente de l'utérus, d'une fibromatose ; mais ses règles sont en retard et peu abondantes par suite de la sclérose.

Comme l'or est un élément étranger à l'organisme, la pathologie se déroule en deux stades pour chaque organe. Il y a d'abord une congestion, une hypertrophie pour aboutir à une sclérose et à des oxydations insatisfaisantes en passant par différents éléments de spasmes. Il faudra donc retrouver ces phases chez la patiente pour pouvoir appliquer par *analogie* le remède Aurum.

■ *Lorsque seule la position couchée est supportable*

Manganum aceticum

Cette femme a, elle aussi, de fortes bouffées de chaleur sur la face, le thorax et dans le dos avec des sueurs chaudes abondantes. Elle est agitée, anxieuse, souffreteuse, frileuse au froid humide, parce qu'anémique, à la démarche traînante, et lasse au point de devoir s'étendre. En effet, chez Manganum aceticum, tout s'améliore en position couchée. Elle a, de plus, des problèmes de peau, un type d'eczéma, ainsi que des gênes respiratoire et auditive constantes. Elle est affligée d'un catarrhe tubaire avec surdité, sifflement. Elle est souvent enrhumée et souffre également souvent de toux sèche avec de la laryngite. Comme souvent, à la ménopause, elle est souffre de **rhumatismes des petites articulations**.

■ *En cas de déminéralisation*

Nous avons vu que dans le parallélisme existant entre le serpent et la colonne vertébrale, l'un comme l'autre sont dépourvus de membres. Notre colonne vertébrale humaine est tout à fait comparable à celle du serpent. Elle est structurée, organisée et s'enroule de manière sinueuse selon des lois et des nombres cosmiques. Si une colonne vertébrale n'est pas constituée de manière correcte, il faut en général en voir la cause dans l'âme et le moi, c'est-à-dire dans le serpent et l'axe.

Les remèdes suivants sont directement liés soit à la colonne vertébrale, soit à l'ossification et à la minéralisation. Il s'agit de Calcarea fluorica, Graphites, Petroleum, Hekla lava et Carbo.

Calcarea fluorica

C'est un remède de *déminéralisation*[146]. L'allopathie l'emploie à doses dites pondérales quantifiables, alors que l'homéopathie l'utilise à titre énergétique. Le maître mot pour ce remède est *perte d'élasticité* d'un tissu normalement rétractile comme la peau, une muqueuse ou la paroi d'un vaisseau ou encore, une *induration*.

Cette femme qui avait des règles abondantes a, à la ménopause, un utérus basculé, un **prolapsus** qui témoigne d'une perte d'élasticité. Elle est hyperthyroïdienne, anxieuse, indécise, amaigrie malgré son bon appétit, frileuse, déprimée et manque de concentration. Ses désirs sexuels sont affadis. Des maux de tête congestifs lui donnent des bouffées de chaleur. Elle sort les pieds du lit. Elle peut avoir des adénomes, des kystes, des nodules au sein.

La peau perd de son élasticité et devient sèche et rude. Elle souffre de varice, ou d'hémorroïdes qui entraînent des démangeaisons de l'anus. Les muqueuses du nez sont desséchées. Celles du larynx, aussi, ce qui produit de l'enrouement par des mucosités épaisses et visqueuses. L'abdomen est ballonné, et une insuffisance hépatique se fait souvent sentir. Le rhumatisme est déformant, ankylosant comme dans la spondylarthrose. L'aggravation est due à l'immobilité et au froid humide, et l'amélioration vient avec la chaleur.

Hekla lava

Hekla lava est complémentaire de Calcarea fluorica.

Ce remède a été découvert en observant... des moutons. Ces derniers broutaient au pied du mont Hekla, en Islande. Or, ils présentaient des tumeurs osseuses – exostoses – à la mâchoire. Les cendres de ce volcan, de cette terre volcanique, se composent de silice, d'alumine, de chaux, de magnésie et d'oxyde de fer. On en a déduit les utilisations de Hekla lava dans les cas de caries osseuses, d'abcès dentaires, de **déchaussement** et de **gingivite chronique**. (La valeur symbolique de Hekla lava, par cette notion de déesse terre-mère, est frappante.)

On a guéri d'autres affections comme des ganglions cervicaux indurés, de l'arthrite déformante de la hanche, des plaies osseuses après perte de substance, ou encore, des névralgies dentaires après une extraction dentaire.

Graphites

Le produit de base qui a servi à la formation du remède homéopathique est un carbone minéral impur contenant une certaine proportion de fer. Ce qui expliquera, entre autres, l'anémie et les règles insuffisantes.

On a coutume de dire que Graphites est une aggravation de Pulsatilla. Si une femme était Pulsatilla à la puberté, elle sera Graphites à la ménopause.

Psychiquement : cette femme est apathique, courageuse quoique indécise jusqu'à l'aboulie, hyperémotive, frigide parfois après des excès sexuels, migraineuse.

Physiquement : c'est le ralentissement sur toute la ligne, l'hypothyroïdie et l'anémie vont expliquer qu'elle sera frileuse et néanmoins avide d'air – comme chez Aurum – obèse ou du moins cellulitique sur le haut du corps et sur les cuisses, constipée, avec des gaz, de la dyspepsie, un dégoût pour la viande, et des problèmes de peau sèche, eczémateuse – sec ou suintant – pouvant aller jusqu'à la formation de crevasses, de plis de flexion des membres (au-dessus de l'oreille ou entre les doigts et les orteils, du mamelon, des commissures des lèvres, de l'anus et aux paupières). L'herpès est fréquent, les cheveux tombent et sont cassants. Il y a de la surdité.

Gynécologiquement : elle peut avoir souffert d'un kyste ovarien gauche. Les règles sont irrégulières, *peu* abondantes et intermittentes – les cycles sont dorénavant longs. Les règles peuvent disparaître complètement et être remplacées par des pertes blanches, c'est-à-dire par une *leucorrhée* abondante, pruriante, irritante, liquide comme de l'eau. Parfois, les règles s'accompagnent de démangeaisons et d'enrouement.

De même qu'Aurum, à la ménopause, **elle ne transpire pas.**

■ *Pour les femmes qui ont des problèmes de poids*

Sulfur

Mme Sulfur était mince et musclée avant son mariage. Elle était très sportive durant sa jeunesse. Or, maintenant, pendant l'exercice physique, ses oreilles sont d'un rouge écarlate. La longue station debout lui est pénible.

Elle adore tout : les charcuteries, le bon vin, les sucreries aussi, malheureusement. Elle s'acharne à refaire le monde.

Lycopodium

Elle aussi aimait les sports d'endurance. Elle est frileuse, migraineuse et constipée. **Son foie est très fragile,** surmené par une boulimie de sucre, mais elle est vite rassasiée. Avant ses règles, son entourage n'a qu'à bien se tenir, car elle est irritable, mais le regrette tout aussitôt. D'un caractère autoritaire, elle ne pourra supporter de voir ses capacités diminuer lors de la ménopause. Comme chez beaucoup d'autres, sa mémoire est défaillante.

Thuya

Ses kilos se déposent de manière gynoïde, là où ils ne sont vraiment pas désirables : à la taille, aux hanches, au haut des cuisses et des genoux. Ses cheveux sont gras à la racine et ont tendance à tomber, la peau du visage est mixte, grasse aux ailes du nez. **Sa transpiration est abondante et odorante aux aisselles et aux pieds,** ses mains sont moites. Elle se fait du mouron pour un rien, ce qui rejaillit sur son sommeil : c'est l'insomniaque de 4 heures du matin. Son métabolisme thyroïdien n'est pas excellent, puisqu'elle grossit de 2 ou 3 kilos sans raison : elle a d'ailleurs un faible pour le salé plutôt que pour le sucré.

■ *Maigreur et peau sèche*

Petroleum

Mme Petroleum est une femme maigre qui ne transpire pas, qui perd ses cheveux, qui est frileuse, dont **la peau est sèche**, rugueuse avec des démangeaisons aux orifices – que ce soit au bord des narines ou à l'anus – avec tendances aux crevasses des mains et des orteils. Elle élimine insuffisamment. En effet, il n'y a pas de sueur, le nez et le pharynx sont secs – ces deux derniers éléments que l'on retrouve à la ménopause. À cette période, les règles sont remplacées par une leucorrhée irritante, elle transpire des aisselles, ainsi que des mains et des pieds qui sont chauds, mais pas du reste du corps ; d'ailleurs, elle n'a pas ces suées abondantes dont beaucoup de femmes souffrent à la ménopause. La dépression la guette et même la confusion cérébrale avec un dédoublement de la personnalité, d'autant plus qu'elle entend mal et qu'elle a des vertiges s'accompagnant de nausées.

■ *Manque de tonus*

Carbo vegetabilis

Mme Carbo est une *atonique digestive*, avec des flatulences, un ralentissement des oxydations et une perte de chaleur vitale. Atonie également dans le système veineux où il existe une **stase veineuse** avec des hémorragies passives de sang foncé. On retrouvera donc des pertes plus ou moins continues de sang coagulant mal après les règles. Celles-ci sont de toute manière abondantes et surviennent en avance. Elle souffre d'hémorroïdes, de varices douloureuses, de gingivite saignante avec déchaussement dentaire, de froideur aux extrémités (des genoux ou des pieds). De plus, elle perd ses cheveux à l'arrière du crâne.

Cependant, son aspect physique est plutôt caractérisé par une *rougeur de la face cyanotique* avec des maux de tête congestifs et des mouches volantes. L'atonie digestive entraîne une aversion pour les graisses, la viande et le lait. Malgré tout, son appétit persiste mais elle est très vite rassasiée. Elle souffre d'un ballonnement rapide, d'enrouement et de palpitations après le repas, d'essoufflements, et donc présente un météorisme, un gonflement abdominal avec gaz et diarrhée fétides.

Carbo animalis

Elle a plutôt une constipation atonique, des **sueurs nocturnes épuisantes,** un ralentissement des oxydations respiratoires avec une toux sèche et rauque, un engorgement localisé dans les ganglions, les glandes avec dilatation des veines à l'entour.

■ *Quand rien ne va plus*

Naja

Nous avons commencé avec Lachesis et nous terminons avec un autre venin de serpent, celui du Cobra.

Naja peut présenter des troubles mineurs comme des bouffées de chaleur qui se propagent de bas en haut chez cette femme plutôt hyperthyroïdienne. Quand elle a encore ses règles, ce sont des **pertes de sang** irrégulières, de sang **foncé**. Il peut y avoir des problèmes à l'ovaire gauche. La douleur au-dessus de l'orbite gauche irradie jusqu'au niveau du cœur qui est plutôt bradycarde, c'est-à-dire qui bat lentement, de manière irrégulière par suite d'angine de poitrine accompagnée de toux cardiaque ou d'une décompensation valvulaire, plus préoccupante. Cette patiente a parfois des idées et des pensées bien sombres.

■ *Hyperfolliculinie (comme dans le syndrome prémenstruel)*

Folliculinum

Revenons à notre point de départ. Folliculinum est la première hormone féminine qui a été découverte, la folliculine, issue de la *liquor folliculi* qui se développe au centre des cellules qui accompagnent un ovule en développement[147].

L'homéopathie de Folliculinum est appliquée en cas d'hyper-folliculinie spontanée ou médicamenteuse et caractérisée par :
– des saignements abondants et hors cycle ;
– une mastite et une mastose ;
– prise de poids par rétention d'eau et infiltration graisseuse ;
– une tendance hypertensive ;
– des migraines ;
– de l'angoisse et de l'irritabilité prémenstruelle.

En conclusion, si chacune peut se retrouver dans l'un ou l'autre de ces remèdes, la prudence s'impose cependant quant à l'automédication. Le conseil d'un thérapeute averti est toujours d'actualité, non seulement pour trouver le remède mais pour l'appliquer avec la bonne dilution.

Et, comme pour contredire un peu ce qui a été écrit sur les remèdes de la ménopause, il peut s'agir d'un remède homéo-pathique « usuel » qui sera employé chez telle femme, lors de *sa* ménopause.

Exemple : Ambra grisea (l'ambre gris)

Psychiquement très proche d'Ignatia, c'est une spasmo-phile, une femme hypersensible pour un rien, à la moindre contrariété et légèrement nymphomane. Timide, épuisée, surmenée, elle n'ose parler en société que d'une manière précipitée, cherche son salut dans la fuite. Elle est aéropha-gique et constipée, ballonne en fin de repas, présente de la toux spasmodique, des palpitations et dort très mal après un énervement.

Gynécologiquement, elle a des hémorragies utérines à la moindre émotion et au moindre toucher, que ce soit lors d'un rapport sexuel ou d'un examen médical. Elle a des sai-gnements à l'ovulation et des pertes blanches épaisses sur-tout la nuit qui lui occasionnent des démangeaisons des zones génitales et de l'anus.

Cas clinique : Mme A.G. a un comportement hâtif et fébrile, elle parle à tort et à travers. Elle vit sur ses nerfs, de sorte que la moindre excitation, le plus petit souci, la vie en société la mettent hors d'elle-même. Elle se plaint de ballon-nement abdominal, son cœur palpite pour un rien et elle

court tout le temps aux toilettes. Ses règles sont trop abondantes et surviennent en avance, avec du prurit vulvaire.
Ambra 5 à 6 CH.
Dès que la ménopause se déclenche, c'est comme si une corde trop longtemps tendue avait cassé ; elle manque de réaction, elle se déprime, elle est triste, oublie beaucoup de choses. Elle se plaint d'engourdissement des extrémités froides, de vertiges, d'une surdité progressive, de la chute des cheveux. Les soucis, les chagrins y sont pour quelque chose.
Ambra 9 à 15 CH.

Mais l'homéopathie uniciste, qui consiste à traiter avec un seul remède, est si délicate à manier qu'un grand nombre de praticiens préfèrent une approche plus diversifiée et recourent à plusieurs médicaments ou à des préparations complexes – comportant plusieurs remèdes homéopathiques, généralement en basse dilution (en décimales) –, commercialisées par certains laboratoires homéopathiques, telles que celles que nous avons utilisées avec succès **pour remédier aux bouffées de chaleur,** et que vous pouvez trouver en pharmacie à condition de bien lire les étiquettes. Ainsi, les trois préparations suivantes que l'on trouve dans le commerce :

Formule complexe		Formule plus simple			Formule axée sur les palpitations	
Melissa officinalis	D2	Actea racemosa	D4		Lachesis	D10
Crataegus	D2	Acidum sulfuricum	D4		Bryonia	D4
Actea racemosa	D3	Sanguinaria	D4	@@ 1ml	Cactus	D3
Sanguinaria	D3	Sepia	D4		Glonoïnum	D8
Sepia	D3	Lachesis	D12		Kalii carbo	D6
Sulfuric acidum	D4					
Valeriana	D6	Éthanol, eau			p.f. 20 ml	
Platinum	D8	a.d. 10 ml				
Ovarinum	D12					
Placenta	D12					
Alcool, eau, glycérine q.s.p.f. 20 ml						

Posologie habituelle : trois fois 10 gouttes par jour.

Ces associations ont le mérite de ratisser « large » dans les remèdes de la ménopause : d'être en quelque sorte à large rayon d'action, mais par contre très peu spécifiques. Elles feront tiquer l'homéopathe uniciste, mais elles ont déjà atténué nombre de bouffées de chaleur intempestives.

L'OLIGOTHÉRAPIE

Notre planète, avec tout ce qu'elle contient, est composée d'une centaine d'éléments simples (le carbone, l'oxygène, l'hydrogène, le zinc...). On connaît leur rôle en agriculture où fertiliser certaines terres avec l'un de ces éléments rend possible une culture. Ainsi, certains de ces « oligo-éléments », qui sont des catalyseurs de réactions enzymatiques, améliorent la santé de l'homme, sa résistance aux maladies ou au stress. Ils accélèrent les réactions de défense de l'organisme. Ils ne sont pas intégrés au résultat final, mais permettent des échanges ioniques qui relancent une réaction enzymatique. Pourtant, leur intérêt en médecine humaine est méconnu, sauf par certains praticiens. On pense généralement qu'une alimentation équilibrée est suffisamment riche. C'est ignorer que même si ces éléments sont présents dans la nourriture, ils ne le sont pas toujours sous une forme assimilable. Et c'est ainsi que des carences alimentaires en oligo-éléments conduisent à un affaiblissement du terrain.

On parle souvent de l'association cuivre-or-argent pour lutter contre la fatigue et renforcer les défenses l'hiver, ou de manganèse-cuivre, qui combat les rhino-pharyngites des enfants. Beaucoup ont pu en constater les effets bénéfiques dans de telles circonstances. Cependant, on méconnaît les autres oligo-éléments qui pourraient s'avérer d'une grande utilité pour soigner le terrain pendant ces années de périménopause.

Comme les autres médecines douces, la médecine oligothérapique est fonctionnelle, parce qu'elle établit des relations, des synthèses – les manifestations endocriniennes fonctionnelles sont d'ailleurs beaucoup plus fréquentes que les franches manifestations « organiques ». Elle se pratique de manière empirique, car l'individualité des êtres vivants ne nous permet pas d'établir des lois générales mais des conditions d'adaptation particulières à chaque individu.

Ainsi l'oligothérapie est l'utilisation volontairement empirique des métaux et des métalloïdes et de la constatation d'un optimum de réaction qui se manifestera par une régulation physiologique ou psychologique, d'une simplification des différents tableaux cliniques. On dit que l'oligothérapie est *catalytique*, parce qu'elle recherche, par l'administration d'oligo-éléments, le facteur d'adaptation qui provoque, qui précipite les échanges, les changements. L'interaction des symptômes importe donc plus que leur succession.

Le concept clé en oligothérapie est celui de diathèse, de même qu'en homéopathie (voir p. 211). On regroupe ainsi un certain nombre de symptômes pour former un syndrome. Ces symptômes sont l'expression de dysfonctions de l'organisme qui se trouve dans un état de déséquilibre réversible précédant le stade de lésion. Il n'y a donc pas de hiatus entre les médecines fonctionnelle et lésionnelle, mais un lent passage de l'une à l'autre.

Les diathèses sont rarement pures et souvent associées, ou évolutives l'une vers l'autre. On les désigne par le nom de leur régulateur catalytique de tel ou tel ion, tout comme l'homéopathie désigne la maladie par son remède.

Le but final des oligo-éléments est ainsi de restituer aux organes malades une capacité d'*autodéfense* qui était trop lente pour contrer un déséquilibre.

Leur voie d'administration peut se faire soit sous forme de *solutions* contenues dans des ampoules, soit par un *spray* buccal, soit encore sous forme de *comprimés* à résorption *per linguale*. Le produit est avalé pur le matin à jeun, après être resté une minute en bouche. Plus l'affection est sérieuse, c'est-à-dire proche du lésionnel, plus grande sera la fréquence d'administration. Bien souvent, nous procédons à une analyse dite « de sang total », afin de déterminer[148] la quantité exacte des ions, métaux et métalloïdes présents dans le sang. Sur la base des informations fournies, on peut suppléer les carences en ions par un mélange de tous ceux qui sont déficitaires, sous forme de suspension glycérinée – en solution buvable –, qui est alors prise, non plus à jeun, mais après le repas carné de la journée.

Pour une meilleure compréhension, nous définirons néanmoins le contenu global de chaque type.

L'allergique ou l'arthritique (manganèse)

Ce type (la diathèse n° 1), souvent héréditaire, est « jeune », on la retrouve rarement à la ménopause.

■ *Comportement*

C'est une femme fatiguée du *matin* qui se défatigue paradoxalement à l'effort et sera donc en forme le soir au point d'avoir de la difficulté à s'endormir par *hyperidéation* nocturne. C'est une optimiste instable à la mémoire défaillante, et qui a, en général, une excellente résistance physique malgré son court temps de sommeil (gens qui dorment depuis toujours quelques heures par nuit).

■ *Symptômes*

– Migraine vraie avec asthénie matinale, nervosisme et troubles de la mémoire (nette insuffisance).

– Eczéma.

– Urticaire.

– Asthme périodique, chronique.

– Rhinite à répétition, sensibilité aux climats, aux saisons, aux lieux. C'est le *psorique* des homéopathes. Se retrouve chez les sujets jeunes.

– Hypotension ou hypertension avec nervosisme, irritabilité.

– Les colites droites, avec signes d'insuffisance hépatique, acidité et brûlures d'estomac. Le magnésium complète utilement presque toutes les colites.

– Les lithiases vésiculaires : les oligo-éléments n'ont pas d'influence sur les calculs eux-mêmes ; tout au plus favorisent-ils la tolérance aux calculs ; les cystites, la lithiase urique (optimiste, ambitieux, agressif, aimant la vie en société et la bonne chère, qui décompense – c'est-à-dire qu'il tombe malade – quand il a des soucis financiers ou autres).

– Les troubles des phanères : ongles cassants et chute des cheveux (voir manganèse-cuivre).

– Les **arthrites fugaces** non déformantes, vertébrales ou coxofémorales à la période paraménopausique, erratiques, douloureuses, par poussées avec névrite, sciatique, lumbago. Non surveillées, ces arthrites donneront de l'arthrose à l'âge moyen.

– Dysthyroïdie à type nervosisme : irritabilité, agressivité, ébauche de goitre, amaigrissement, tremblement (cuivre également utile).

– Les fibromes (passage de l'allergique à la dystonique).

– Hyper et dysménorrhée avec règles fréquentes et abondantes.

Remèdes

Manganèse + soufre jusqu'à disparition des symptômes. Ce malade est proche de la santé parce qu'il a une grande capacité réactionnelle.

L'hyposthénique (manganèse-cuivre)

Le cuivre est en rapport avec le fonctionnement de la rate et du thymus. C'est la *tuberculinique* des homéopathes, très souvent hypotonique et asthénique par lenteur de réaction des cortico-surrénales. Cette diathèse n° 2 est le propre, bien souvent, de l'enfant ou de l'adolescent.

■ Comportement

Ce type de femme est fatigable, plutôt pessimiste, mais sa fatigue cède au repos et est plus marquée le soir. La femme hyposthénique a besoin de beaucoup de sommeil, de longues périodes de récupération, et a du mal à se concentrer, à fixer son attention ; elle est volontiers distraite, voire dyslexique. C'est une personne peu agressive, peu entreprenante, souvent pusillanime.

■ Symptômes

À la ménopause, elle présente toute une **pathologie respiratoire** et ORL (rhume des foins, rhinite, trachéite, sinusite, bronchite à répétition, dyspnée d'effort, toux et expectoration facile par fragilité respiratoire automnale et hivernale), avec les symptômes suivants :
– Adénites (gonflement des ganglions), cyphoscoliose, insuffisance dorsale de l'adulte jeune (dactylo, coiffeur).

> **Remède :**
> Manganèse-cuivre + fluor.

– Arthrite déformante en paraménopause non douloureuse, spondylose, arthrite dentaire et pyorrhée.
– Cystites récidivantes (à colibacilles) et lithiase oxalique (scrupuleux, émotif, réformateur, pondéré : le calcul survient lors d'émotions non perçues avec bouffées d'anxiété).
– Dysménorrhée et **règles courtes et espacées,** peu abondantes, traînantes.
– Acné, psoriasis.
– Troubles des phanères (voir manganèse).
– Hypothyroïdie, frilosité, empâtement cellulitique (myœdèmateux).
– Colite gauche sigmoïdienne spasmodique – le magnésium complète utilement presque toutes les colites – (par périodes et en alternance de constipation et de diarrhées).

– Ulcère duodénal avec crise douloureuse à distance des repas (vers 17 h et la nuit) calmée par l'ingestion de nourriture.

Remèdes :

Manganèse-cuivre + iode + soufre dans les formes anciennes + phosphore (ou arsenic ou antimoine) dans les formes récentes à forte composante spasmodique.

L'évolution de manganèse-cuivre en manganèse est excellente. La fatigabilité fait place à une simple fatigue matinale.

La dystonique (manganèse-cobalt)[149]

Cette troisième diathèse est particulièrement utile à la ménopause, caractérisée par un passage précisément du fonctionnel au pathologique et se caractérisant par une sensation de vieillissement général qui contraste avec le passé souvent tonique des sujets allergiques.

C'est en effet une arthritique qui a évolué à l'âge adulte et qui, méconnue, évoluera vers l'artériosclérose ou vers une hyposthénique fatigable.

Il suffit de voir le comportement pour se rendre compte que, bien souvent, ces symptômes se retrouvent à la ménopause.

■ *Comportement*

La fatigue du matin a envahi largement la journée. La patiente se plaint d'un manque de résistance et d'une fatigabilité *progressive*, particulièrement en fin d'*après-midi*. Elle s'accompagne d'une lassitude des jambes. La mémoire commence à s'estomper chez cette nerveuse émotive qui devient *anxieuse*. L'anxieux est un hyperconscient qui voit les choses exclusivement en noir (utilité du lithium). Le sommeil devient médiocre (difficulté de s'endormir et, surtout, réveil vers les 3-4 heures du matin), lorsque la digestion s'achève et que les toxines de fermentation entrent dans le sang, avec effet irritant sur le système neurovégétatif.

■ *Symptômes*

– Règles irrégulières en préménopause précédées d'hyper-ménorrhées (règles abondantes).

– *Troubles circulatoires* des membres inférieurs avec œdème malléolaire vespéral, infiltration cellulitique (état hydrogénoïde).

– Engourdissement ou fourmillement des mains, crampes, spasmes.

– Gastralgie, aérogastrie, ballonnements abdominaux post-prandiaux, colites spasmodiques droites (complétées par du magnésium) chez la patiente anxieuse de 45 ans.

– Les pancréatiques : digestions *lentes* (somnolence postprandiale) surtout pour les graisses et les féculents, pénibles avec douleurs dans l'hypochondre droit, avec des selles *molles grasses*, avec des « fringales » vers 11 heures et 17 heures, et des fermentations excessives – voir aussi nickel-cobalt.

– Céphalées occipitales en casque succédant aux migraines antérieures.

– Vertiges, troubles auditifs et visuels.

– Troubles tensionnels, **hypertension** de la ménopause (élévation surtout de la maxima) qui fait suite à une hypotension. Le traitement doit commencer par du manganèse et de l'iode pour réguler la fonction thyroïdienne.

– Hémorroïdes et congestion pelvienne.

– Angor ou tachycardie, palpitations exagérées par l'émotivité.

– Spasmes, contractions, **spasmophilie**[150] (calcium et phosphore).

La porte d'entrée dans ce syndrome aura pu être un spasme digestif, une arythmie cardiaque, une contracture spasmodique au niveau d'un membre ou dans le dos, simulant l'atteinte rhumatismale.

Remède :

Phosphore et fluor ou manganèse-cobalt.

– Troubles articulaires, *polyarthroses,* notamment lombaires, évoluant parfois en polyarthrite chronique évolutive (avec douleurs, gonflements et déformations, surtout des mains et des genoux). Artériosclérose.

– Troubles *cutanés,* prurit, urticaire et eczémas chroniques, sensibilité solaire plus accusée, herpès chronique et récidivant.

Remèdes:

Manganèse-cobalt + soufre + fluor (arthrose) + magnésium pondéral quand il y a des manifestations névritiques. Cette association est aussi régulatrice du fonctionnement intestinal (notamment de l'insomnie par auto-intoxication).

L'anergique (cuivre-or-argent)

C'est une catégorie extrêmement importante à la ménopause parce qu'ici, avec la quatrième diathèse, on franchit la barre entre le fonctionnel et le lésionnel. Les surrénales ne peuvent plus exercer leur fonction. C'est le début de la vieillesse quand elle surgit au moment opportun, mais chez un individu jeune, elle est susceptible de régresser totalement vers un état de santé.

Et ici, plus que les symptômes physiques, ce sont les signes psychiques qui vont inciter à la prescription de cuivre-or-argent.

■ *Comportement*

– Diminution de la vitalité et sentiment de diminution organique chez une *allergique* qui entre en *dépression.*

– Psychasthénie, c'est-à-dire **manque de volonté et d'énergie**, où la malade doute de tout, de l'utilité de la vie au point qu'elle envisage la mort comme chose possible, voire désirable. Elle est assaillie de doutes et en proie à des craintes injustifiées.

– *Asthénie* toute la journée – avec des sursauts d'euphorie ou d'agressivité – accompagnée de fringales vers 11 heures et 17 heures, dues à une déficience du pancréas.

– La mémoire flanche au point que l'on peut parler de confusion (baisse des facultés intellectuelles globales : mémoire, attention, idéation).

– État dépressif plus ou moins accentué avec déjà parfois de l'indifférence sexuelle, désir de laisser-aller, de baisser les bras, avec des bouffées d'angoisse et d'anxiété.

– Le sommeil est irrégulier et peuplé de cauchemars avec des angoisses nocturnes.

■ *Symptômes*

– Aménorrhée.

– Infections récidivantes (furonculose).

– Otites, angines à répétition dans l'enfance.

– Cystites à répétition (voir diathèses 1 et 2) et lithiase phosphatique (énorme calcul coraliforme, non douloureux chez un individu passif qui se laisse vivre).

– Antécédents de rhumatisme articulaire aigu ou encore rhumatisme chronique évolutif (polyarthrite chronique évolutive et spondylarthrite ankylosante).

– Dysfonction de la corticale surrénale entraînant de la fatigue, qui fait intervenir toujours le cuivre isolé ou combiné cuivre-or-argent (voir manganèse-cuivre).

> **Remèdes :**
>
> Cuivre-or-argent associé à du magnésium pondéral (1 à 4 mesures par semaine) souvent associé au zinc-nickel-cobalt, au phosphore ou au cobalt[151]. L'effet en sera, après une éventuelle réactivation transitoire du foyer infectieux, une amélioration sur tous les plans, tant physique que psychique.

Syndrome de désadaptation ou de stress (zinc-cuivre et zinc-nickel-cobalt)

Zinc-cuivre

Il s'agit d'une **désadaptation endocrinienne** surtout **hypophysaire,** thyroïdienne et génitale dans l'une des trois premières diathèses, pour autant que le problème reste fonctionnel. La **dysfonction thyroïdienne** est particulièrement fréquente à la ménopause.

La vie est intimement liée à la propriété qu'ont les êtres de s'adapter, et ce n'est pas le propre de la seule matière vivante. L'adaptation est tributaire de l'état moléculaire et ionique, et les hormones perturbent le mécanisme d'adaptation. Mais peut-on dire que les hormones synthétiques « perturbent » le mécanisme d'adaptation par suite de saturation paralysante de la glande qui troublera l'ensemble du système ?

Zinc-nickel-cobalt

Indiqué dans les troubles hypophyso-pancréatiques, parce que cette association aura une action positive pour s'opposer à la prise de poids généralement observée chez la femme ménopausée.

■ *Comportement*

C'est la fatigue par « coups de pompe » sans horaire particulier, surtout dans l'après-midi, particulièrement chez les jeunes ou en période paraménopausique. Zinc-nickel-cobalt en cas d'asthénie cyclique avec « fringales » et sensation de « vide », ou d'état dépressif, causés par une dystonie ou une dérégulation hypophyso-pancréatique et inappétence sexuelle.

■ *Symptômes*

– **Migraine** prémenstruelle d'origine endocrinienne.
– Indifférences ou impuissances sexuelles, fonctionnelles.

– Colite *droite* avec ballonnement et diabète (prédiabète surtout).

– Troubles des phanères portant sur les cheveux et les ongles, psoriasis.

– Dysfonctionnements pancréatiques (voir manganèse-cobalt).

– **Arthrite** et arthrite déformante.

Vieillissement *prématuré*, passage rapide de *l'activité* avec optimisme à un état *dépressif* avec aboulie. Il y a diminution des capacités intellectuelles, impuissance sexuelle et insomnie. Quand les signes sont moins dramatiques, on parlera de crampes, de paresthésies, de troubles pancréatiques.

L'état de fatigue devient de plus en plus accusé, on « traîne de plus en plus la patte ». Le corps s'empâte, les ballonnements s'accentuent, l'urémie augmente, la mémoire défaille, le rhumatisme devient évolutif, on urine moins facilement.

En résumé, à ce moment charnière de la vie de la femme, l'oligothérapie trouve toute sa place quand on se réfère aux diathèses 3, 4 et 5. La première et la troisième sont particulièrement efficaces dans le cas du fibrome utérin. Les problèmes de frigidité et d'impuissance seront traités par les diathèses 2 à 5.

L'oligothérapie permet de repasser à une vitesse de croisière, de freiner le vieillissement prématuré ou accéléré. Néanmoins, à la ménopause, l'oligothérapie sera rarement utilisée toute seule. **L'oligothérapie est avant tout un adjuvant des autres thérapies.**

L'ACUPUNCTURE

« Quand un phénomène n'est pas scientifiquement explicable, cela ne veut pas dire qu'il n'existe pas. S'il a été prouvé par des expériences maintes fois répétées et jamais infirmées, cela veut dire simplement qu'il faudra bien, un jour ou l'autre, lui trouver une explication scientifique. La théorie est en retard sur la pratique. Ce n'est pas une raison pour refuser l'application pratique quand elle est bienfaisante. »

A. Peyrefitte

L'acupuncture est une science millénaire remise à l'honneur en Occident il y a une vingtaine d'années. La médecine chinoise s'occupe de l'homme dans sa totalité. Ainsi, le concept d'interaction entre les différents organes et systèmes est à la base de l'acupuncture qui considère tout sous un prisme énergétique. À la ménopause et en période de préménopause, la femme présente des bouleversements hormonaux mais aussi des déséquilibres énergétiques... Cette médecine constitue donc un outil intéressant à cette période de la vie.

Les origines de l'acupuncture remontent à la préhistoire, à l'époque néolithique, on en retrouve des traces aussi bien en Amérique qu'en Asie. Mais c'est surtout en Chine qu'elle s'est développée avec la découverte du métal utilisé pour la fabrication des aiguilles.

Trois thérapies liées entre elles constituent la spécificité de la médecine chinoise : *la moxibustion* (qui consiste à stimuler le point d'acupuncture à l'aide de bâtonnets d'herbe d'armoise portée à incandescence, les *moxa*), *la phytothérapie* et *l'acupuncture*. Les débuts de l'acupuncture sont dus à la longue et minutieuse étude de l'homme vivant dans l'univers entouré des forces agissant invisiblement, personnifiées dans l'Antiquité par Chen, les génies bienfaisants, et Kowei, les démons. À partir de l'observation faite par des guerriers revenant des combats ou de la chasse, qui, ayant reçu une flèche à certains endroits de leur corps, avaient remarqué la disparition paradoxale de leurs douleurs, les classiques décrivent les treize démons correspondant probablement aux treize premiers points d'acupuncture.

Les lois de l'acupuncture

Le **principe Yin-Yang** est la base de la philosophie chinoise qui commence au troisième millénaire avant notre ère et est repris par Confucius et Lao Tseu. Le Yang – l'élément mâle – et le Yin – l'élément femelle – sont les deux grandes forces de l'univers. Ils sont inséparables, dans une dynamique de complémentarité constante.

Les notions de dualité et d'alternance sont fondamentales : tout comme le haut répond au bas, l'extérieur existe parce qu'il y a un intérieur, le chaud parce qu'il y a le froid... Les forces Yin et Yang sont totalement interdépendantes et la santé dépend de leur équilibre. Si l'on veut en donner une image duale, on peut dire que Yin est un pôle négatif et Yang un pôle positif.

Dans le domaine de la médecine, par exemple, on rencontre :

– des **symptômes Yang** : rougeur, agitation, tachycardie, spasmes...

– des **symptômes Yin** : pâleur, apathie, bradycardie, paralysie...

Ainsi, à l'époque de la vie où des modifications surviennent dans l'organisme de la femme, le Yin diminuant, la perturbation de l'équilibre Yin-Yang provoque divers symptômes, dont les troubles psychiques. Ainsi, les bouffées de chaleur, les insomnies, les céphalées et la tachycardie sont les symptômes du Yang qui devient dominant. On comprend l'intérêt de la théorie du Yin et du Yang pour traiter les désordres énergétiques dus à la ménopause.

■ *L'énergie*

Le T'chi est la force vitale qui circule dans l'organisme. La santé, pour les Chinois, c'est aussi la libre circulation de cette énergie, étroitement liée à la vie. Il y a différentes sortes d'énergie :
– l'*énergie Oé ou Wei* circulant à la surface du corps et chargée de le protéger contre les agressions extérieures ;
– l'*énergie Yong*, l'énergie nourricière, le fruit de l'assimilation des aliments ;
– l'*énergie ancestrale ou l'énergie Tsing* qui est contenue dans les chromosomes et léguée par les parents suivant leur propre état de santé.
Au départ du rein, l'énergie Tsing circule dans les différents méridiens suivant son rythme propre. Lors de la ménopause, l'énergie du rein va soit augmenter, soit diminuer, influençant l'équilibre énergétique de la femme.

■ *Les méridiens et les points*

La peau, qui est en contact avec le monde extérieur, est parcourue par des chemins appelés méridiens. Les Chinois ont remarqué que chaque organe profond est en relation avec sa projection à la surface de la peau et que le corps est parcouru par des lignes de force, vraisemblablement électromagnétiques, suivant un trajet bien défini, que l'on dénomme les méridiens.
Le long de ces lignes de force sont répartis les points sur lesquels on peut agir en modifiant le passage de l'énergie en la *stimulant* ou en la *ralentissant*. Ces points d'acupuncture ont d'ailleurs une réalité tangible, puisque les courants électriques continus y passent plus facilement, la résistance qu'ils rencontrent pouvant être 100 fois moins importante. Par ailleurs, l'application d'aiguilles

aux points d'acupuncture produit une sécrétion d'endorphines qui inhibent la douleur.

■ Les cinq éléments

La philosophie taoïste nous enseigne que l'homme fait partie du monde ciel-homme-terre. On admet qu'il subit et reflète les rythmes et les saisons du milieu dans lequel il vit.

Les méridiens superficiels à la frontière des deux milieux – l'un externe et l'autre interne – sont les moyens de communication entre le microcosme, l'Homme, et le macrocosme, l'Univers. L'interaction entre le microcosme et le macrocosme se fait par les **cinq éléments**.

Le *rythme saisonnier* lié à ces éléments joue un rôle prédominant dans le diagnostic et le traitement en médecine chinoise. Chaque saison est liée à un élément qui, lui-même, est lié à l'organe et au viscère. Cette notion n'est pas isolée, elle est reliée à d'autres concepts, qui sont les couleurs, la saveur, le psychisme, pour ne choisir que quelques exemples, car la liste est beaucoup plus longue.

> Bois = Foie-vésicule biliaire = printemps = vert = acide = colère.
> Feu = Cœur-intestin grêle = été = rouge = amer = joie.
> Terre = Rate-estomac = plusieurs saisons = jaune = sucré = soucis.
> Métal = Poumon-gros intestin = automne = blanc = piquant = tristesse.
> Eau = Rein-vessie = hiver = noir = salé = peur.

Une autre grande loi est celle de l'***interaction*** entre les éléments. Le bois nourrit le feu, qui enrichit la terre par ses cendres, où l'on trouve le métal, et les couches minérales imperméables conduisent à la source, et l'eau fait pousser le bois. C'est la circulation énergétique dans le sens des aiguilles d'une montre, c'est la **loi d'engendrement** : le cycle Tcheng.

Lorsque le bois appauvrit la terre, la terre absorbe l'eau, l'eau

252

éteint le feu, le feu fond le métal, le métal fend le bois. C'est la circulation énergétique que l'on appelle **la loi de destruction** : le cycle Ko.

Si l'on applique la loi de destruction (Ko) aux organes, on en déduit que, s'ils sont en plénitude d'énergie, le foie attaque la rate, la rate attaque le rein, le rein attaque le cœur, le cœur attaque le poumon, le poumon attaque le foie ; tandis qu'ils peuvent être attaqués, s'ils sont en vide d'énergie[152].

■ *Le pouls chinois*

C'est une méthode de diagnostic avant tout. L'état énergétique des organes peut être interprété au niveau des poignets, là où passe l'artère radiale. Les pouls varient avec les saisons. L'efficacité du traitement peut être ainsi immédiatement contrôlée, à l'issue de la séance d'acupuncture.

Acupuncture et ménopause

Les réactions face à une situation dépendent du tempérament. Les Chinois considéraient que les désordres pouvaient être d'ordre interne, par exemple une alimentation mal adaptée, ou d'ordre externe, comme le climat.

La ménopause avérée qui reste un phénomène *individuel* est précédée d'un nombre *variable* d'années de préménopause, caractérisée par des cycles anovulatoires avec insuffisance hormonale lutéale, ce qui donne des cycles courts et plus hémorragiques.

Dans la médecine chinoise, le foie représente aussi les muscles lisses ou striés et, notamment, l'utérus où se produit d'abord un déséquilibre énergétique, puis une évacuation plus importante de sang. Le foie, suivant le concept chinois, joue un rôle essentiel dans l'origine et la formation d'un fibrome et dans les divers troubles gynécologiques.

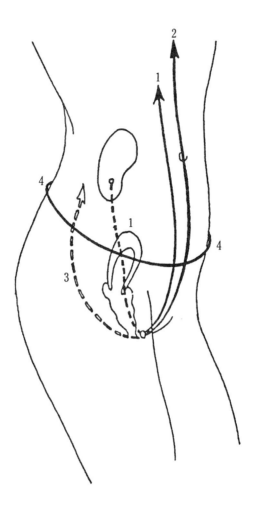

LA PHYSIOLOGIE FÉMININE

Parmi les vaisseaux merveilleux ou extraordinaires, Tchrong Mo (1), Jen Moo (Ren Mai) (2), Too Moo (Du Mai) (3) et Tae Mo (Dai Mai) (4) sont les plus importants dans la physiologie et la pathologie de la femme, car ils sont en relation directe avec la fonction sexuelle d'une part, et étroitement liés aux douze méridiens réguliers d'autre part.

Source : *Acupuncture en gynécologie et obstétrique*, B. Auteroche, Maloine.

254

■ *Les cycles courts*

La femme dont les cycles sont courts surtout à la préménopause manifeste généralement des signes accompagnateurs de nature Yang : agitation, énervement, pouls rapide, bouche sèche[153].

Les cycles courts hémorragiques peuvent être provoqués par le Yang du sang dont les symptômes sont les suivants : menstruations de sang rouge foncé et caillots, irritabilité, agitation et soif. Il faut agir par la diminution de la chaleur du sang. Ils peuvent aussi avoir pour origine la congestion du Yang du foie qui se traduit par des symptômes, tels que des menstruations avec caillots de sang rouge foncé, un gonflement des seins, un ballonnement douloureux du petit bassin, de l'impatience et de l'irritabilité. Le traitement consiste à faire diminuer la chaleur du foie et régulariser la rate.

Ou encore, mais moins fréquemment, l'origine des cycles courts peut être le vide de l'énergie qui est souvent lié à l'élément Rein. Les symptômes seront des pertes abondantes de sang pâle et fluide. Il y a essoufflement à l'effort, apathie mentale. Le pouls pris au poignet est faible. Le geste thérapeutique consiste alors à équilibrer le rein.

■ *La ménopause proprement dite*

La ménopause confirmée correspond à l'arrêt des sécrétions ovariennes. Il peut arriver que les cycles soient interrompus, mais les ovaires continuent à sécréter les œstrogènes car l'hypophyse travaille toujours, dans le but de les relancer. Différents troubles apparaissent, dont nous avons eu l'occasion de parler au cours des chapitres précédents.

La médecine chinoise nous apporte une bonne réponse aux problèmes que sont l'irrégularité menstruelle, les palpitations cardiaques, les troubles de l'humeur, les insomnies, la nervosité, l'arthrose, l'ostéoporose, les bouffées de chaleur.

Le *Su Wen*, le plus ancien traité d'acupuncture, nous rappelle que la ménopause arrive lorsque l'énergie du Rein est graduellement diminuée et que Tchrong Mo et Jen Moo sont en vide.

On y lit que c'est vers 2 x 7 = 14 ans que la substance nécessaire pour développer la croissance apparaît. Le T'chi du rein devient puissant. Tchrong Mo et Jen Moo – encore appelé vaisseau conception –, les deux méridiens qui jouent un rôle déterminant chez la femme, atteignent leur apogée. Tan Gui, c'est-à-dire la menstruation, apparaît. C'est à partir de ce moment que la fécondité devient possible.

À l'âge de 7 x 7 = 49 ans, les deux méridiens Jen Moo et Too Moo s'atrophient, perdant leur élasticité, le Tan Gui s'épuise et la femme perd sa fécondité. Il est important de souligner que la matrice, pour les Chinois, concerne tout l'appareil génital féminin, qui est lié à l'énergie du rein et qui est en relation étroite avec Tchrong Mo et Jen Moo. Le rein est dépositaire de l'énergie qui s'affaiblit graduellement en provoquant les troubles physiques et psychiques. Mais le déséquilibre ne s'arrête pas seulement à un organe. Il y a des phénomènes en chaîne qui apparaissent, et suivant les lois qui sont à la base de la médecine chinoise (engendrement : Tcheng et destruction : Ko, voir p. 252), les troubles du rein provoquent, par exemple, une dysharmonie au niveau du foie.

À la ménopause, les déséquilibres sont liés avant tout aux éléments rein, foie et maître du cœur, ce qui sera développé plus loin. Et c'est en rééquilibrant ces trois éléments que l'on est en mesure d'aider la femme à gérer sa ménopause.

Première variante

Si le Yin du rein est insuffisant, le Yang du rein s'emballe, provoquant une augmentation en chaîne du **Yang du foie** et du **Yang du cœur**. Les symptômes d'excès de Yang déferlent vers le haut du corps et apparaissent alors : agitation, rougeurs du visage, irritabilité, morosité, tension, vertiges, céphalées, engourdissement, gêne au niveau précordial et du corps tout entier. Les règles sont de sang rouge foncé ou rouge frais.

Exemple : une femme âgée de 50 ans, ayant un poste de responsabilité au sein de la CEE, se présente au cabinet. Agitée et nerveuse, avec un visage rouge par moment, elle se plaint de céphalées et de gêne précordiale par intermittence. Le diagnostic d'excès de Yang au niveau des méridiens rein, foie et cœur, est posé. Il suffit de les rééquilibrer avec les points appropriés. Au bout de quelques séances, les symptômes qui l'ont tant tracassée, ont disparu. Elle a retrouvé son équilibre physique et mental.

Seconde variante

Si le Yang du rein et de la rate devient déficient, les **symptômes Yin** apparaissent : apathie générale et particulièrement mentale, urine abondante et nocturne, œdème, crainte du froid, parfois diarrhée. Les règles seront abondantes et de couleur pâle.

Exemple : une institutrice de 47 ans, surmenée par un travail stressant et des conditions de vie difficiles, présente les symptômes de grande fatigue, des difficultés de concentration, des ballonnements, parfois de la diarrhée.

Après interrogatoire minutieux, prise du pouls et palpation, on diagnostique un vide de Yang du rein et de la rate entraînant **l'excès de Yin**. Dès la deuxième séance de rééquilibrage énergétique, la patiente va beaucoup mieux. Au bout de quelques traitements, elle a retrouvé son tonus. La concentration s'améliore, les ballonnements ont disparu, les règles ont retrouvé leur cours normal.

■ *L'arrêt des règles avec fonctionnement des ovaires*

Dans de nombreux cas, l'arrêt des règles ne signifie pas la ménopause confirmée. Les ovaires continuent de sécréter les œstrogènes, même si l'on constate, lors de contrôle sanguin, une légère chute hormonale. Et le traitement d'acupuncture bien conçu, suivant un raisonnement chinois (prise de pouls, palpation), rétablit le cycle de menstruations, même si parfois il reste irrégulier.

Exemple :

Une créatrice de mode, âgée de 51 ans, n'a plus ses règles depuis quatre ans à la suite d'un choc émotif. La préménopause est constatée grâce au bilan sanguin qui démontre une diminution de sécrétion ovarienne avec augmentation des hormones hypophysaires. Trois points d'acupuncture sur les éléments rein et rate lors d'une séance, et les règles reviennent. La patiente a refait le traitement au bout de six mois. Elle a pu maintenir le cycle menstruel pendant quelques temps encore.

▪ *Les bouffées de chaleur*

Dans la majorité des cas, lorsque l'arrêt complet des règles apparaît, la femme présente des bouffées de chaleur qui sont des troubles vasomoteurs. C'est tout simplement un emballement de l'énergie du foie et du cœur qui suit le déséquilibre du rein.

De nombreuses personnes ont vu leur état s'améliorer après quelques séances d'acupuncture. Si à la longue, les symptômes reviennent, une nouvelle série de traitements s'avère indispensable.

▪ *Les problèmes cardio-vasculaires*

Dans les problèmes cardio-vasculaires comme l'hypertension, la tachycardie, c'est à nouveau sur les méridiens rein, foie, cœur et maître du cœur qu'il faudra agir.

Les personnes souffrant de troubles cardio-vasculaires tels que l'hypertension, la tachycardie, une grande émotivité avec accélération du rythme cardiaque jusqu'à 150 pulsations par minute, sont fort nombreuses dans un cabinet d'acupuncture et répondent très bien au traitement préconisé par la médecine chinoise.

▪ *Ostéoporose, rhumatisme, arthrose*

En médecine chinoise, l'élément rein est lié aux os, aux articulations. Cela veut dire qu'en agissant sur lui, on a une action sur le squelette. On a aussi des points qui agissent sur les problèmes liés à la modification du climat : le froid, l'humidité. Mieux, la médecine chinoise a dans sa panoplie des points spécifiques dont la manipulation augmente la fixation du calcium. Un problème si important à la ménopause lorsqu'on sait que le squelette, pour une certaine catégorie de femmes, s'effrite, perd de sa masse osseuse, devient fragile et poreux[154].

Exemple :

Une femme âgée de 51 ans, repasseuse, travaillant beaucoup avec ses bras, et restant debout une grande partie de la journée, se plaint de douleurs constantes dans les membres supérieurs et la colonne cervicale et dorsale. Tous ces symptômes s'aggravent par temps humide et froid. L'ostéodensitométrie montre des résultats normaux, tandis que les analyses de sang font apparaître une mauvaise fixation du calcium, bien qu'elle en absorbe tous les jours sous forme de gélules.

On va équilibrer les méridiens locaux qui agissent sur la douleur des bras et de la colonne, en travaillant ensuite sur le rein en tant qu'élément de liaison avec les os et la rate, baromètre de l'humidité de l'organisme, parallèlement à l'application quotidienne, pendant trois mois, de bâtonnets de moxa à 1 ou 2 cm de la peau sur le 11V et 11R, a permis une amélioration dans la fixation du calcium.

■ *L'obésité et la surcharge pondérale*

Dans le problème de poids, on agit avant tout sur les méridiens de l'estomac qui ont une action équilibrante dans l'appétit. La surcharge pondérale est provoquée entre autres par la rétention d'eau. C'est dans le but d'une meilleure élimination que les points diurétiques sont sollicités.

En travaillant sur le système rate-pancréas, le besoin de sucre de l'organisme se régule. Par ce biais, la boulimie, qui est un facteur important dans les problèmes de surcharge pondérale, parvient à être freinée. L'acupuncture agit aussi sur la dilatation de l'estomac et la sensation de faim. Mais il n'en demeure pas moins que si l'on veut équilibrer et maintenir le poids, l'exercice physique et un régime approprié sont indispensables.

■ *L'instabilité psychique*

Les problèmes de nervosisme, irritabilité, insomnie trouvent leur réponse par l'acupuncture dans la majorité des cas[155].

> **Exemple : un cas d'insomnie**
>
> Une femme de 49 ans a une activité professionnelle modérée mais rencontre de graves problèmes de couple avec séparation, des difficultés avec les études de ses enfants. Elle est insomniaque et irritable depuis l'arrêt de ses règles il y a un an. On travaille sur les méridiens du rein et de la rate, en utilisant les points hors méridiens spécifiques du sommeil. Au bout de quelques séances, elle récupère sa joie de vivre et son équilibre nerveux, et ses nuits redeviennent paisibles. Le traitement qui visait à résoudre les problèmes digestifs, en rééquilibrant les méridiens de la vésicule biliaire et du gros intestin, a pu en même temps faire réapparaître les règles.

Ceci démontre l'approche holistique, c'est-à-dire globale, du corps humain lorsqu'on travaille par l'acupuncture. En manipulant l'énergie des méridiens dans un but précis, on agit sur tout l'organisme. On lève certains blocages, ce qui provoque le bien-être général, et les menstruations reviennent. On sait à quel point c'est important pour une certaine catégorie de femmes, pour qui la disparition des règles correspond à la perte de leur féminité.

L'utilisation des plantes suivant les lois de l'acupuncture

De longues recherches ont abouti à la constatation que chaque plante a sa saveur qui peut être reliée à chacun des cinq éléments en interaction constante entre eux. On en a déduit la loi du **cycle de destruction**, appelé aussi de **tempérance**, selon la deuxième loi (cycle Ko) :

– l'acide corrige les effets du doux ;
– le doux corrige les effets de salé ;

– le salé corrige les effets de l'amer ;
– l'amer corrige les effets du piquant ;
– le piquant corrige les effets de l'acide.

En principe, suivant les lois d'acupuncture, les plantes avec leur saveur particulière corrigent tel organe qui est en excès (plénitude) ou en vide (insuffisance).

L'énumération de ces saveurs est aride. Les plantes – antihémorragiques, œstrogéniques, progestatives – ont été citées aux chapitres précédents où elles étaient indiquées pour corriger en premier lieu le désordre correspondant au concept classique occidental.

Mais si l'on veut se référer à l'énergétique chinoise, il faut raisonner autrement.

Exemple :

Une patiente qui a des règles abondantes avec bourdonnements d'oreille durant la ménopause souffre d'un déséquilibre de l'élément *Bois en vide*. On corrigera ce défaut par :
– la plante de sa propre saveur, c'est-à-dire l'acide (bois), type hamamélis ;
– les plantes des deux saveurs qui la précèdent dans le cycle d'engendrement, c'est-à-dire une plante de saveur salée (eau), par exemple la bourse à pasteur, et une plante âcre, piquante (métal), comme l'ortie.

En revanche, en cas d'hypertension à la ménopause, c'est un élément *Feu en plénitude*. La correction s'effectuera par les deux ou trois éléments placés en avant de lui dans le cycle d'engendrement, c'est-à-dire le doux comme le mélilot ou le cyprès, l'âcre-piquant comme l'angélique, et éventuellement le salé du solidago.

LES SAVEURS DES PLANTES		
Plantes antihémorragiques		
Plante	**Saveur**	**Voir page(s)**
Hamamélis	acide, amer	174
Épine vinette (baies)	acide	175
Épine vinette (écorce)	amer	175
Prêle	acide, salé	193
Ortie blanche	acide	176
Ortie piquante	piquant, doux, salé	175
Capsella bursa pastoris	salé	176
Cassis (bourgeons)	doux	184
Cassis (feuilles et baies)	salé	184
Églantier (cynnorhodon)	acide	
Églantier (feuilles-fleurs)	doux	
Vigne rouge	acide, amer	178
Mélilot	acide, doux	177
Chardon marie	amer	178
Maïs	doux, salé	179
Cynara	amer, acide	
Plantes œstrogéniques		
Plante	**Saveur**	**Page(s)**
Gingko biloba	amer, âcre, piquant	181
Panax ginseng	amer, doux	182
Sauge	doux, amer	182
Actée à grappes	amer, doux	183
Houblon	amer	184
Cyprès	acide, doux	177, 199
Angélique	âcre, piquant	184
Carvi	doux, piquant, âcre	185
Avoine	doux, amer	186
Gentiane	amer	
Romarin	acide, doux	186, 199
Réglisse	doux, amer	185
Ortie piquante	piquant, doux, salé	186
Fenouil	doux, amer, âcre	206
Anis vert	doux, piquant	207
Souci	doux, amer, salé, piquant	186

Plantes progestatives		
Plante	**Saveur**	**Page(s)**
Alchémille	amer	188
Millefeuille	doux, amer	189
Gattilier	amer, piquant	189
Grémil	doux	189
Viorne	amer	190
Trillium	acide, piquant, doux	190
Plantes stimulantes de la progestérone et de la testostérone		
Plante	**Saveur**	**Page(s)**
Sabal serrulata	doux, piquant	191
Salsepareille	doux, piquant, amer	191
Helonias	amer	191
Ortie blanche	piquant, astringent	176
Plantes aux antigonadotrophines FSH/LH		
Plante	**Saveur**	**Page(s)**
Bourrache	doux, salé	190
Romarin	acide, doux	191
Plantes antivieillissement		
Plante	**Saveur**	**Page(s)**
Petite pervenche	amer, acide	192
Ginseng	acide, doux	182
Plantes reminéralisantes		
Plante	**Saveur**	**Page(s)**
Prêle	amer, astringent	193
Fucus	salé, doux	193
Renouée	amer, astringent	193
Ortie	doux, salé	194

La médecine chinoise permet de rétablir l'équilibre général de la personne et nous livre, en même temps, une arme pour résoudre les difficultés liées à la ménopause

Enfin, l'acupuncture – c'est sa force! – est ouverte aux autres courants de la médecine et peut parfaitement s'intégrer à eux, que ce soient la phytothérapie, l'homéopathie ou des traitements hormonaux indispensables chez certaines femmes.

UNE APPROCHE PLURIELLE

Pour commencer, il faudrait adopter une bonne hygiène de vie : s'alimenter convenablement, en apportant à l'organisme les vitamines, sels minéraux et oligo-éléments en quantité suffisante, lutter contre le stress en maintenant son équilibre psychique par certaines techniques orientales comme le yoga, le taï chi chuan, ou en pratiquant la pensée positive créative... Un premier pas est alors franchi.

Ensuite, si l'on doit consulter, y a-t-il supériorité d'une méthode thérapeutique en particulier ? Laquelle devrait-on préférer ? Cela dépend du thérapeute, qui agira selon sa méthode de prédilection.

De son côté, la patiente va en faire autant : celle qui a toujours été suivie par l'homéopathie a tendance à continuer ce mode de traitement, une fois que la ménopause est arrivée.

Chaque praticien a, évidemment, tendance à préférer sa branche. Ainsi, le phytothérapeute traite peut-être exclusivement par les plantes et les huiles essentielles :

Mme B. M. a maintenant 38 ans. Elle a rencontré son futur mari sans avoir connu d'autre homme. Elle s'est retrouvée enceinte, alors qu'elle n'avait pas terminé ses études supérieures et qu'elle n'était pas encore mariée. Elle a avorté.
À 30 ans, elle développe un kyste de l'ovaire, et le chirurgien ne lui fait pas grâce de son ovaire gauche – côté affectif – qu'il enlève.
Elle fait ensuite, en 1990, deux fausses couches spontanées : l'une à 2 mois et demi et l'autre à 3 mois. Pour régulariser le

cycle, son médecin lui donne la pilule qui provoquera une phlébite superficielle à gauche et une thrombo-phlébite à droite.

En juillet 1993, les deux conjoints trouvent des compensations affectives ailleurs et décident de se séparer. Dès ce moment-là, la patiente devient aphone et le demeure pendant 6 mois.

On ne s'étonnera guère que cette patiente soit porteuse d'un fibrome gros comme un pamplemousse, que ses règles soient abondantes et douloureuses ?

Son traitement par :
- Lithospermum ;
- Gattilier ;
- Alchémille 3 x 20 gouttes ;
- Fragon ;
- Hamamélis ;

… alterné avec 1 gélule d'huiles essentielles comprenant :
- Rosmarinus officinalis verbenoniferum ;
- Cupressus sempervirens ;
- Melaleuca quinquenervia cineolifera (pour le fibrome) ;

… donnera des règles non douloureuses, à flux normal avec des envies d'uriner moins fréquentes, et un ventre plus mou. Le fibrome commence à régresser.

Mme D. F. a 35 ans et présente des cycles de plus en plus courts. Son visage est empourpré. Elle est du type sentimental. Elle est pléthorique et a des écoulements d'abondance irrégulière avec des petites pertes brunes avant les règles. Son syndrome prémenstruel est caractérisé par les maux de tête, la nervosité, les seins tendus. À l'examen, ses seins sont caractéristiques d'une mastose fibrokystique, gonflés, œdématiés et à structure granuleuse.

L'insuffisance du foie explique les maux de tête, et elle éprouve, depuis peu, une douleur persistante au genou droit.

Son traitement comportera :
– Alchémille TMØ ;
– Achillée millefolium ;
– Gattilier (d'abord en continu, puis du 10e jour du cycle jusqu'aux règles) ;
– et Actea racemosa en haute dilution homéopathique (ex. 15 CH) pour contrer l'hyperœstrogénie relative du 8e au 15e jour du cycle[156].

Pour autant, n'en déplaise aux puristes, une méthode n'est pas exclusive de l'autre. C'est bien souvent les circonstances elles-mêmes qui nous font choisir l'acupuncture, ou l'homéopathie ou encore l'aromathérapie. Et il est souvent précieux de recourir aux remèdes appartenant aux différentes écoles.

Si une patiente, qui a toujours été suivie par homéopathie, présente des bouffées de chaleur intolérables, de telle sorte qu'elle s'enrhume constamment, parce que, dès que vient la nuit, elle joue à cache-cache avec ses couvertures, passe du trop chaud au trop froid et inversement, nous préférons lui adjoindre des oligo-éléments et, en cas d'échec, de la phytothérapie ou des huiles essentielles.

Mme G. A. vient nous voir pour la première fois à 52 ans. Elle a eu quatre enfants. Elle pratique régulièrement le yoga et le vélo et fait du jardinage. Elle excelle à la céramique et suit d'ailleurs des cours à l'académie des beaux-arts locale.

Elle souffre d'un gonflement de la thyroïde, a eu de la tétanie pendant 4 à 5 ans, et des crises de spasmophilie lors de ses accouchements.

Un bilan pratiqué fin 1993, à 52 ans, montre des gonadotrophines hypophysaires élevés (FSH 34,5 et LH 59 mU/l avec taux d'œstrogènes élevé : œstradiol 159, œstronc 25 g/ml). Le taux d'élimination du calcium/créatinine est normal de même que celui d'hydroxyproline. L'ostéodensitométrie est excellente à 51 ans et l'est toujours deux ans après.

Son traitement comportera :
1. du magnésium ;
2. des granules homéopathiques de :
• Strontium carbo ;
• Sanguinaria en 5 CH ;
• Glonoïnum ;
• Veratrum viride ;
3. de l'organothérapie diluée et dynamisée ;
4. des capsules de germes de blé.

Elle continuera à avoir ses règles en 1993 et 1994.

Des bouffées de chaleur apparaissent alors, un traitement par Agréal (non hormonal) lui est prescrit qu'elle ne va jamais prendre.

Lors de sa dernière consultation en mars 1995, sa tension artérielle, qui était de 14/9, s'est normalisée à 11,5/8. Ses symptômes subjectifs se limitent à des fourmillements dans les doigts, des maux de tête en casque (mais elle a été commotionnée il y a 5 ans lors d'une chute en montagne, avec un syndrome de périarthrite à l'épaule droite persistante pendant 6 mois).

Son **traitement** se composera cette fois de :

1. un mélange de granules homéopathiques à base de Calcarea et d'Urtica ;
2. des gouttes organothérapiques : 20 gouttes le soir ;
3. une cure de calcium, magnésium, fer, B_6 et zinc : 1 par jour alterné avec un mélange anti-oxydant (vitamine C + carotène + magnésium + vitamine E + sélénium) ;
4. Natrum sulfuricum en granules de 30 K au coucher, pour les maux de tête, conséquence du traumatisme sportif, et sur les autres caractères repris dans l'anamnèse, à savoir : engourdissement et pieds froids le soir, mais très chauds le matin, raideurs matinales, besoin de bouger, aggravation par le froid humide.

Ainsi, pour la première patiente citée, le traitement a été essentiellement phytothérapique, la seconde a reçu de l'homéopathie et de la phytothérapie, tandis que pour la dernière, ont été réunis l'homéopathie, les oligo-éléments et les vitamines.

Par ailleurs, on ne peut séparer les symptômes physiques de l'état psychique de la patiente. Et là aussi, la conjugaison des différentes médecines permet d'obtenir des résultats peut-être meilleurs que si l'on s'était cantonné à une seule :

Cas clinique

Mme L. F., 32 ans et demi : cas où les hormones sont mal supportées.

Cette jeune patiente a un fils de 3 ans et demi. À 31 ans, elle subit une hystérectomie totale (les ovaires ne sont toutefois pas enlevés) pour de l'endométriose. Depuis lors elle fait cystite sur cystite. Son gynécologue lui redonne la pilule qu'elle supporte très mal, notamment au niveau des jambes. Un urologue consulté ne trouve rien. Une cure antimycotique n'a pas plus d'effet. Elle se plaint depuis toujours d'un excès d'hormones mâles avec chute de cheveux et boutons.

À présent, Mme L. F. dit toujours ressentir ses cycles et, de plus, elle a mal à la gorge pendant ses « règles fantômes ».

Ce que le gynécologue n'avait peut-être pas entendu :

À l'âge de 30 ans, Mme L. F. a appris que l'homme qui l'a élevée n'est pas son géniteur. Sa mère, avec laquelle elle s'entend mal, s'est remariée quand elle était toute jeune et lui avait toujours caché la vérité sur son origine. L'ablation de son utérus qui a entraîné la disparition de ses règles a été d'autant plus mal supportée qu'elle était profondément déstabilisée par cette information.

Nous lui proposons un traitement par Lachesis 30 K pour combattre les mauvais effets d'une suppression chirurgicale des règles ;

Des huiles essentielles :

• Origanum majorana 15 mg, antalgique et contre les spasmes utérins ;

• Salvia sclaréa 15 mg, discrète œstrogénémie en cas de virilisme ;

• Citrus aurantium 20 mg, antispasme, anti-inflammatoire, activation de la circulation, nervosisme ;

• Laurus nobilis 25 mg, bactéricide génito-urinaire ;

• Rosmarinus officinalis verbenonif. 25 mg, constriction du plexus pelvien…

… à raison de 1 gélule de 100 mg tous les jours, 5 jours sur 7.

Des acides gras polyinsaturés (bourrache, onagre, huile de poisson, vitamine E) sont également prescrits, car leur action anti-inflammatoire et de métabolisation des hormones auront raison de cette « cystite rebelle ».

En cas de besoin, l'acupuncture peut s'avérer d'une grande aide, car, par sécrétion des endorphines, elle parvient bien à équilibrer l'organisme en mettant toujours l'accent sur le feed-back entre physique et psychique.

■ Des objections ?

On ne va pas manquer de nous en faire. Des critiques classiques, des idées reçues. À commencer par les tenants de l'hormonothérapie.

N'est-il pas risqué de ne pas utiliser les doses utiles d'hormones ?
Ce ne sont pas les médecines douces qui vont freiner le vieillissement.

Hors la thérapie hormonale de substitution, point de salut. C'est la nouvelle idée reçue. Les hormones de synthèse peuvent être bienvenues, et il nous arrive d'en prescrire. Nous ne sommes pas des adeptes inconditionnels de techniques anciennes, simplement parce qu'elles appartiennent au passé et qu'à ce titre, elles auraient une supériorité de par leur utilisation plus éprouvée dont on aurait pu écarter les effets secondaires indésirables.

La différence provient de ce que nous répondons point par point aux nécessités de la patiente. En effet, pourquoi donner systématiquement des hormones à telle patiente dont la densité minérale osseuse est de 142 %, soit 42 % de plus que la moyenne des femmes de son âge ?

On objectera alors « que cette patiente a peut-être un bon capital osseux, mais si elle reçoit des œstrogènes, c'est pour un problème cardio-vasculaire ». Certes, mais celui-ci demande à être étudié de près, et comme nous sommes attentifs au terrain global, nous prendrons bien entendu en compte cet aspect. Le traitement œstrogénique peut être nécessaire, mais à doses adéquates, et relayé par les autres thérapies.

Et quand bien même existent ces différents éléments pathologiques, les plantes, les huiles essentielles, les vitamines sont, elles aussi, à même de remplir leurs bons offices et même de faire mieux que de répondre fonctionnellement à un symptôme particulier.

Une gélule contenant des huiles essentielles peut, nous l'avons vu, améliorer le terrain cardio-vasculaire, favoriser la fonction hépato-vésiculaire, abaisser le cholestérol, améliorer l'humeur et, par-dessus le marché, rendre la peau douce. Pourquoi faudrait-il, dans ce cas, administrer des hormones synthétiques qui auraient peut-être le défaut de perturber encore plus la fonction hépatique. Et si la gélule n'était pas suffisante pour diminuer les bouffées de chaleur, nous pourrions toujours y adjoindre un complément d'homéopathie.

Cependant, nous n'excluons pas l'hormonothérapie, mais elle sera toujours utilisée à titre d'adjuvant et non comme traitement principal. Certaines de nos méthodes, par exemple la phytothérapie, l'aromathérapie, visent à restituer un climat hormonal œstrogénique ou progestéronique.

Alors, pourquoi ne pas utiliser directement les hormones de synthèse qu'on appelle souvent « naturelles » ?

La terminologie est ambiguë : ainsi, le benzoate d'œstradiol est dit « hormone naturelle », parce qu'il correspond à une sécrétion de l'ovaire de la femme. Mais il s'agit d'une imitation synthétisée d'une hormone normalement sécrétée par la femme. Ce n'est pas une substance que l'on retrouve telle quelle dans la nature.

Au contraire, le fenouil, la sauge, le houblon contiennent des phytohormones, ce qui signifie que ces plantes possèdent un ou plusieurs composés naturels dont les propriétés ou la formule chimique sont apparentées aux hormones féminines. Et nous pouvons employer ces plantes avec succès pour remédier à certains désordres hormonaux.

Ainsi, pour telle patiente qui, jusqu'à présent, a bénéficié d'un traitement hormonal de substitution classique et qui ne le supporte plus, soit à cause de l'apparition d'une tension mammaire ou de kystes, soit parce qu'un mauvais état circulatoire dégénère en menace de phlébite, nous aurons tendance à rechercher dans une thérapeutique moins agressive, dénuée de ces effets secondaires indésirables, une solution à son attente.

Cas clinique

Mme R. A., 59 ans, a été ménopausée à 55 ans. Quelques années plus tôt, on a découvert un petit fibrome.
Une échographie en a montré trois (respectivement de 45, 20 et 10 mm de diamètre). Sans doute, des règles abondantes de 5 à 6 jours justifiaient-elles cette échographie. Un chirurgien voulait l'opérer, un autre gynécologue lui a prescrit le traitement classique de progestatif durant 10 jours chaque mois. Et pendant 2 ans, un spécialiste réputé lui a administré une THS sous la forme de 2 patchs d'Estraderm 25 par semaine, et de 2 capsules quotidiennes d'Utrogestan 100 mg, 20 jours par mois.
L'ostéodensitométrie pratiquée à 57 ans a donné un résultat

271

excellent de 104 %, soit 4 % de plus que la moyenne des femmes de son âge.

Doit-on continuer cette thérapie ?

Mme R. A. a des antécédents de varices et de thrombose. Elle présente de grosses varices internes aux deux cuisses. Elle se plaint de spasmes douloureux à l'estomac. Sa digestion est pénible, elle est constipée : des examens complémentaires, échographie et endoscopie, n'ont rien révélé de particulier. À l'examen, son utérus est fibromateux et en rétroversion dans le petit bassin. Sa thyroïde est porteuse de deux nodules froids.

Cette thérapie hormonale de substitution doit donc être « allégée », compte tenu des effets des œstrogènes sur le système veineux déficient, du fait que 4 ans après la ménopause, les fibromes n'ont pas tendance à se stabiliser, que les progestatifs ne sont pas très indiqués avec ses problèmes digestifs, et que son ostéodensitométrie est supérieure à la moyenne des femmes de son âge.

Nous procéderons, bien sûr, par étapes. Dans un premier temps, la dose œstrogénique et celle de progestatif vont être réduites de moitié, avec adjonction de 2 gélules, puis de 1 seule, composée de :

Huiles essentielles de :
- Melaleuca quinquenervia cineolifera ;
- Mentha piperata   } in toto 75 mg.
- Rosmarinus officinalis verbenoniferum ;
- Pinus sylvestris ;

Nébulisats de :
- Vitis vinifera 1 : 7 100 mg ;
- Lithospermum 1 : 5 250 mg ;
- Ginkgo biloba 50 mg ;
- Cupressus 50 mg…

… pour arriver dans un temps ultérieur à 1 seule gélule par jour lors du repas de midi.

Pourquoi ces plantes ?

Le fibrome sera contrôlé par Melaleuca et Lithospermum. L'état circulatoire sera amélioré par Vitis vinifera, Ginkgo biloba et Cupressus. Le foie déficient et les problèmes digestifs : le romarin et la menthe s'en chargeront. Pinus sylvestris a été choisi pour son action sur les troubles thyroïdiens, la congestion utérine et l'arthrite.

Il nous arrive aussi d'adjoindre au traitement des hormones de synthèse. Ainsi telle femme, dont le mari éprouve des difficultés à maintenir des relations sexuelles pour toutes sortes de motifs (la sécheresse vaginale n'étant pas le moindre des obstacles), va voir sa vie sexuelle changer le jour où nous lui prescrirons un ovule gynécologique de benzoate d'œstradiol, quitte à repasser à une thérapeutique plus douce une fois le résultat obtenu.

Mme Marianne S. a 55 ans. Plutôt petite et ronde, elle a été ménopausée à l'âge de 49 ans, mais a vu ses règles réapparaître à deux reprises : une première fois six mois plus tard, une seconde un an plus tard.

Elle est atteinte d'une légère arthrose de la hanche et du genou du côté droit. En 4 ans, elle va suivre d'abord une cure organothérapique : rein-foie-hypophyse-ovaire en D8 ; puis Lachesis en 30 K deux fois par semaine.

Elle subit une cholécystectomie (ablation de la vésicule biliaire) à l'âge de 52 ans. Elle reçoit alors des nébulisats de : sauge, éleuthérocoque, prêle, lotier et houblon.

Contre la légère sécheresse vaginale, nous lui prescrivons, tous les 15 jours, une application vaginale de 1 comprimé de Vagifem qui est du benzoate d'œstradiol. Mais elle apprécie peu ce traitement.

Parallèlement, essentiellement à la suite d'ennuis familiaux, elle devient d'une humeur massacrante, agressive, colérique. Elle reçoit : Lycopodium 7 CH, suivi, vers 54 ans de : Lachesis 200 K, et quelque temps après de : Lachesis 1000 K (haute dilution homéopathique).

Plus tard, nous lui prescrivons : Thuya 30 K et Graphites 7 CH, qui vont faire disparaître complètement ses cicatrices d'ablation de la vésicule biliaire et d'appendicectomie, de même qu'un kyste qu'elle avait sur la main depuis des années.

Durant l'hiver 94, lors d'un épisode grippal avec mal de gorge tournant à l'otite, nous lui administrons, pour de l'eczéma aux doigts, un catarrhe tubaire avec surdité et du rhumatisme aux petites articulations des doigts : Manganum aceticum en 6 CH.

Comme elle devient dépressive, dégoûtée de la vie, avec une sensation de battement dans l'oreille et une légère élévation de la tension artérielle à 13,5/10, et que la mastoïde droite est douloureuse, nous lui ajoutons : Aurum 7 CH.

Le Vagifem est prescrit, de nouveau, à raison de 1 comprimé vaginal tous les 10 jours pendant 4 mois.

Depuis lors, cette patiente est tout à fait stabilisée, tant au point de vue des bouffées de chaleur et de la sécheresse vaginale que de l'instabilité émotive.

La multiplicité de vos méthodes prouve leur inefficacité relative individuelle.

À cela nous répondrons que s'il n'y avait pas de problème avec la thérapie hormonale de substitution, les médecins allopathes la prescriraient toujours, et les patients y auraient toujours recours. Les médecins allopathes consciencieux connaissent les contre-indications à leurs traitements. Les patientes rencontrent elles-mêmes des difficultés, soit au départ, soit en cours de traitement, et sont souvent amenées à l'interrompre.

Primum non nocere : d'abord ne pas nuire et puis aider. Si notre cliente a toutes ses chances sur tous les plans avec notre traitement, même si celui-ci doit être réduit à une dose homéopathique, nous aurions bien tort de ne pas l'encourager à suivre ces prescriptions, même si cela ne concorde pas avec la tendance thérapeutique actuelle.

Les plantes ou les huiles essentielles, même pourvues de propriétés œstrogéniques, n'auront jamais une efficacité comparable à un patch diffusant 25 gamma d'éthinyl œstradiol, par exemple.

Bien sûr que si, et c'est ce qui en fait tout l'intérêt. Le totum de la plante ou de l'huile essentielle, riche de tous ses composants, a des qualités fondamentales par ses constituants principaux et des propriétés accessoires mais néanmoins très utiles par des éléments à l'état de traces. La plante est équilibrée dans ses composantes.

Quand on veut avoir un impact puissant, on commence par une dose plus forte dite d'attaque, puis, dès l'effet obtenu, on diminue progressivement la dose pour avoir un effet d'entretien. On évite aussi de prescrire ces substances de manière continue pour éviter une accumulation intempestive.

Et l'homéopathie, alors, est-elle encore moins pourvue d'effets hormonaux ?

Nous avons vu toute la démarche de recherche du similimum homéopathique, c'est-à-dire la substance capable de reproduire le plus fidèlement possible toutes les caractéristiques de la patiente à un moment donné de sa vie.

Plus la similitude est grande, plus haute sera la dilution et la dynamisation du remède. Il existe des dilutions ou concentrations stimulantes ou, au contraire, régulatrices de l'activité hormonale de produits tels que Folliculinum, Ovarinum, Progestérone... Qui plus est, le similimum homéopathique peut être tout à fait étranger et ne pas appartenir à la classe des hormones.

Loin de préconiser le rejet inconditionnel d'une thérapie prônée par la plupart, nous plaidons pour un pluralisme et l'absence d'impérialisme thérapeutique. La thérapie unique, même efficace pour un grand nombre, est néanmoins insatisfaisante, voire nocive pour certains. Le rejet des méthodes alternatives n'est bien souvent dû qu'à la seule ignorance des protagonistes. Si importantes que soient les propriétés des hormones, quand on ne possède pas d'autres remèdes dans son arsenal thérapeutique, on peut être tenté de les prendre pour des panacées universelles.

Par ailleurs, à la ménopause peuvent survenir bien d'autres troubles qui ne seraient pas soulagés par l'hormonothérapie, et dont le traitement passera par des plantes aux vertus analgésiques, antipyrétiques, cholagogues, des huiles essentielles hypocholestérolémiantes, une homéopathie bien menée, une acupuncture correctement ciblée.

Alors, que choisir ? L'important, en médecine comme pour tout, est de ne pas faire preuve d'intolérance, d'ostracisme. Avant de rejeter une méthode thérapeutique, il est essentiel de s'informer... et pourquoi ne pas l'essayer... Mais il ne faudrait pas que l'ostracisme de la médecine allopathique amène les patients à consulter en cachette les praticiens des médecines douces.

La médecine occidentale s'enferme dans sa tour d'ivoire.

Pourtant, pour plus d'un milliard d'hommes, le geste acupunctural est quotidien. En Inde, l'homéopathie a une place de choix, à côté de l'allopathie. Comment soigner une population de 800 millions d'hommes avec des produits chimiques, coûteux pour le consommateur et pour le système d'assurance maladie ? En Amérique du Sud ou dans les pays de l'Est, là où le lobby pharmaceutique n'a pas la même prise qu'en Occident, l'homéopathie, la phytothérapie, l'acupuncture sont développées. En leur donnant des chances égales à l'allopathie, elles se développent de manière efficace à la grande satisfaction de la population. Ainsi, en Russie, pays proche de l'Asie, si vous avez mal à la tête, on vous prescrit telle plante ou telle granule, et seulement si cela n'a aucun résultat, tel ou tel médicament.

Toutes ces médecines séculaires doivent figurer dans l'éventail de nos possibilités thérapeutiques, mais rester l'apanage de spécialistes expérimentés. Il faut aussi avoir à l'esprit que la médecine dite parallèle ne peut résoudre tous les problèmes ; il y a des échecs, et il faut pouvoir passer à l'allopathie. Mais il ne faut pas pour autant oublier les effets secondaires des œstrogènes... Ils doivent être utilisés au cas par cas : chaque patiente est unique. Il faut que la femme soit consciente, responsable et capable de gérer cette période de la vie, par elle-même ou avec l'aide d'un médecin, lui-même suffisamment informé pour lui faciliter la tâche en lui indiquant les meilleurs choix, compatibles avec son équilibre physique et mental.

CONCLUSION

On traite aujourd'hui les femmes pour tout, avec une multitude de médicaments : des hormones pour la ménopause, des antihypertenseurs pour la tension, des diurétiques pour l'œdème des jambes, des cholagogues pour les troubles digestifs, des anti-inflammatoires pour la coxarthrose… Pour la ménopause, la doctrine est hormonale : c'est la loi du plus grand nombre, celui des praticiens, mais pas celui des femmes, puisque seulement 15 à 25 % d'entre elles ont adopté cette thérapie. Les autres sont-elles inconscientes ou ont-elles des réticences face à cette pratique ? Un grand nombre d'entre elles se fient à leur instinct. Elles s'interrogent sur le bien-fondé de cet usage sans précédent dans l'histoire médicale : c'est un traitement purement préventif, qui commence généralement en l'absence de tout symptôme et qui doit porter ses fruits dans un futur plus ou moins éloigné. Jamais programme n'a été poussé aussi loin sur le plan statistique, tant au niveau médical (la démonstration des effets nocifs de l'absence d'intervention médicale est sans précédent), qu'au niveau des retombées économiques. Depuis l'apparition de la pilule, le gynécologue ne fait plus guère que manipuler des hormones. Elles sont sa seule arme thérapeutique. Et comme les hormones ont des effets bénéfiques (ceux de la pilule, par exemple, sur les tumeurs bénignes du sein), on ne retient que le positif, et on continue sur cette lancée.

Pourquoi donc les hormones plaisent-elles autant ? On nous rétorquera qu'il ne s'agit pas de plaire, mais de pallier un manque : la fonction hormonale se tarissant, il convient de la remplacer. Curieusement, ce raisonnement ne s'applique qu'à l'ovaire. Pour les autres glandes dont la production varie avec l'âge, on ne tient pas ce raisonnement. On nous avancera l'incontestable efficacité des hormones sur les bouffées de chaleur, la perte de l'élasticité de la peau, les problèmes cardio-vasculaires. Et, rassurons-nous, ce n'est pas dénier l'âge et les considérer comme un quelconque sérum de jouvence, puisqu'il ne s'agit pas des mêmes hormones au cours de la prime jeunesse et à la ménopause[157].

Par ailleurs, dans le domaine médical, la tendance à l'abus des médicaments est générale. Ainsi de l'aspirine et de la cortisone : après une période d'engouement dans un premier temps, on a été amené à en restreindre l'usage, à limiter les indications.

Et des indications, il en existe d'absolues pour l'hormonothérapie, notamment lorsqu'une femme est profondément carencée. Cela permet de gagner du temps en lui administrant, sur une courte période, des hormones très actives.

Mais qui dit haut degré d'efficacité, doit penser également toxicité potentielle. Même les plus grands apôtres de la THS sont d'accord sur les effets secondaires et les contre-indications.

L'alternative à cette pensée dominante est-elle rétrograde, voire criminelle selon certains ? La formation médicale est riche, et la science qu'a assimilée le médecin n'est pas incompatible avec une autre voie prometteuse. Ne parle-t-on pas des propriétés cardio-vasculaires et « hormonales » des plantes ?

Pourtant, quand on s'intéresse de près aux problèmes des femmes, il est clair que, bien souvent, la composante hormonale n'est pas prédominante. En effet, une patiente peut être tiraillée par des problèmes de couple, des soucis pour les enfants, auxquels s'ajoutent des difficultés professionnelles, et ses règles vont, sans doute, par ricochet, augmenter en abondance et en fréquence. Un gynécologue attentif diagnostiquera un kyste ovarien, qu'il enlèvera consciencieusement. Certes, cette femme ne saignera plus et l'absence de malignité sera confirmée. Mais n'aurait-il pas pu trouver une réponse plus adaptée qui aurait conservé l'ovaire et régularisé l'hyperproduction hormonale ?

À la cinquantaine, si l'on ne s'en est pas préoccupé plus tôt pour redresser la situation, des tendances, des déséquilibres, se sont développés, pas seulement sur le plan hormonal. Seules certaines plantes ou huiles essentielles sont capables d'intégrer tous les aspects, avec toute la sécurité que confère la longue tradition de la phytothérapie. Si la plante possède des propriétés *hormone-like*, c'est-à-dire si elle a une activité comparable à celle des hormones, tant mieux ! Mais encore faut-il qu'elle ne soit pas assortie d'autres propriétés inutiles dans le cas « unique » de la patiente concernée. Et c'est là que l'art médical est déterminant : il s'agit de mettre en lumière la composante psychologique si souvent présente et se manifestant sous forme de somatisations diverses ; de ne pas répondre au premier degré, sans aucun recul, sans quoi – ainsi que le pensent les homéopathes – un autre élément pathologique, parfois plus gênant que celui qu'on a voulu voir disparaître, fera son apparition.

Un grand nombre de femmes – rendons-leur hommage – ne se laissent pas séduire par les avantages à court terme. Elles n'ont pas attendu l'utilisation des hormones pour consolider leurs os et réduire leurs risques cardio-vasculaires, et tiennent à ce que leur médecin fasse preuve d'imagination créatrice, d'esprit de synthèse et pratique un véritable art médical, ne cédant pas dans tous les cas à la tentation de recourir aux produits proposés par les lobbies pharmaceutiques, comme une panacée universelle. Souhaitons que beaucoup d'autres aient prochainement accès aux médecines naturelles.

ANNEXES

HISTOIRE DE LA MÉNOPAUSE

Dès l'Antiquité, la ménopause intéresse les médecins. On s'interroge surtout sur l'âge exact de la fin des règles.

Le papyrus Ebert (1 500 avant J.-C.) demeure la plus vieille description des rougeurs et des chaleurs touchant les femmes ménopausées.

Pythagore (570-480 avant J.-C.) développe l'idée selon laquelle les hommes et le monde sont liés par des rapports numériques harmonieux ; il voit dans le chiffre 7 le « nombre vital » et propose une succession simple des étapes de la vie humaine :

7 ans : fin de l'enfance – premières dents ; 14 ans : puberté – menstrues ; 21 ans : barbe et nubilité ; 28 ans : fin de la croissance générale ; 35 ans : plus fort point de vigueur ; 42 ans : décroissance et âge critique des femmes ; 49 ans : perte de la faculté de concevoir chez la femme...

Hippocrate (460-377 avant J.-C.), lui aussi, fixe les phases importantes de la vie de la femme de 14 à 42 ans, sans réelle approche clinique.

Soranos d'Éphèse (Ier-IIe siècles) est le premier auteur qui va au-delà d'un simple constat. Pour lui, la ménopause est une étape physiologique normale dans la vie d'une femme : « Celles qui... ne sont pas menstruées, à cause de leur âge, ne devront pas être l'objet d'un traitement médical, elles ne souffrent pas ; au reste, chercher à changer ce qui est dans la nature est à la fois, sinon impossible, du moins difficile et dangereux. »

Ainsi, dès cette époque, le débat, toujours contemporain, est ouvert : est-ce une étape ? une maladie ? Faut-il ou non traiter ?

Tous s'accordent sur cette période du « septième septenaire » ; mais tous relèvent des contre-exemples inexplicables. Selon la Bible, Sarah n'a-t-elle pas enfanté Isaac à 90 ans ? Pline l'Ancien rapporte l'accouchement d'une femme de 70 ans, celle qu'assiste Valescus de Tarente est âgée de 67 ans !

Avicenne (980-1037) dans le *Canon de la Médecine* admet donc de notables variations : « Il y a des femmes chez lesquelles la suppression de la menstruation est prompte et se termine dans leur trente-cinquième année ; chez d'autres elle dure jusqu'à l'âge de 50 ans. »

La théorie médiévale des humeurs va tenter d'expliquer ces variations. Au XIe siècle, Trotula di Ruggiero constate que « les menstrues durent jusqu'à la 50e année si la femme est maigre, parfois jusqu'à 60 ans si elle est humide, jusqu'à 35 ans chez les modérément grasses ». De même J. Anglicus (1280-1361) conclut ses observations avec pertinence (!) : la cessation des règles fluctue « selon la variété de tempérament de la femme ».

À l'époque moderne, le discours sur la ménopause devient plus scientifique ; F. Hoffman (1660-1742) relève dans ses entretiens « des douleurs de cardialgie, des chaleurs dans les hypochondres… ». Les premiers traitements s'ébauchent. Fothergill (1712-1780) préconise des exercices et un régime : « les femmes doivent se borner à une nourriture prise de végétaux, renoncer au souper, user de boissons douces ». Il est aussi favorable à « une saignée de 4 à 5 onces de sang » peu de jours après la première suppression des règles. D'autres conseils concernent l'habitat « sain et élevé », l'alimentation « sobre, sans viande forte », les bains « tempérés », la saignée au moment des anciennes règles pour « éviter toute pléthore », et les lavements pour diminuer la matière « morbifidique et peccante » des anciennes règles.

L'interrogation majeure des XVIᵉ et XVIIᵉ siècles porte sur la fin exacte des derniers écoulements de sang. La vision mécaniste, élaborée entre autres par J. Feind (1674-1728) domine : « Lorsque celui-ci tend à la vieillesse, les forces de tout le corps diminuent, la quantité de sang manque et l'intervalle du flux devient plus long... » Cette possibilité de retour des menstrues avec des écarts notables est notifiée par A. Von Haller (1708-1777) : « Des femmes ont été reprises d'un nouveau flux, ce qui leur avait procuré une seconde jeunesse à l'âge de 50, 68 et même 100 ans ». Von Hilden, au début du XVIIᵉ siècle, n'a-t-il pas suivi « une religieuse chez laquelle le flux menstruel s'est rétabli à 100 ans » ?

« Aimer Dieu, c'est encore aimer »

Remarquons la clairvoyance de Mauriceau (1637-1709) à la même époque. « Les excrétions sanglantes de la matrice ne doivent pas être qualifiées de nom de menstrues après l'âge de 58 à 60 ans, car ces sortes d'excrétions sont pour lors symptomatiques et très souvent signes avant-coureurs d'ulcères carcinomateux et de la mort qui les suit. » L'analyse des symptômes progresse avec Jean Astruc qui développe dans son *Traité des maladies des femmes* (1761) une série de troubles : « malaise, tension des hypochondres, céphalalgies, bouffée de chaleur, tristesse, pertes de sang, pertes en blanc... ».

En fait, le traitement médical aux XVIIIᵉ et XIXᵉ siècles concernant la ménopause n'évolue guère. Les conseils en matière d'habitat, de boisson... demeurent les mêmes. Poquillon, en 1846, préconise encore « l'application de sangsues à la vulve » en cas d'hémorragie grave.

En revanche, le discours se moralise progressivement. Les troubles de la femme ménopausée sont à mettre en relation avec sa vie antérieure. On oppose la vie saine de la femme du peuple à celle de la mondaine. Jeannet J.B.C. des Longrois, dès 1787, condamne celles qui sont « dans la vie, molles, sédentaires, consumées par les plaisirs de l'amour, du sommeil, du jeu, de la table et des spectacles » à avoir « plus de maux à craindre, de regrets à former… ». La femme ménopausée, selon Menville (1839), « ne doit plus ambitionner que la gloire de rehausser l'éclat des noms si doux de mères et d'épouses ». Le XIXᵉ siècle attribue un rôle clair à la femme âgée. « Aux illusions agréables de l'âge qui vient de finir, succèdent des jouissances plus calmes », écrit Jallon en 1805. La chasteté est de règle. Selon Poquillon (1846), « les femmes éloigneront tous les objets qui seraient capables de les exciter trop vivement, s'abstenir rigoureusement des plaisirs de l'amour ». Sous peine de s'adonner à « l'ivrognerie, au jeu et aux spectacles », la femme ménopausée doit « par ses relations, son esprit, se créer des devoirs charitables ou des récréations artistiques ». Fontenelle ne disait-il pas des dévotes âgées : « On voit bien que l'amour est passé par là ; aimer Dieu, c'est encore aimer. » Ce discours moralisateur, bien éloigné de l'*Art d'aimer* d'Ovide : « À cet âge, les femmes sont beaucoup plus savantes en amour que les jeunes », attribue un rôle précis à la femme, lui découvrant des capacités nouvelles. Il n'est d'ailleurs pas innocent d'analyser le discours anglais de l'ère victorienne. Pour l'Anglais Tilt, en 1857, « les facultés mentales prennent un caractère masculin. Le "changement de vie" communique une fermeté d'intention, soit qu'il s'agisse de prendre en main les affaires de la famille…, soit d'entamer ou de débrouiller des affaires politiques ».

Dr Rozenbaum

QUELS REMÈDES POUR QUELS TROUBLES ?

Chaque thérapie propose ses remèdes. Et pour chaque symptôme, il y a plusieurs remèdes. Vous en trouverez ci-après à titre indicatif une liste non exhaustive. Ils ne peuvent être pris isolément, mais doivent être intégrés dans leur contexte. En médecine holistique, il n'y a en effet pas un remède pour un symptôme, pas de remède-image, pas de simplification. En revanche, cet aperçu de la complexité et du grand choix des remèdes permet de comprendre que la consultation d'un praticien bien au fait de ces approches est indispensable.

BALLONNEMENTS			
Homéopathie	**Phytothérapie**	**Oligothérapie**	**Aromathérapie**

Argentum nitr.	Genévrier
	Pissenlit
	Sabal
	Melilot
	Grande ortie
	  piquante
	Reine des prés
	Houblon
		Manganèse-cobalt
		Soufre
		Nickel-cobalt
			Cumin (carum
			  carvi)
			Fenouil
			Clous de girofle
			Menthe poivrée
			Anis vert
			Marjolaine

BOUFFÉES DE CHALEUR

Homéopathie	Phytothérapie	Oligothérapie	Aromathérapie
Sepia	Viscum album	Manganèse-cobalt	Lavande
Sulfur	Melilotus	Zinc-nickel-cobalt	Fenouil
Phosphorus	Leonurus	Lithium	Sauge
Glonoïnum	Onagre		Pimpinella anisum
Amyl-nitrosum	Bourrache		
Melilotus	Alchémille		
Sanguinaria	Helonias		
Pilocarpus	Cyprès		
Aconit	Sauge sclarée		
Gelsemium	Lamnium album		
Lilium tigrinum			

CHOLESTÉROL

Phytothérapie	Oligothérapie	Aromathérapie
Artichaut	Manganèse-cobalt	Romarin
Fumeterre (fumaria)	Soufre	Thym
Chrysantellum	Zinc-nickel-cobalt	
Pissenlit		
Olivier		

DÉMINÉRALISATION

Homéopathie	Phytothérapie	Oligothérapie
Phosphorus	Prêle	Magnésium
Silicea	Fucus vesiculosus	Fluor
Natrum mur.	Renouée	Phosphore
Symphytum	Ortie	Silice
Ruta		Calcium
Calcarea carb.		Sélénium
Calcarea fluorica		
Calcarea phosphorica		

DOULEURS ARTICULAIRES

Homéopathie	Phytothérapie	Oligothérapie	Aromathérapie
Sanguinaria	Prêle	Manganèse	Immortelle
Strontium carbo	Ortie	Manganèse-cuivre	Eugenia caryo-
Ferrum	Cassis	Manganèse-cobalt	phyllus
Sepia	Millepertuis	Cuivre-or-argent	Orange amère
Gelsemium	Vigne rouge	Zinc-nickel-cobalt	Ravensare
Melilotus	Maïs		
Manganum	Sauge		
aceticum	Actée à grappes		
	Grémil		
	Romarin		
	Salsepareille		
	Genévrier		
	Cyprès		
	Reine des prés		
	Bouleau (betula)		

HYPERTENSION

Homéopathie	Phytothérapie	Oligothérapie	Aromathérapie
Aconit	Aubépine	Manganèse-cobalt	Marjolaine
Aurum	Fumeterre	Lithium	Néroli
Calcarea carb.	(Fumaria)	Manganèse	Onagre
Sulfur	Olivier		Lavande
Nux vomica	Vigne		
Crataegus	Sedum acre		
Plumbum	Gui		
	Mélisse		
	Camomille		
	Myrtille		

291

INCONTINENCE URINAIRE			
Homéopathie	**Phytothérapie**	**Oligothérapie**	**Aromathérapie**
Causticum Arnica Hyosciamus Gelsemium Psorinum Sulfur	Potentille ansérine Millepertuis Ortie blanche Sabal serrulata Trillium	Manganèse-cobalt Cuivre-or-argent	Cyprès

INSOMNIE			
Homéopathie	**Phytothérapie**	**Oligothérapie**	**Aromathérapie**
– due à des élé- ments extérieurs : Ambra grisea Argentum nit. *– due à une acti- vité intense :* Arnica Coffea *– avec agitation interne :* Actea racemosa Lachesis Ignatia Kali bromatum	Escholtzia Tilleul Lotier Valériane Houblon Ortie blanche	Lithium Aluminium Magnésium	Lavande Orange amère Mandarine

INSUFFISANCE VEINEUSE			
Homéopathie	Phytothérapie	Oligothérapie	Aromathérapie
Carbovegetabilis	Marronnier d'Inde	Manganèse-cobalt	Cyprès
Pulsatilla	Vigne rouge	Cobalt	
Calcarea fluorica	Hamamelis		
Fluoric acidum	Petit houx		
Vipera	Cyprès		
Lachesis	Séneçon		
	Aubépine		
	Achillée		
	Viburnum		
	Myrtille		
	Cassis		
	Sorbier		
	Châtaignier		
	Ortie blanche		
	Hydrastis		
	Chardon-Marie		
	Ginkgo biloba		

MAUX DE TÊTE			
Homéopathie	Phytothérapie	Oligothérapie	Aromathérapie
Cyclamen	Romarin	Manganèse	Lavande
Veratum viride	Sauge	Manganèse-cobalt	Marjolaine
Folliculinum	Églantier	Zinc-nickel-cobalt	
Glonoïnum		Cobalt	
Caulophyllum		Soufre	
Actea racemosa			
Sanguinaria			

293

NERVOSITÉ - DÉPRESSION - IRRITABILITÉ

Homéopathie	Phytothérapie	Oligothérapie	Aromathérapie
Lachesis	Tilleul	Manganèse-cobalt	Lavande
Sepia	Mélisse	Cuivre-or-argent	Thym
Lilium tigrinum	Passiflore	Lithium	Marjolaine
Platina	Millepertuis	Magnesium	Orange amère
Cyclamen	Ballote noire	Aluminium	Laurier noble
Staphysagria			
Melilotus			
Moschus			
Palladium			
Ambra grisea			
Actea			

PRISE DE POIDS

Homéopathie	Phytothérapie	Oligothérapie
Thuya	Bouleau (betula	Manganèse-cobalt
Graphites	pubescens D1)	Zinc
Calcarea carb.	Fucus D1	Zinc-cuivre
Natrum sulfur		Zinc-nickel-cobalt
Lycopodium		Iode
Sulfur		Manganèse
Badiaga		Chrome
Anacardium		

SUÉES

Homéopathie	Phytothérapie	Oligothérapie	Aromathérapie
Calcarea carb.	Renouée des	Manganèse-cobalt	Sauge
Thuya	oiseaux	Cobalt	Cyprès
Silicea	Avena	Magnésium	
Nitri acidum	Angélique		
Mercurius vivus	Actée		
Hepar Sulfur	Carvi		
Lilium tigrinum	Ginseng		
Pilocarpus	Houblon		
Sulfuric acidum	Sauge		
Petroleum	Cyprès		

TROUBLES CARDIAQUES

Homéopathie	Phytothérapie	Oligothérapie	Aromathérapie
Amyl-nitrosum Lilium tigrinum Aurum Naja Pilocarpus	Romarin Ginseng	Manganèse-cobalt Cobalt	Lavande Thym Immortelle

VERTIGES

Homéopathie	Phytothérapie	Oligothérapie	Aromathérapie
Conium Baryta carlo Ambra grisea Glonoïnum Lachesis Aurum Sanguinaria Ustilago Cocculus Tabacum Petroleum	Ginkgo biloba Mélisse Camomille Bourse à pasteur Agripaume	Manganèse-cobalt Cuivre-or-argent	Basilic Lavande

BIBLIOGRAPHIE

Ouvrages généraux

BRZEZINSKY et al., *Obstetrics and Gynecology*, 1990, pp. 291-301.

LOCK M., « Contested meaning of the menopause », *Lancet* 1991 3370, pp. 1270, 1272.

PALINKAS L.A. & BARRETT, CONNOR, *Obst. Gynecol.*, n° 80, 1992, pp. 30-36.

PETITTI O.B., PERLEMAN, « Non contraceptive oestrogens and mortality » in *Obst. Gynecol.*, n° 70, janvier 1987, pp. 289-93.

QUINADOZ J.-M., *La Solitude apprivoisée*, Puf, 1991.

RUFFIÉ J., *Naissance de la médecine prédictive*, éd. Odile Jacob, 1993.

UTIAN WULF H. et SITRUK-WARE R., *The Menopause and Hormonal Replacement*, éd. par les auteurs, 1991.

Acupuncture

ACADÉMIE DE MÉDECINE TRADITIONNELLE CHINOISE, *Précis d'acupuncture chinoise*, Éd. en langues étrangères de Pékin, 1977.

AUTEROCHE B. et NAVAILH P., *Acupuncture en gynécologie et obstétrique*, Maloine, 1986.

AUTEROCHE B. et NAVAILH P., *Le Diagnostic en médecine chinoise*, Maloine, 1986.

DURON A., LAVILLE-MERY C. et BORSARELLO J., *Bioénergétique et médecine chinoise*, éd. Maisonneuve, 1978.

FAUBERT A., *Traité didactique d'acupuncture traditionnelle*, éd. Trédaniel, 1977.

LEBARBIER A., *Acupuncture pratique*, éd. Maisonneuve, 1975.

MACIOCIA G., *Les Principes fondamentaux de la médecine chinoise*, Satas Éditions, 1992.

REQUENA Y., *Terrains et pathologie en acupuncture*, Maloine, 1980.

Homéopathie

BERGERET C. et TETAU M., *Organothérapie diluée et dynamisée*, Maloine, 1971.

BUMM E. (Dr), *Précis d'obstétrique en 28 leçons,* Maloine.

CENTRE D'ÉTUDES ET DE DOCUMENTATION HOMÉOPATHIQUES, *Pratique homéopathique en gynécologie*, éd. Les Entretiens CEDH, 1976.

GUERMONPREZ M., PINCAS M. et TORCKX M., *Matière médicale homéopathique*, Doin, 1985.

KENT J.T., *Repertory of the Homeopathic Materia Medica,* Jain Publishing Co., 1983.

SIMONART A., *Éléments de pharmacodynamie et de thérapeuthique*, Brepols/Turnhout, 1941.

VANNIER L. et POIRIER J., *Précis de matière médicale homéopathique,* Doin, 1981.

VOISIN H., *Matière médicale du praticien homéopathique*, éd. Maloine, 1976.

Les oligo-éléments et les vitamines

BINET C. (Dr) , *Oligo-éléments et oligothérapie*, Dangles, 1981.

DEVILLE M., *Le Vrai Problème des oligo-éléments*, Centre de recherches et d'application sur les oligo-éléments, 1978.

MÉNÉTRIER J. (Dr), *La Médecine de fonction*, Le François, 1978.

PICARD (Dr), *L'Utilisation thérapeutique des oligo-éléments*, Maloine, 1976.

PFEIFFER C. et GONTHIER P., *Équilibre psycho-biologique, oligo-éléments*, Debard, 1983.

KOUSMINE (Dr), *Soyez bien dans votre assiette jusqu'à 80 ans et plus*, Tchou, 1980.

Journées de médecine fonctionnelle 1978-1979-1980-1984, Palais des Congrès, Bobigny, 1er trimestre 1980-81-85.

New England Journal of Medicine, « Vitamine E et mortalité après ménopause », 1996, 334, pp. 1156-1162.

Ostéoporose – Métabolisme calcique

CHRISTIAENSEN L. et LINOSAY R., « Oestrogens, bone loss and preservation » in *Osteoporosio International*, 1991, vol. l, pp. 7-10.

COPP, « Evidence for calcitonin : a new-hormone from the parathyroid that lowers blow calcium », in *Endocrinology*, 1962, 70, pp. 638-40.

DEQUEKER, JUBING, RUTTEN, GEUSENS (Medos Study Group), « Relative risk factor for osteoporose fracture : a pilot study of the medos questionnaire », *Clin. Rheumatol.*, 1991, 10, pp. 49-53.

HANSEN M.A., OVERGAARD K., RIJS B.J. et CHRISTIANSEN C., « Potential riskfactors for development of postmenopausal osteoporosis, examined over a 12 year period », in *Osteoporosis Int.,* 1991, I, pp. 95-102.

KANIS, « The restoration of skeletal mass : a theoretic overview », in *Ann. J. Med.*, 1991, p. 293.

KRÖGER H., HONKANEN R. et SAARIKOSTIS, *Ann. Rheum.*, Dis. 52 : 18-23, 1994.

LIMOUZIN-LAMOME, in *Contraception-Fertilité-Sexualité,* 1993, 21, pp. 241-245.

NOROIN, BEC et HEANNEY R.B., « Calcium supplementation of the diet justified by present evidence » in *British Medical Journal,* 1990, vol. 300, pp. 1056-1061.

Échelle d'appréciation des symptômes de ménopause

GREENE J.G., « A factor analytic study of climateric symptoms », *Journal of Psychosomatic Research*, 20, pp. 425-430.

GREENE J.G., *Methodological Issues in Climateric Research*, « The social and psychological origins of the climateric syndrome » (chapter 7), Gower, Alderschot, Hants.

Sexualité, ménopause

BECK Aaron, « Assessment of depression : the depression inventory - Asymptological measurements in psychopharmacology », *Mod. probl. Pharmacopsychiatr.*, vol. 7, éd. E. Pichot, Paris (Karger, Basel, 1970), pp. 151-169.

DITKOFF, « Estrogen improves psychological function in asymptomatic post-menopausal women », in *Obstetrics and Gynaecology*, 78, Déc. 1991 nr 6, pp. 991-95.

DOW M.G., HART O.M. et FOREST C.A., « Hormonal treatments of sexual unresponsiveness in post-menopausal women - A comparative study », in *British Journal of Obstretics and Gynaecology*, 1983, n° 90, pp. 361-66.

KUPPERMAN, « Comparative clinical evaluation of estrogenic preparations by the menopause and amenorrhed indices », in *Journal of Clinical Endocrinology*, 1953, n° 13, pp. 688-709.

Œstrogènes et dépression

GUICHENEY, LEGER et BACCAT, « Platelet serotonin content and plasma tryptophan in peri- and post-menopausal women : variation with plasma oestrogens levels and depressive symptoms », in *Eur. J. Clin. Invest.*, 1988, 18, pp. 297-304.

KLAIBER, BROVERMAN, VOGEL, KOBAYASKI, « Effects of estrogen therapy on plasma – Mao and EEG driving responses of depressed women », in *Ann. J. Psychiatry*, 1972, 128, pp. 1492-98.

MANTEL et HAENSZEL, « Statistical aspects of the analysis of data from retrospective studies of disease », in *J. Natl. Cancer Institute*, 1959, 22, pp. 719-148.

OPPENHEIM G., « Estrogen in the treatment of depression : neuropharmacological mechanisms », in *Biol. Psychiatry*, 1983, 18, pp. 721-25.

PAVINKAS, BARRETT et CONNOR, « Estrogen use and depressive symptoms in post-menopausal women », in *Obstetrics and Gynaecology*, n° 1, juillet 1992, vol. 80, pp. 30-60.

PRANJE A.J., « Estrogen may well affect response to antidepressant », in *Jama,* 1972, 219, pp. 143-44.

SCHNEIDER M.A., BROTHERTON P.L. et HAILES, « The effect of exogenous oestrogens on depression in menopausal women », in *Medical Journal,* août 1977, 2, pp. 162-63.

Risque cardio-vasculaire – Cholestérol

Ann. Iritern Med., 1992, 117 (12), pp. 1016-37.

AZMI NABULSI, « Association of hormone - replacement therapy with various cardio-vascular risk factors in menopausal women », in *New England J. of Med.,* vol. 328, n° 15, pp. 10 -10.

LIPID RESEARCH CLINICS PROGRAM (1984) « The L.R.C. coronary primary prevention trials results reduction incidence of coronary heart disease », in *Jama* 251, pp. 351-36.

MULDOON, « Lowering cholesterol concentration and mortality - A quantitative review of primary prevention trials », in *British Med. Journ.* 301, 1990, pp. 309-14.

MULTIPLE RISK FACTOR INTERVENTION TRIAL RESEARCH GROUP (1982), « Multiple risk factor intervention trial, risk factor changes and mortality results », in *Jama* 248, pp. 1465-77.

RAVNSKOV U., « An elevated serum cholesterol is secondary, not causal in coronary heart disease », in *Med. Hypotheses* 36, 1990, pp. 238-41.

RAVNSKOV U., « Cholesterol lowering trials in coronary heart disease : frequency of citation and outcome », in *British Med. Journ.*, 1992, n° 305, pp. 15-19.

RAVNSKOV U., « Flavonoïdes et mortalité coronarienne », in *British Med. Journ.*, 1996, 312, 478-481.

HTS - Métabolisme glucidique

GASPARD et DEMEYER, « Carbohydrate metabolisme and cario-vascular diseases in the climateric period », *in* « Safety aspects of hormone replacement therapy », in *Novo Nordisk International Symposium*, Copenhagen, 77, 1993.

LARTOLA, PYORALA et LOIKKAMEN M., « Effects of natural estrogen-progesteron substitution therapy on carbohydrate and lipid metabolism in post-menopausal women », in *Maturitas*, 8, 1986, p. 245.

Plantes à action hormonale

AUGNET N., DELAFLOTTE S., HELLEGOUARCH A. et CLOSTRE F., « Bases pharmacologiques de l'impact vasculaire de l'extrait de Ginkgo biloba », in *La Presse Médicale*, 1986, 15, n° 31.

BELAICHE P., *Traité de phytothérapie et d'aromathérapie*, tome III « Gynécologie », Maloine.

BELANGER H. et CHARBONNEAU L., *La Santé des femmes*, Maloine, 1995.

FRANCHOMME P. et PENOEL D. (Dr), *l'Aromathérapie exactement*, Roger Jollois éditeur, 1990.

HENRY P., *Gemmothérapie : thérapeutique par les extraits embryonnaires végétaux*, Pol Henry éditeur, 1982.

HERING C., *The Guilding Symptoms of our Materia Medica,* B. Jain Publishers PVT, Ltd, New Delhi.

HOLMES P., *The Energetic of Western Herbs* (2 volumes), Snow Press-Boulder.

KARTNIG T., « Vitex agnus castus, Mönschpfeffer oder Keuschlamm. Eine Arzneipflanze mit indirect-luteotroper Wirkung », in *Zeitschrift für Phytotherapie*, 7, 119-122, Stuttgart, 1986.

LEUNIS J.-C., *De l'utilisation médicale des simples*, éditions Marc Pietteur, 1990.

MOATTI R. (Dr), *Utiliser les plantes médicinales à bon escient,* Albin Michel, 1990.

SCHANENBERG P. et PARIS F., *Guide des plantes médicinales,* Delachaux, 1977.

VALNET J. (Dr), *Aromathérapie,* Maloine, 1980.

VAN HELLEMONT J., *Compendium de phytothérapie,* Association pharmaceutique belge, 1986.

« Propriétés antiradicalaires de l'extrait de Ginkgo biloba », in *La Presse Médicale,* 1986, 15, n° 31.

NOTES

1. C'est la raison d'être de l'association « La femme et l'homme autrement ».

2. Voir Norbert Bensaïd in *La Lumière médicale : les illusions de la prévention*.

3. La préménopause se caractérise par une production d'œstradiol ou E2 très basse à certains moments, normale, voire excessive à d'autres. Le plus souvent, ces épisodes sécrétoires d'œstrogènes ne conduisent plus à une ovulation, et de ce fait, il n'y aura donc pas de sécrétion de progestérone.

4. En préménopause, la FSH augmente alors que la LH demeure stable. Le rapport œstradiol/œstrone est supérieur à 1 en faveur de l'œstradiol. La progestérone est basse puisque l'ovulation est rare ou absente. Durant la ménopause, la FSH et la LH sont toutes deux augmentées. L'œstradiol est à un niveau indétectable, et dans tous les cas, le rapport œstradiol/œstrone est inférieur à 1. La progestérone est à présent au niveau le plus bas ou complètement absente.

5. Voir Odile Cotelle : *Guide pratique de rééducation urogynécologique*, Ellipses, 1985, et *Rééducation urogynécologique et sexologie… sexologie et rééducation urogynécologique*, Ellipses, 1987.

6. La bouffée est semblable à un sevrage en opiacés. Il existe, en effet, au niveau de l'hypothalamus des neurones dits opioïdergiques ; or, le sevrage œstrogène impliquerait une baisse du tonus opioïdergique central levant ainsi le frein exercé sur les neurones

noradrénergiques, qui eux sont en relation avec les neurones à LHRH et le centre de thermorégulation.

7. C'est-à-dire la diminution œstrogénique et de la progestérone avec une hausse de la FSH et de la LH.
En préménopause : augmentation isolée de la FSH et LH stable.
En ménopause : augmentation conjointe de la FSH et de la LH.

DONNÉES BIOLOGIQUES			
EN PRÉMÉNOPAUSE		**EN MÉNOPAUSE**	
Hypophyse FHS ↑ (15-30 mUI/ml) LH stable (5-15 mUI/ml)	*Ovaire* $\dfrac{\text{Estradiol (E}_2)}{\text{Estrone (E}_1)} > 1$ soit E2 : 20-80 pg/ml E1 : 10-40 pg/ml Progestérone basse si anovulation (< 5 ng/ml)	*Hypophyse* FHS ↑ ↑ (> 30 mUI/ml) LH ↑ ↑ (> 50 mUI/ml)	*Ovaire* $\dfrac{\text{Estradiol (E}_2)}{\text{Estrone (E}_1)} < 1$ soit E2 : < 10 pg/ml E1 : 10-40 pg/ml
Le feed-back installé dès la puberté a tendance à se déséquilibrer : l'ovaire produit encore de l'estradiol mais insuffisamment pour déclencher une ovulation.		L'ovaire est devenu tout à fait insensible aux sécrétions hypophysaires, l'estradiol circulant se situe souvent à un niveau indétectable. **L'élévation importante de la FSH confirme la ménopause, une élévation isolée de la LH devant toujours faire penser à une grossesse débutante** (réaction croisée avec le ßhCG).	

8. En dehors de l'âge de la ménopause, la cause de l'aménorrhée doit toujours être recherchée : ce peut être une insuffisance thyroïdienne comme dans le myxœdème, une déficience du pancréas comme dans le diabète, une déficience de la surrénale comme dans la maladie d'Addison.

9. Outre cet inventaire de Beck, pour tenter d'y voir clair, deux autres auteurs ont introduit une **classification** des divers troubles rencontrés dans les trois cas : anxiété, dépression et ménopause, en essayant de distinguer leurs caractéristiques respectives. Il s'agit de Green avec son échelle climatérique et de Kupperman avec l'index ménopausique.
L'**échelle climatérique de Green**, de Glasgow, distingue clairement la part respective des troubles psychologiques, soma-

tiques et enfin vasomoteurs, en analysant les différents facteurs *indépendants les uns des autres.*

Il distingue trois sortes de troubles :

1. Psychologiques - P - (de 1 à 11), répartis en deux catégories : dus à l'anxiété (de 1 à 6) ; dus à la dépression (de 7 à 11).
2. Somatiques - S - (de 12 à 18).
3. Vasomoteurs - V - (de 19 à 21).

L'échelle de mesure comporte 4 graduations :

pas du tout = 0
un peu = 1
un peu plus = 2
extrêmement sévère = 3

On peut en tirer un diagnostic d'anxiété quand le score atteint 10 ou plus, et de dépression lorsque le score atteint 10 ou plus pour les questions 7 à 11.

Voici les questions qui servaient à l'interrogatoire préliminaire :

		0	1	2	3
1.	Palpitations cardiaques rapides ou fortes				
2.	Sensations de tension ou nervosité				
3.	Insomnie				
4.	Excitabilité				
5.	Crise de panique				
6.	Difficulté de concentration				
7.	Sensation de fatigue				
8.	Perte d'intérêt pour beaucoup de choses				
9.	Se sentir malheureuse ou dépressive				
10.	Épisodes de larmes				
11.	Irritabilité				
12.	Sensation de vertige ou de faiblesse				
13.	Pression ou raideur dans la nuque ou le corps				
14.	Insensibilité de parties du corps ou picotements				
15.	Maux de tête				
16.	Douleurs articulaires ou musculaires				
17.	Perte de sensation dans les mains ou les pieds				
18.	Difficulté respiratoire				
19.	Bouffées de chaleur				
20.	Sueurs nocturnes				
21.	Diminution de l'intérêt sexuel				

On remarquera que certains symptômes pourtant fréquents, comme la sécheresse vaginale ou les problèmes urinaires, manquent dans l'évaluation de Green.

Le mérite de l'**index ménopausique de Kupperman** est d'avoir introduit un degré de sévérité variant selon la fréquence d'apparition dudit symptôme.

Les degrés de sévérité sont similaires à ceux de Green, à savoir :

0 = nul
1 = S *(slight)* = (léger)
2 = M *(moderate)* = modéré
3 = + *(marked)* = sévère

À noter qu'on retrouve cette échelle dans l'évaluation de la sévérité de l'ostéoporose.

En multipliant le degré de sévérité par le facteur, on obtient la conversion numérique. L'addition de ces chiffres constitue l'index de la ménopause.

Exemple :

	Symptôme	Facteur		Sévérité		Conversion
1.	Troubles vasomoteurs	4	×	M = 3	=	12
2.	Paresthésie (insensibilité, picotement, fourmillement)	2		M = 2		4
3.	Insomnie	2		M = 2		4
4.	Nervosité	2		S = 1		2
5.	Mélancolie	2		S = 1		2
6.	Vertige	1		O = 0		0
7.	Fatigue	1		M = 2		2
8.	Arthralgie, myalgie	1		S = 1		1
9.	Maux de tête	1		+ = 3		3
10.	Palpitation	1		M = 2		2
11.	Fourmillement ou prurit (formication)	1		S = 1		1
12.	Stress, incontinence					
13.	Sécheresse vaginale					
14.	Dyspareunie					
				Index de la ménopause		33

Commentaires :
– Les quatre premiers symptômes sont les plus fréquents, donc les plus déterminants. Ils totalisent 22 dans la conversion numérique.
– Il n'est pas du tout étonnant que les bouffées de chaleur aient un indice 12, parce que, d'expérience, c'est le premier symptôme indiqué, de façon quasi systématique, par le patient à son médecin.
– Évaluation de l'efficacité thérapeutique : l'amélioration clinique subjectivement ressentie par la patiente a, elle aussi, été évaluée de 0 à 4+ :

    4+ : disparition complète ;
    3+ : amélioration importante, mais il persiste quelques gênes ;
    2+ : amélioration modérée ;
    1+ : très légère amélioration ;
    0 : aucune amélioration.

– Les frottis vaginaux ont été effectués avant et après traitement et classés comme suit :

    1 : légère déficience en œstrogène (prédominance des cellules superficielles ou quantité égale de cellules superficielles et intermédiaires) ;
    2 : déficience modérée en œstrogènes ;
    3 : déficience en œstrogènes marquée ;
    4 : déficience en œstrogènes sévère (prédominance de cellules parabasales).

Le frottis normal d'une femme en période d'activité génitale est caractérisé par une prédominance de cellules superficielles et quelques rares cellules intermédiaires.

Cette étude a d'ailleurs montré que c'est par *pure coïncidence* que les femmes plus âgées ont moins de bouffées de chaleur et moins de dépression à la suite de l'usage des œstrogènes. En effet, si les désordres affectifs sont causés par une déficience en catécholamine, il y a sous œstrogènes induction de changements au niveau des récepteurs dopaminergiques, noradrénergiques et sérotoninergiques avec production accrue de la norépinéphrine et du taux des endorphines.

10. Avec un résultat de 13 ou plus à l'inventaire de Beck.

11. La sexualité dépend du système nerveux autonome.

Le *parasympathique*, sous médiation de l'acétylcholine, est responsable de la lubrification vaginale et de l'érection. Avant le rapport sexuel, il se produit une réaction d'*éveil* en liaison avec la dopamine. Elle est sous dépendance de la LH-RH hypophysaire et de la testostérone.

L'*orthosympathique*, par l'intermédiaire de la noradrénaline, est un neuro-transmetteur responsable de stress, d'anxiété qui sont inhibiteurs de l'excitation sexuelle et responsables de la flaccidité, de la détumescence.

La sérotonine est le neurotransmetteur de la satiété ou repos, donc de l'après-désir.

La progestérone est de la même veine.

La prolactine aussi. Nous voyons au chapitre 1 le rôle fondamental que jouent la sérotonine, la dopamine et la progestérone dans la prise de poids à la ménopause.

12. L'os est un hydroxy-apatite, l'apatite étant un phosphate fluoré de calcium auquel le fluor donne couleur et transparence. La *diaphyse* de l'os, la plus grande partie de l'os long, comme le fémur, riche en carbonate, est un élément terre. L'épiphyse est la partie jeune, liée au renouvellement et à la croissance. Elle est constituée de carbonate et de phosphate de calcium.

13. La silice, issue des roches primitives ou abyssales, est une roche extrêmement dure – plus que le calcaire –, elle retient et absorbe l'eau de surface. Elle est associée à des métaux, notamment le sodium, le calcium, le magnésium, le fer, le potassium et l'aluminium. Pour comprendre ce qu'est la silice, songez au quartz qui est de l'acide silicique pur, au cristal de roche, au diamant ou encore au verre qui est du silicate sodocalcique, enfin aux pierres (semi-)précieuses. Inutile de préciser que le quartz est extrêmement dur et pratiquement insoluble. Les seuls éléments qui l'attaquent et le volatilisent sont le fluor et l'acide fluorhydrique.

14. La différence essentielle qui existe entre l'homme et la femme, à ce niveau-là, c'est que chez l'homme la fragilité osseuse est contrecarrée par l'augmentation du moment d'inertie transverse (MIT) qui détermine la résistance d'un os à la courbure.

Le moment d'inertie transverse est la propriété géométrique de la section d'une structure. Il détermine en grande partie sa résistance à la courbure. Lorsqu'on essaye de courber un os long, son bord externe subit une force de tension, son bord interne une force de compression. La ligne qui passe par le milieu de la section où le stress est nul définit un axe neutre. On peut alors diviser la section d'un os en de multiples petits points surface et Y caractérise la distance entre chacun de ces points par rapport à l'axe neutre de telle façon que : le MIT représentera la somme de tous les points mais au carré multiplié par le delta A. En somme, plus un point est éloigné de l'axe, plus il contribue à la résistance osseuse. On comprend alors qu'au cours du vieillissement, l'os s'élargit, le rayon de sa diaphyse augmente, de même que sa résistance, qui compense la fragilité due à l'ostéoporose.

LE MOMENT D'INERTIE TRANSVERSE

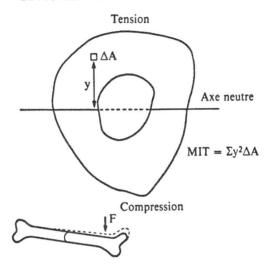

15. La technique d'absorption utilisait un seul photon (absorptiométrie monophotonique) dans le but d'une évaluation plus correcte. Elle emploie actuellement deux types de photon (absorptiométrie biphotonique), se servant du système des rayons X ou du scanner.

16. La cigarette a un effet anti-œstrogénique, car elle augmente la dégradation de l'œstradiol en métabolites moins actifs. L'œstradiol est l'hormone naturelle, et les métabolites moins actifs sont constitués par une hormone telle que l'œstrone.

17. Ravnskov, attaché à l'université de Lund en Suède, a étudié la fréquence de citation, dans la presse spécialisée, des effets favorables et défavorables du cholestérol. Ses conclusions, atteintes de manière statistiquement valable avec toutes les précautions d'usage, ont établi que les études montrant qu'un taux de cholestérol abaissé entraînait une diminution des maladies cardio-vasculaires étaient citées six fois plus fréquemment que les études au résultat inverse.

315

L'impression générale qui s'en dégageait mettait en évidence l'influence favorable de ce facteur cholestérol sur la maladie cardio-vasculaire. Toutefois, il ne faudrait pas en conclure que le profil lipidique est la seule cause de maladies cardio-vasculaires.

18. Il s'agit du fibrinogène, des facteurs VII et VIII, de la fibrinolysine, qui diminue par augmentation du PAI-1, c'est-à-dire du facteur inhibiteur de l'activité du plasminogène-1.

19. Voir « Dépression et sexualité », chapitre 1, p. 46.

20. Voir « Acide folique et sérotonine », chapitre 2, p. 124. L'acide folique ou vitamine B_9, qui fait tandem avec la vitamine B_{12}, intervient comme co-enzyme dans la synthèse des deux neurotransmetteurs : la norépinéphrine et la sérotonine. Les vitamines B_9 et B_{12} jouent un rôle primordial dans la synthèse de l'ADN et de l'ARN, ainsi que de la méthionine. L'abus d'alcool et l'hormonothérapie font baisser considérablement l'acide folique dans l'organisme. D'où la nécessité de pallier ce manque en consommant des complexes vitaminiques.

21. Les acides gras polyinsaturés des séries 3 et 6 entrent dans la composition de la membrane cellulaire qui est constituée d'une double couche faite de phospholipides et de protéines. Cette attaque se manifeste par l'entrée anormale de sodium et de calcium et par la sortie du potassium de la cellule. La cellule *gonfle*. C'est au travers des protéines que les composés hydrophiles traversent la membrane. Les AGPI introduisent dans la paroi un nombre élevé de doubles liaisons, ce qui les rend plus fragiles vis-à-vis des radicaux libres.

22. L'un des facteurs de l'occlusion artérielle est une modification de la membrane superficielle des plaquettes sanguines provoquant leur agrégation (rôle antithrombose). On a démontré que ces plaquettes sont capables de synthétiser des quantités importantes d'acide arachidonique et de les transformer en prostaglandine PGE_2. L'élément de contrôle nécessaire dans ce cas est l'acide dihomo-gamma-linolénique précurseur de PGE_1. Or, Il y a un *équilibre* entre les PGE_2 et PGE_1 et s'il existe une carence en acides gras insaturés indispensables à l'organisme, le rôle de frein joué par PGE_1 disparaît, laissant libre cours à la PGE_2 qui ne peut plus être neutralisée.

En 1960, Pickles avait identifié la PGF_2 et la PGE_2 dans le sang menstruel et dans l'endomètre des femmes qui ont des règles douloureuses, lieu de synthèse des prostaglandines. On sait actuellement que la douleur tient à un taux élevé de PGF_2 et(ou) a un rapport élevé PGF/PGE. Les prostaglandines sont élaborées sous l'influence des hormones œstrogènes et progestérone. Quand il y a chute du taux normal, il y a libération en grande quantité de prostaglandines par rupture des membranes cellulaires riches en phospholipides : ces prostaglandines PGF_2 sont responsables de la vasoconstriction, des contractions douloureuses et d'autres symptômes, tels diarrhées, vomissements, nausées, céphalées.

23. L'équilibre est de première importance entre les deux prostaglandines PGE_2, formatrice de thrombose, et PGE_1 qui a une action opposée de freinage.

24. Formées aussi à partir des dérivés des acides arachidoniques (les endoperoxydes).

25. De nombreuses recherches montrent que l'acide dihomogamma-linolénique, à partir duquel la PGE_1 se forme, supprime l'*agrégation plaquettaire* (formation de caillots).

26. À partir duquel se synthétise l'Omega 6.

27. Précurseur de l'Omega 3.
Ces fameux Omega 3 et 6 sont les homologues supérieurs qui sont synthétisés à partir des huiles végétales de première pression, que l'on trouve déjà sous cette forme (3-6) dans les huiles de bourrache et d'onagre, si souvent utilisées en gynécologie pour supprimer les syndromes prémenstruels, et régulariser les cycles à la ménopause, et la dysménorrhée par métabolisation des hormones.

28. Appelés les Omega 3.

29. En somme, le pH est la mesure de la force avec laquelle l'organisme est capable de libérer des ions $H+$, des ions hydrogènes.

30. L'acide carbonique anhydre.

31. ERBASIT composition :
89 % de citrates de Ca, K, Na, Mg, Fer, Mn ;
4 % de lactose ;
4 % d'extraits de plante (sureau, souci, camomille, fenouil, tilleul) ;

317

1 % de silice ;
1 % de poudre naturelle de fruits ;
1 % d'eau.

32. Elle régénère les substances nucléiques ADN et ARN, ainsi que les structures des cellules nerveuses, agit sur les myoglobines qui emmagasinent l'oxygène et les cytochromes qui assurent la respiration cellulaire.

33. Folliculo-stimuline (FSH), hormone lutéotrope (LH), œstradiol, testostérone et aldostérone.

34. Par son action sur l'axe hypophyso-surrénal et dans la stimulation cortico-surrénale.

35. L'acide folique intervient comme co-enzyme dans la synthèse des neuro-transmetteurs suivants : la norépinéphrine et la sérotonine qui, toutes deux, en cas d'insuffisance, ne peuvent pas occuper la place qui est la leur. Les maladies dépressives s'ensuivent chez la quinquagénaire, qui est plus fragile car elle subit des modifications hormonales.

36. La vitamine B_{12} est responsable des réactions de transméthylation. La méthylation est un processus très important qui intervient dans la biosynthèse des complexes tels que la créatinine, la phosphocréatinine, les hormones stéroïdes. Ce processus est indispensable au bon fonctionnement des *organes vitaux tels que le foie, les reins*.
Elle a un rôle essentiel dans le fonctionnement des *systèmes circulatoire et nerveux*.
On constate que certaines autres vitamines du groupe B jouent un rôle important dans le processus de transméthylation.

37. En favorisant vraisemblablement la conversion de son précurseur, la DHEA.

38. Précurseur des neurotransmetteurs cérébraux. C'est à partir de la choline que se forme l'acétylcholine.

39. La choline proprement dite ne passe pas la barrière méningée.

40. Les phospholipides sont les corps gras contenus dans la lécithine qui permettent de maintenir ces corps gras et les esters en suspension dans le sang.

La chaîne de transformation est la suivante : lécithine, choline, acétylcholine, fibres nerveuses.

41. L'inositol aussi bien que la choline, la vitamine B_{15} et la méthionine, ont une action lipotrope reconnue. Ils jouent un rôle dans l'équilibrage des graisses en les laissant en suspension libre au niveau sanguin et en les empêchant de se fixer à la paroi des vaisseaux sanguins. En mobilisant les lipides dans le flux sanguin, ils facilitent le désencombrement du foie.

42. L'acide phytique est transformé dans l'organisme et assimilé par lui sous forme d'inositol pour être réparti dans les différents tissus tels que les nerfs de la moelle, le cerveau et le liquide céphalo-rachidien.

43. Le zinc protège aussi les cellules contre les radicaux libres, car il ne change pas de valence et fait que la membrane cellulaire reste intacte et en bon état. Par contre, le cuivre, qui est capable de catalyser les peroxydations change de valence et provoque la dégénérescence cellulaire suivie de maladies organiques.

44. C'est ici qu'interviennent les deux hormones régulatrices de la quantité de calcium présente dans le sang. Ce sont : la *parathormone*, extraite de la parathyroïde, et la *calcitonine*, issue de la thyroïde.

45. La phytine est un ester hexaphosphorique de l'inositol, capable de bloquer le calcium tout comme le fer. Le phytate et l'oxalate entraînent une formation de chélats, des complexes qui emprisonnent le calcium.

46. Les apports calciques moyens sont, hormis pour les jeunes enfants, toujours inférieurs à ces recommandations, surtout à la période où la fixation nette de calcium dans l'organisme est la plus importante.

47. Par suite du phénomène acido-basique et la formation d'un surplus d'ions acides dans le corps (voir tableau p. suivante).

48. Les radicaux libres sont des molécules contenant un nombre impair d'électrons. Un atome auquel manque un électron n'a de cesse de capter un électron appartenant à un autre atome, et ceux qui ont un électron de trop s'efforcent de le céder à un autre atome. Autrement dit, un ou plusieurs électrons célibataires constitue ce que l'on appelle un doublet, c'est-à-dire que ses (ou

leurs) voies d'émission vont se dédoubler lors de l'introduction d'un champ magnétique. On parle de triplet, quand il y a deux électrons célibataires comme dans le cas de l'O_2. De ce fait, ils sont à même de provoquer des réactions en chaîne. Ils transforment des molécules biologiquement stables en molécules d'une très grande instabilité.

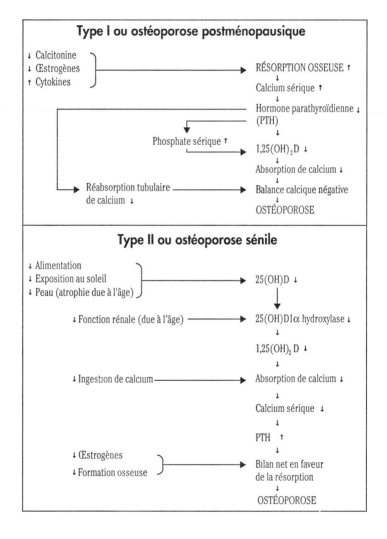

49. Par la fragmentation des protéines, la dénaturation de l'ADN, c'est-à-dire l'identité même du noyau.

50. Phagocytose, lipoxydation, synthèse des prostaglandines, chaîne respiratoire mitochondriale.

51. Il est désormais connu du grand public qu'il existe un bon et un mauvais cholestérol. Ce serait précisément le LDL oxydé qui serait nocif et non pas seulement le taux élevé du LDL. C'est parce que les radicaux libres s'attaquent au matériel chromosomique dans le noyau de la cellule et aux particules responsables du transport des graisses dans le plasma (les lipoprotéines de faible densité).

Comment cela se fait-il? Dans la membrane cellulaire et par exemple vasculaire, un taux élevé de LDL entraîne une augmentation des *monocytes* qui, une fois qu'ils ont franchi la barrière de la paroi endothéliale (la première couche de recouvrement interne d'un vaisseau), se transforment en *macrophages*, dont l'intérêt est qu'ils dévorent les LDL. Cette brusque intrusion provoque des apports graisseux où vont s'agglutiner les paillettes de cholestérol et entraîner ensuite un phénomène de sclérose. Les macrophages ont des récepteurs destinés à accrocher le LDL oxydé. Ce dernier est ensuite attaqué par des enzymes (oxygénases), puis le LDL, une fois fixé par le macrophage, libère un *peroxyde* dit lipidique (l'un des constituants de la membrane cellulaire). Au cours de l'oxydation des LDL, il y a libération d'une *lysolécitine* qui perturbe la dilatation normale des coronaires.

On sait qu'au contraire, le HDL est directement proportionnel à la diminution du risque coronarien et que plus il y a d'ascorbate (vitamine C), plus il y a de l'HDL.

52. Par dépolymérisation de l'acide hyaluronique, c'est-à-dire de la substance fondamentale du cartilage articulaire.

53. Une anomalie lipidique dans la membrane de la pompe sodium-potassium survient en cas de vieillissement.

54. Les voies de transport des radicaux libres :
– la première est constituée par des couples oxydo-réducteurs NADP+/NADPH, acide ascorbique, vitamine E, glutathion ; elle utilise le transport de deux électrons ;
– la seconde est anormale : formation d'un radical libre, c'est-à-dire d'un électron libre qui agit comme un agent *oxydant* hyperactif qui s'attaque à la membrane cellulaire.

55. *a)* La SOD, la superoxyde dismutase à manganèse. Il existe une SOD qui contient du cuivre et du zinc (d'où l'intérêt du dosage des deux oligo-éléments) et une SOD à manganèse qui se situe dans la mitochondrie et qui empêche la réactivation des cycles de peroxydation lipidique.

En effet, les mauvais peroxydes ne se décomposent en donnant des produits toxiques qu'en présence d'ions Cu et Fe.

b) La catalase.

c) La glutathion peroxydase substance propre à l'organisme, qui est une enzyme sélénio-dépendante, qui lutte contre les peroxydes formés.

d) La céruloplasmine, la protéine qui transporte le cuivre.

56. Omega 3 et omega 6.

57. L'élastine provient de quatre molécules de lysine et est activée par la lysine oxydase, une métallo-enzyme contenant du cuivre. Cette enzyme, pour bien fonctionner, a besoin de zinc et de vitamine B_6.

58. Le pouls est l'indice de la progression du sang dans le vaisseau sous l'effet de la pompe cardiaque et de relais périphériques des valvules. À la ménopause, il se pose un problème vasculaire qui se caractérise par une défectuosité dans la paroi du vaisseau.

59. L'EDRF, *Endothelium Derived Relaxing Factor*, qui est un vasodilatateur puissant qui agit au niveau de l'absorption du Calcium++ par la cellule. Le Ca++ ne peut rentrer dans la cellule de la fibre musculaire, d'où l'absence de contraction.

Les œstrogènes provoqueraient la relaxation et la vasodilatation d'une part, et une baisse de l'endothéline d'autre part. L'EDRF a été identifié comme étant la NO (*Nitric oxyd*). L'écoulement de sang dans le vaisseau est le stimulus le plus important de la libération de NO. À partir d'un certain seuil d'acétylcholine, il y a libération de NO, qui tend à diminuer la pression artérielle, si l'endothélium (la première couche de cellules du vaisseau) est en bon état.

60. La cellule possède un récepteur à l'œstrogène (l'œstradiol est symbolisé par E^2). Il y a d'abord formation d'un complexe récepteur avec E^2, suivi d'une migration de la membrane cellulaire vers le noyau où l'œstradiol se fixe en plusieurs endroits de l'ADN.

Classiquement, l'œstrogène provoque une vasodilatation par un mécanisme d'activation de l'ARNm et la synthèse des protéines.

61. On sait que le calcium est le facteur le plus important dans la contraction de la cellule musculaire cardiaque ou de la cellule musculaire lisse qui existe également dans la paroi du vaisseau. Les œstrogènes, au même titre que d'autres substances médicamenteuses analogues, se fixent sur le canal d'entrée du calcium au niveau cellulaire et bloquent son influx vers la cellule. Pourquoi ce flux de calcium a-t-il une importance ? Parce que, en cas de lésion athéromateuse, on constate un flux de calcium important vers les cellules de la paroi vasculaire.

62. Si l'on dit que le cancer du sein a un risque relatif de 1 sans traitement, le risque relatif devient de 1,8 avec des œstrogènes conjugués de type prémarin qui comportent 50 % de sulfate d'œstrone et 23 % de sulfate d'équiline et de sulfate de 17 alpha-dihydrœquiline. Ce qui est déjà près du double, et selon d'autres auteurs, le risque relatif est de 1,25 pour l'œstrogène employé seul et de 1,25 à 2 pour l'œstrogène et la progestérone.

63. Production R.EGF, diminution du R.IGF 1, c'est-à-dire de l'*Insuline Growth Factor 1*.

64. Ils agissent sur la transcription des ARN de facteurs de croissance (EGF, IGF2) ou leurs récepteurs (IGF.R, EGF.R). Ils stimulent l'angiotensine et induisent la synthèse d'enzymes d'activation du plasminogène, ce qui pourrait favoriser une dissémination à distance.

65. L'œstrone, ou E1, qui a une puissance 200 fois moindre que l'ethinyl-œstradiol, contenu dans les pilules.

66. Les anciennes méthodes de traitement des désagréments de la ménopause faisaient précisément appel aux œstrogènes de type œstrone, plus faibles et sans danger, mais n'avaient pas alors l'effet bénéfique de l'éthinyl-œstradiol qui est utilisé actuellement pour son action sur les systèmes osseux et vasculaire.

67. Analogues de structure du pyrophosphate inorganique.

68. De nouvelles molécules ont pour nom : etidronate, pamidronate, alendronate, résidronate – une cure brève de 6 semaines a un effet stable 8 mois durant, tant sur la formation que sur la résorption de l'os mais la qualité de l'os nouveau est inférieure à celle de l'os normal.

69. L'os est de l'hydroxyapatite.

70. Hormone sécrétée par les glandes parathyroïdes et qui joue un rôle essentiel dans l'équilibre phospho-calcique de l'organisme (élévation du taux de calcium sanguin, élimination du phosphore par les urines).

71. Elle contient de la vitamine P (P comme perméabilité) et, sans entrer dans le détail de sa composition, 0,5 % d'huile essentielle et de nombreux composés flavoniques.

72. On utilise l'écorce de la racine qui comporte des alcaloïdes. Il y a 1 à 3 % de berbérine active au niveau des muscles lisses.

73. Ses propriétés se déduisent de sa composition : des flavonoïdes, des tanins, des saponines coagulantes, de la sécrétine.

74. Elle contient des flavonoïdes, des amines – comme l'acétylcholine, l'histamine, la tyramine, la choline qui stimulent le système nerveux parasympathique –, des saponines. C'est un remède sthénique actif crampoïde.

75. Les constituants sont des alcaloïdes comme l'hydrastine et la berbérine – jusqu'à 6 % – que l'on a déjà rencontré dans Berbéris.

76. Elle contient des esters de l'acide isovalérianique, d'où son action calmante.

77. Il est composé de 0,2 à 10 % d'HES, de 30 % de tanins, de bioflavonoïdes, des alpha et bêta-pinène, des alcools sesquiterpénols.

78. Il contient 1 % de coumarine.

79. Elle est composée de 4 à 5 % de flavonoïdes, de tanins, de nombreux acides organiques, de 5 % de sels minéraux et de 2 % de potassium et de calcium sous forme de bitartrate et maléate, et a donc des propriétés dites vitaminiques P.

80. Il est riche en tyramine.

81. Il contient 2 % d'acide linoléique et oléique, 1 % d'huile essentielle dont le thymol et le carvacrol, des sels de potassium, des traces d'acide salicilique, de la vitamine K_3 – antihémor-

ragique. Le maïs s'oppose à un excès de rate, autrement dit une rate yang, et a également une action sur le rein.

82. Par le pouvoir anti-oxydant des ginkgolides qui bloquent la toxicité des radicaux libres de l'inflammation. Il stimule la synthèse des eicosanoïdes. Il contient des flavones ou flavonoïdes – vitamines P et PP – qui économisent la vitamine C et qui protègent le tissu conjonctif, des terpènes et des glycosides. Il diminue le risque de thrombose par inhibition de l'agrégation plaquettaire par libération de PG1.2.

83. Dans le système hormonal et notamment cortico-surrénalien, il stimule par un mécanisme antistress, la production d'ACTH et corticostérone, produit par la surrénale et, par ce biais-là, il serait aphrodisiaque. Il freine la production de thromboxane TxB2.
Il contient : 2 à 3 % de saponines à structure triterpénique ; des glucosides, qui sont les ginsénosides responsables de l'activité relaxante, sédative et antifatigue, de l'activité antiradicalaire et de la stimulation de l'hématopoïèse –production du sang ; des vitamines B_1, B_2, B_{12} et C ; de l'acide folique, acide nicotinique, biotine et acide pantothénique ; des substances minérales et des oligo-éléments, notamment du phosphore, du magnésium, du calcium, du manganèse, du cuivre, du fer, du cobalt, de l'arsenic, de l'aluminium et du germanium ; de nombreux acides aminés ; des enzymes comme l'amylase et la choline.
La correspondance diathésique de Ménétrier est : Cu Au Ag.

84. Autrefois, certains vignerons modifiaient le vin des coteaux du Rhin par adjonction d'une infusion de sauge et de sureau qui donnait une odeur, d'où le nom de Muscateller Salbel.

85. L'actée a une odeur forte car elle contient des alcaloïdes, des isoflavones, des hétérosides triterpéniques, un mélange de résines et d'amers. Les propriétés œstrogéniques sont dues à des substances non parfaitement élucidées.
On peut retrouver une correspondance dans la diathèse manganèse-cobalt.

86. Il contient 15 à 30 % de résines, soit 0,3 % à 1 % d'HES, responsable de l'arôme et des tanins. On isole la glande à résine, le lupulin, qui a pour constituants principaux : 1 à 3 % d'HES composée de 70 % d'hydrocarbures terpéniques dont 40 % d'humulène – alphacaryophyllène – et 20 % de bétacaryophyllène ; 50 à 75 % de résine ; des substances hormonales composées d'**œstro-**

gènes et d'**anti-androgènes** – comme l'acétate de cyprotérone – pour un syndrome hypophysaire accompagné d'un certain virilisme.

On peut retrouver une correspondance dans la diathèse manganèse.

87. Il contient de la vitamine C et un complexe de vitamines B, du potassium, du magnésium, du phosphore, de l'acide citrique, de la rutine ou vitamine P, 8,5 % de tanin et une petite quantité d'huile essentielle. C'est un stimulant des œstrogènes et un régulateur gonadotrophique hypophysaire qui contient de l'acide gammalinoléique et de l'huile essentielle.

88. Elle a pour constituants actifs 0,5 à 1 % d'HES, une très petite quantité de furocoumarine et des amers.

89. Ce sont les semences et les fruits dont on extrait les principaux constituants : 3 à 7 % d'HES dont le limonène, 15 à 20 % d'huile grasse dont 3 % d'acide palmitique, 40 % d'acide oléique et 30 % d'acide linoléique, les fameux acides gras polyinsaturés.

90. Parmi les constituants principaux, on retrouve des traces d'HES – avec le salicylate de méthyle – 6 % d'amers, mais surtout 0,6 % d'œstriol, œstradiol et œstrone – des flavonoïdes – de la glycyrrhizine de 2 à 15 %, sous forme de sels de magnésium, de potassium et de calcium (freinent l'inactivation hépatique des glucocorticoïdes, donc une action de type minéralocorticoïde avec 1/5 de l'activité de la cortisone) – un agent antilysozyme – des sels de potassium.

91. On y trouve des glucosides, des éleuthérosides que l'on classe de A jusqu'à M.

92. Par l'éleuthéroside E, présente en quantité importante dans la racine.

93. Par action sur la synthèse des ADN et ARN.

94. Le fruit décortiqué contient un alcaloïde indolique et 2 % de lécithine, ainsi que de la *follicule-like* hormone.

95. Elle est très riche en divers constituants minéraux (silice, phosphore, chlorure, sodium, soufre, fer, potassium, magnésium), en vitamines (B, C, ßcarotène), en lécithine, protéines et mucilage, et en phytohormones.

96. Elle contient des tanins (à raison de 6 à 8 %) et des flavo-noïdes, de l'acide lutéique, de l'acide linolénique et de la lécithine, et des traces d'acide salicylique.

97. Elle stimule l'activité lutéotrope de la LH.

98. Elle est riche en flavonoïdes, contient 40 % de chamazulène, source d'huile essentielle et des amers.

99. Sa richesse en glucosides flavonoïques et en huile essen-tielle d'odeur camphrée contenant du cinéol, du pinène et des ses-quiterpènes, lui confère un pouvoir antispasmodique, sédatif et carminatif (diminution des flatulences par inhibition des récep-teurs DOPA).

100. Le grémil renferme des flavonoïdes et est riche en matières minérales, notamment en sels de calcium et de silice. La graine ren-ferme jusqu'à 15 % d'huile ; cet acide lithospermique est, quant à lui, responsable de son activité antigonadotrope et donc antihy-pophysaire et anticonceptionnelle. Cette plante a été utilisée par les femmes des tribus indiennes du Nevada pour ses propriétés abortives et anticonceptionnelles. On pense que le *Lithospermum* inactive les hormones après leur sécrétion par le lobe antérieur de l'hypophyse par blocage périphérique des hormones et non par action hypophysaire proprement dite.
Le principe antigonadotrope demeure actif à de très basses concentrations du produit *in vitro*. *In vivo*, plus la dose est grande, plus fort est l'effet, et plus longtemps s'exerce l'activité.

101. Par la shikonine.

102. Elle comporte des traces de vitamines C, 2 % d'acide sili-cique et 30 % de mucilage.

103. Il contient des stéroïdes saponifiés, des stéroïdes car-diaques et de la vitamine D.

104. Il contient de l'acide valérianique, isovalérianique et sali-cylique et des composés flavoniques.

105. Elle contient de l'histamine, de la choline, de la tyramine, des mucilages et des tanins.

106. Elle contient des saponines qui font baisser le cholestérol sanguin.

107. Comme antilipoperoxydant.

108. Par les acides phénols (notamment l'acide rosmarinique). Les acides lui donnent des propriétés cholagogues et cholérétiques. Elle contient aussi des flavonoïdes qui sont spasmolytiques et diurétiques.

109. Dans la teinture mère, il entre une huile essentielle (de 1 à 2 %) qui comporte :
- de l'eucalyptol : le romarin est donc expectorant ;
- du pinène : il est antiseptique ;
- du camphre : c'est un tonique cardio-vasculaire ;
- de la verbénone en quantité variable (jusqu'à 10 %), d'où son action mucolytique ;
- de l'acétate de Bornyle, d'où son action antispasmodique.

110. On retrouve une activité antigonadotrophique comme dans le *Lithospermum officinalis*.

111. Il contient des flavonoïdes hépatoprotecteurs et toniques circulatoires. Les saponosides sont veinotropes (protecteurs veineux).

112. Elle contient de nombreux alcaloïdes dont la *vincamine*, ainsi que des tanins.

113. Elle contient une grande quantité de *sels minéraux* : du potassium, de l'acide silicique donc du silicium, du manganèse, des flavonoïdes, des saponosides.

114. Source de minéraux (iode, potassium, sodium, magnésium, calcium, fer, manganèse, germanium, zinc, bromium, silice) d'huiles essentielles et de vitamines A, B (dont la B_{12}), C, D, E.

115. Elle contient des flavonoïdes, des anthracénoïdes, des tanins, des terpénoïdes, et de la silice.

116. Par forte stimulation de la synthèse d'interféron.

117. L'ortie est reminéralisante parce qu'elle contient des vitamines B_1, B_2, C, K, de l'acide pantothénique et de l'acide folique, du nitrate de potassium, du nitrate de calcium, de l'acide silicique et du fer.

118. Une molécule est dite aromatique en chimie quand elle possède un cycle benzénique qui est constitué par trois doubles liaisons carbone-carbone.

119. Principalement par deux voies, celle des terpènes et celle des phénylpropanes.

120. À 5 atomes de carbone, donc C_5.

121. Les principaux constituants des huiles essentielles sont :
– les *monoterpènes* dont la propriété principale est qu'ils sont antiseptiques et doués d'une activité révulsive sur la peau.
– Les *sesquiterpènes* qui sont anti-inflammatoires, calmants et hypotenseurs.
– Les *alcools* : les *monoterpénols* sont anti-infectieux, immuno-stimulants et dénués de toxicité ; les *sesquiterpénols* sont immu-nostimulants et stimulants généraux, très peu toxiques aux faibles concentrations où ils se trouvent dans les plantes envisagées ; et enfin, les *diterpénols* dont la propriété est qu'ils sont régulateurs hormonaux parce que voisins des hormones sexuelles humaines. Ils sont en très faible quantité dans les plantes en question.
– Les *phénols* sont principalement anti-infectieux et immuno-stimulants mais ces molécules lourdes peuvent être irritantes et toxiques à faible dose et surtout lorsqu'elles sont répétées.
– Les *aldéhydes* sont de bons anti-inflammatoires, moins cepen-dant que les alcools, et sédatifs du système nerveux.
– Les *cétones* sont calmantes, immunostimulantes, mucoly-tiques, anticoagulantes, hypotensives.
– Les *acides* sont de puissants anti-inflammatoires.
– Les *esters* sont antispasmodiques, rééquilibrants nerveux, très doux, d'où leur administration par voie cutanée.
– Les *oxydes* sont mucolytiques et expectorants.
– Les *éthers* sont spasmolytiques et rééquilibrants nerveux, antidépresseurs et sédatifs.
L'activité de la plante peut s'expliquer par ses constituants.

122. Elle contient des leuco-anthocyanes actifs sur la circula-tion, des tanins et des substances antiseptiques. Elle comporte 50 % de monoterpènes, des monoterpénols, des sesquiterpénols.

123. Il comporte 25 % de monoterpènes, 15 % d'alcool bornéol, 15 % d'ester, l'acétate de bornyle et 10 % de cétone, comme le camphre et la verbénone.

124. Il contient 50 % de l'oxyde 1-8 cinéole, 10 % de la cétone, la bornéone ; il contient aussi des monoterpènes, des monoterpénols, des sesquiterpènes.

125. Composé essentiellement de camphre : 30 à 40 %, de 1-8 cinéole : 15 % de monoterpènes et d'alcools.

126. L'huile essentielle contient du menthol et des flavonoïdes. De toute manière, cette huile doit être utilisée à faibles doses pour ne pas entraîner d'excitation, parce qu'il y a une inversion rapide des effets par la cétone qu'elle contient.

127. Elle contient un alcool, le linalol et un ester acétique, l'acétate de linalyle (50 à 80 %). On peut y adjoindre l'*Helichysum italicum* et le *Citrus aurantium*.

128. Outre les constituants déjà cités pour la *Lavandula vera*, l'aspic contient beaucoup plus d'oxydes 1-8 cinéole : de 20 à 30 %. Son odeur prononcée est due à une cétone, la bornéone ou camphre : 15 %.

129. Contient des alcools, des phénols, des monoterpènes précurseurs du carvacrol et du thymol qui lui donne son nom.

130. Il pousse plus haut que son prédécesseur et contient surtout – 60 à 80 % – des monoterpènes (linalol), pour le reste, mais aussi de l'ester, l'acétate de linalyle.

131. Par exemple, comme chez Lachesis.

132. Contient 50 % de monoterpénols.

133. L'huile essentielle contient, entre autres, des monoterpènes (20 %), des monoterpénols, des sesquiterpènes, des phénols (25 à 50 %) dont le carvacrol.

134. Elle contient 40 % de monoterpènes et 50 % d'alcools dont le thuyanol et le linalol et une petite partie d'ester.

135. Elle contient 75 % d'ester — qui est négativante — et 20 % de dicétones appelées diones ; reste 5 % de traces de sesquiterpènes à effet hypotenseur, de monoterpènes stimulants, de sesquiperténols actifs sur la sphère génitale et métabolique basse, et des traces de coumarines.

136. L'écorce contient 70 % d'aldéhyde, 10 % d'eugénol, alors pour la feuille, la proportion s'inverse quasiment : 20 % d'aldéhyde, 70 % d'eugénol, 8 % de sesquiterpènes, ainsi que du bêta-caryophyllène.

137. Vu sa richesse en eugénol, phénol présent entre 75 et 90 % et constituant positivant, très lourd et donc agissant en hyper. Le pouvoir antibactérien du phénol est lié aux conditions de pH nettement acide, à une résistivité — rH2 — basse par abaissement du potentiel redox et une forte électropositivité. Le reste est constitué de son ester et de son méthyléther, de sesquiterpènes, une composition qui n'est pas sans rappeler la cannelle de Ceylan.

138. Compte tenu de la propriété antispasmodique de l'eugénol par la fonction phénol et éther.

139. Feuille petit grain bigarade : 50 à 70 % sont constitués par un ester, l'acétate de linalyle d'où la propriété antispasmodique ; 30 à 40 % d'alcools (linalol), 10 % d'un monoterpène (limonène).

140. Ici, il y a 90 % de limonène neutralisant l'aldéhyde, c'est-à-dire le citral qui est passablement irritant. C'est le zeste qui comporte les flavonoïdes, dont le fameux carotène.
On retrouve, comme dans la feuille, des propriétés anti-inflammatoire, antivirale et activatrice de la circulation.

141. Il contient 35 à 45 % d'oxydes, 5 à 10 % d'ester (est donc antispasmodique et coronaro-dilatateur), 10 % d'alcool (linalol), 5 à 10 % de sesquiterpènes (bêta-caryophyllène et alpha-humulène), ainsi que des traces d'acide et de cétone, d'où son action antialgique.

142. Par sa fonction ester.

143. L'écorce est d'une grande richesse en sesquiterpène et en anéthole.

144. 2 à 6 % d'huile essentielle dont le pinène, le limonène et des phénols méthyléthers, responsables de l'activité œstrogénique ; 20 % d'huile végétale grasse dont les acides palmitique, oléique et linoléique, les acides gras essentiels aux propriétés cardio-vasculaires ; des coumarines ; des sels de potassium.

145. L'organothérapie utilise des organes d'animaux de la

même manière qu'en médecine classique, on donne des extraits de foie pour en récolter les principes vitaminiques et actifs. Elle dilue et dynamise les extraits obtenus. L'ancêtre de cette hormonothérapie était l'opothérapie où l'on prescrivait des extraits d'organes pour pallier l'insuffisance de leur fonction naturelle.

146. On sait que la silice se trouve dans le tissu osseux, conjonctif et élastique. Quand il y a une intoxication acide, du fluorure de chaux se transforme ou autrement dit, c'est l'acide fluorhydrique qui décompose la silice.

147. La folliculine est formée de 3 hormones : le bêta-œstradiol, l'œstrone (ou O1) et l'œstriol (ou O3). La genèse se fait *à partir du cholestérol*.

En homéopathie, Folliculinum (extrait de la *liquor folliculi* d'un ovule mature sain issu d'embryons animaux) est utilisé selon le principe de l'organothérapie diluée et dynamisée. Les basses dilutions D6 à 4 CH de Folliculinum sont données pendant la première quinzaine, souvent aidées de FSH 7 CH au 7e jour du cycle, ainsi créé dans les cas d'insuffisance ovarienne. Au contraire, en cas de tension prémenstruelle des seins, Folliculinum M (une très haute dilution) est administrée au 3e et 23e jour du cycle, pour obtenir un effet antagoniste.

148. Par chromatographie à absorption atomique.

149. Il existe une hyperréflexie tendineuse, un signe de Chvostek positif chez les patientes qui reviennent avec un test de spasmophilie positif.
Tests indicatifs :
– Clearance de l'urée diminuée avec une urée sanguine encore normale.
– Cholestérolémie élevée.

150. Dysparathyroïdie.

151. Le potassium est un adjuvant utile au cuivre-or-argent, comme régulateur du métabolisme de l'eau et du cycle de Krebs.

152. Voyons quelques symptômes et leur transcription en **vide** ou **plénitude** dans les cinq éléments :

Élément Bois en vide	Élément Bois en plénitude
Règles abondantes Bourdonnements d'oreille État dépressif Ongles secs Insomnie Frigidité	Métrorragies Varices, hémorroïdes Spasmophilie Hypertension Irritabilité, colère

Élément Feu en vide	Élément Feu en plénitude
Hypotension Asthénie Frilosité Teint pâle Syncope, vertiges	Hypertension Teint rouge Grande soif Insomnie Joie

Élément Terre en vide	Élément Terre en plénitude
Estomac ballonné, nausées Frilosité, membres froids Diarrhée Œdèmes Frigidité Hyperglycémie Arthrite Dépression, isolement	Soif importante Constipation ou diarrhée Aphtes Diabète Gastrite Obésité Arthrose Dépressions, manies Agitation

Élément Métal en vide	Élément Métal en plénitude
Frilosité Asthénie Amaigrissement Teint pâle Rhinite chronique Ventre ballonné Constipation atonique Prurit anal Selles liquides Pollakiurie Déprime, chagrin Chute des cheveux Psoriasis	Bouche sèche, soif Nez bouché, sinusite Constipation spasmodique Peau sèche Paume des mains brûlante Sueurs nocturnes

Élément Eau en vide	Élément Eau en plénitude
Frilosité	Nuque douloureuse
Urines abondantes	Acouphènes
Aménorrhée	Insomnie
Gonflement du visage et généralisé	Chute des cheveux
Rhumatisme chronique	Infections rénales
Dépression	Hémorroïdes
Surdité	Hypertension
Hypotension	Lombalgies
Hypersomnie	

153. Le traitement consiste à rééquilibrer le méridien Jen Moo, méridien ascendant du thorax, et Tchrong Mo, le méridien curieux.

Rate-Pancréas sont des éléments essentiels dans la régularisation du sang.

154. Il y a deux points : 11 de vessie et 11 de rein à chauffer avec des bâtonnets de moxa. Le traitement doit être effectué quotidiennement pendant plusieurs mois.

155. La liste des points et des systèmes dans ce domaine est longue et varie selon les cas.

156. Dans ce cas, l'Actea en TMØ serait contre-indiqué, vu la présence œstrogénique de ce produit en TMØ.

157. L'œstrogène de base de la pilule est de l'éthinylœstradiol, tandis que la thérapie hormonale de substitution utilise du benzoate d'œstradiol, hormone synthétique semblable à l'hormone ovarienne.

INDEX

TABLE
DES
MATIÈRES

Chapitre 1
LA MÉNOPAUSE, SES SYMPTÔMES, SES CONSÉQUENCES

Chapitre 2
UNE HYGIÈNE DE VIE ADAPTÉE

Chapitre 3

LES TRAITEMENTS :
L'ALLOPATHIE, LES MÉDECINES DOUCES

Les auteurs

Georges Crabbé
Gynécologue-obstétricien exerçant en clientèle privée depuis trente ans, il
a exploré les possibilités des médecines naturelles. Ancien assistant à
temps partiel en cytologie à l'institut de cancérologie Bordet (Bruxelles), il
est président fondateur de l'Association européenne de gynécologie holistique et enseigne à l'École mosane de médecine naturelle et de biothérapie.

Svetlana Crabbé
Kinésithérapeute de formation, naturopathe, acupunctrice, conférencière
et enseignante en médecine bioénergétique, elle est fondatrice de l'association « Ménopause et Andropause par les Médecines Douces ».

L'association « Ménopause et Andropause par les Médecines
Douces » A.S.B.L. a été créée par Svetlana Crabbé. Elle a pour
but de promouvoir les idées développées dans ce livre.
L'association veut être le point de rencontre pour une
autre vision de la ménopause.
L'A.S.B.L. organise des conférences et des séminaires.
Faites-vous connaître si vous partagez les mêmes convic-
tions.
Si vous avez des suggestions à nous faire, si vous désirez
de plus amples renseignements, écrivez à :
Siège social :
France :
B.P. 03
30190 Sainte-Anastasie
Tél. : 06 07 60 87 78

Belgique :
B.P. 53
Bruxelles 18 (1re section)
Tél. : 02 721 03 69

Adresse sur Internet :
http : // www.mamd.be.

Cet ouvrage composé par I.G.S.-Charente Photogravure
à l'Isle-d'Espagnac
a été achevé d'imprimer sur les presses
de **Bussière Camedan Imprimeries**
à Saint-Amand-Montrond
en décembre 1998

N° d'édition : 18004. N° d'impression : 985741/4.
Dépôt légal : décembre 1998.